STIFYN PARRI
Out with It!

A cheeky but charming personal account of
the outrageous, larger-than-life entertainer and
entrepreneur Stifyn Parri, in the first ever bilingual,
English/Welsh, back-to-back autobiography of its
kind. He has starred in theatre and TV in both
England and Wales, and has worked with some of
the biggest names in the industry. He is bursting
with camp anecdotes of back stage drama, tears and
tantrums, and of embarrassing times with superstars,
royalty and even his poor mother – so Out with It!

STIFYN PARRI
Out with It!

Gomer

First published in 2019 by Gomer Press,
Llandysul, Ceredigion SA44 4JL

ISBN 978 1 78562 286 1

A CIP record for this title is available from the British Library.

This book is published with the financial support of the
Welsh Books Council.

Printed and bound in Wales at
Gomer Press, Llandysul, Ceredigion
www.gomer.co.uk

Acknowledgements

I would like to thank the following for the use of the images in the book:

Uncle John (John Parry)

Rahim Mastafa Photography

Mike Hall Photography

Wales Millennium Centre

Michael le Poer Trench (Les Misérables photograph – ©Cameron Mackintosh Limited)

Cameron Mackintosh (Les Misérables image – ©Cameron Mackintosh Limited)

Getty Images (No Clause 28 Rally)

BAFTA Cymru

Phil Redmond

Wrexham Glyndŵr University

Huw John Photography

Steve Bright Photography

Iolo Penri Photography

BBC Cymru Wales

David Manton

Sarah Roberts

Dewynters

A little word...

Idedicate this book to you Mam, for being the best mother ever, with the exception of a few incidents, some of which are included here! I would not have been comfortable publishing this without the help of my brother Anthony, to whom I am eternally grateful. I would also like to thank everyone who has encouraged me along the way, but give a special thank you to those who tried to quash my enthusiasm, or stop me in my tracks; you provided the catalyst for me to follow my own path, rather than yours.

Not everyone will be happy to learn that I have written a book, some individuals may be quaking in their boots that I've opened my mouth publicly, however I am saying it exactly how I see it, after all it's my book. So, 'Out with it'!

Stifyn x.

CHAPTER 1

Being Me

Take your seats, it's gonna be a bumpy ride. I thought I'd start by trying to justify how normal I am! Well, we all seem normal to ourselves, don't we? It's difficult to know what part of our character we inherit from our parents or bloodline, and what part is shaped by our journey through life. Then again, there are some characteristics in me that seem so randomly unexpected. I've definitely got the same sense of humour as my father, and most certainly inherited my mother's 'Drama Queen-ness', but I have no idea where my deep-rooted need to be an entertainer and entrepreneur came from. The village of Rhosllannerchrugog, near Wrexham, where I was born and grew up, seemed to have an unspoken rule that everyone had to blend in, and although practically nobody ever did, there was an oppressive feeling that one was being constantly watched and judged. Even at an early age, it was obvious I had not been born with the 'blend in and keep your head down' gene. My mother would quite often break into a sweat with the worry of what would come flying out of my mouth next. Like the time she proudly took me for a stroll through the village in my pram. Our local vicar spotted her and came over to peer down at her second child lying angelically on his back.

'How is the little one?' he asked in Welsh.

'He's a little angel, sent from heaven above, Mr Griffiths,' she said.

'And what's this little angel's name?' he mouthed dramatically as he leant over, and peered at me. Before my mother had a chance to answer, I looked him right in the eye and answered, '*Rhechen*,' which is the Welsh word for fart! They both chuckled awkwardly, as my mother hurried on her way, wincing slightly; not for the last time. This poor woman has spent far too many years since dreading what's going to come out of my mouth next. Luckily, she sees the funny side too, whilst a tad horrified. Like the time she was busy doing housework, and had turned her back on me for a second, whilst I was busy perfecting my potty-training skills. As she dusted, her proud little angel called out, 'Mam, I've had a poo and I've chucked it in the fire.' She turned and found a rather different type of log sizzling in the fireplace. I smiled at her, chuffed that I'd helped with the housework.

I've never been one for worrying about what people expect of me, even at an early age. I only focus on my own expectations. Other people's expectations generally hamper our development. What if they don't like me? What if I say the wrong thing? How should I behave? These questions fill people with fear. Over the latter years I have mentored many people, of all ages, and developed techniques to boost confidence, motivation and performance. I have had to conquer my own fears over the last half century or so, and now, as a mentor I can help individuals who are trapped in their 'I'm-not-good-enough' bubble. Lacking self-confidence is an epidemic, and there is nothing I enjoy more than freeing people who are rooted to the spot from the fear of what others think.

One piece of ammunition that has kept me safe for as long as I can remember is to be my best, the best I can be at that point, and to present that best version of myself. Nobody has a chance in hell of being a better version of me, therefore I don't feel pressurised into comparing myself with others. I'm just me. I don't think I'm special by any means, but I don't think I'm substandard either. Life is never a competition, although so many people criticise us, and try to make us feel inadequate, which is usually a reflection of their own insecurity. As a TV presenter I've had comments from certain directors asking, 'Can you be a little more Graham Norton?' And I answer, 'No, I can't, actually. Does anyone ever ask Graham to be a little like me? Sod off.'

I realised from a very early age that I wasn't like 'the others', was never going to be, and didn't want to be either, thank you very much. I was fatter than most around me, poorer than many, I was far from top of the class or the butchest around, and a Welsh speaker who liked his own sense of fashion. I feel I've been lucky in the fact that I've always felt happy in my own skin, happy being me, and accepted and cherished my strengths and weaknesses alike.

Having written a song especially for an occasion, and having sung my heart out in Capel Bethlehem, in my village, I remember climbing down from the pulpit, in my clogs, and collarless shirt, pleased that it had gone well. I was met by a frosty 'lady' who'd spent her whole life looking down on people, a judgemental, bitter soul, who thought that the oversized feather in her hat gave her the right to burst my balloon. 'Such a pity you never wore a tie, Stephen Parry,' she said, puncturing my soul with her icy glare. Bog off, Jesus never wore one either, I thought to myself, realising at that early age that this was her problem and not mine. She was the sort of mother who would practically force her own son, who could only have been an immaculate conception, to learn the longest verses from the Bible. Sadly, neither will we or he ever retrieve those wasted hours, as he robotically recited over-enunciated ramblings that went on and on. And on and on. And on. Approximately twenty-five years later, I found myself singing in a gala concert on the Llangollen International stage, and as I came to the end of my solo, my eyes landed on Mrs Frosty Knickers, who was waving at me proudly in a 'remember me?' sort of way, as everyone was applauding. Out with it. 'Well, hello Mrs Pritchard!' I said from the stage. 'Do you remember telling me off for not wearing a tie in chapel many moons ago? It did me no harm, did it? Mind you, you'll be thrilled to see I'm wearing a lovely shocking pink one today.' The audience roared laughing as she preened herself proudly for being noticed, totally missing the point that I'd publicly, and internationally, slapped her right across the back of her legs. Thank you, karma.

My village could be a bit of a minefield at times. As I walked down the main road as a youth, wishing it was Broadway and not Broad Street, enjoying the reflection of my newly dyed blond hair in the reflection of shop windows, I was suddenly accosted by an elderly member of the Blue Rinse Brigade. 'Well look at you! What have you done to your hair?' she sniped as she parked her shopper right in my path.

'I've dyed it blond,' I said.

'Oh! Hey fool, why did you do that?' she barked.

I looked at her and said, 'I just fancied a change, like you did'.

'What do you mean, "like me" ?' she hissed.

Out with it.

'Well, you've dyed your hair purple, and I've dyed mine blond,' I said calmly.

'How DARE you!' she spat, as she manoeuvred her shopper in a three-point turn and trundled off, mumbling emphatically under her breath. Why on earth she thought she had the right to criticise my 'natural blond look' when she resembled a cockatoo, I'll never know.

It was around this time that I realised there was no chance of me blending in with the other lads in the village. There was probably more chance of me blending in with the girls. I hated my name, and wondered who on earth had come up with such a dull excuse for a title. My brother, that's who. He'd been given the honour of thinking of a name for his new brother at the ripe age of four! There were twins in his class, apparently, called Stephen and Susan. Sadly, he chose Stephen! As a young teenager, I decided to readdress the spelling of my name, and approach it 'creatively'. I decided I didn't want a brand new name, I just felt it needed a tweak, so I engaged in a little Welsh phonetics, and upgraded it to what I thought was genius – spelling Stephen phonetically, the Welsh way. No problem. Well, every day since then it's been a problem, to be frank. Believe it or not, it's the Welsh speakers who seem to be blind to their own linguistic rules. Let me explain. The letters 'S' and 'T' sound the same in Welsh as they do in English, however the 'I' sounds like an 'E', the 'F' like a 'V' and the 'YN' sounds like the 'un' in undo. Put them together and Stifyn = Stephen, i.e. they both sound the same. Simples. However, I could shout this from rooftops daily, but I could bet my house and savings on the fact that as soon as I walk onto an eisteddfod field, someone will call me Stiphin, Stivin and Steffan. It drives me crazy, but it's all my own fault. However, there are times when these mistakes bring me joy, such as the time our old cleaner referred to me as Stephanie, a drag queen once called me Chiffon, and I was introduced on stage once as Mr Stuffing Parry. They might as well have changed my surname to Paxo and have done! I obviously changed my name for attention, and I can't complain about the result.

I have always wanted to be different to everyone else, and could never quite grasp why on earth anyone would want to 'blend in' or just be normal. I just needed to be special, needed to feel 'chosen'. When I was four years old my mother found me sobbing at the top of our stairs because I'd realised I <u>hadn't</u> been adopted. 'Oh, what's wrong,' my mother asked, concerned.

'Why wasn't I adopted?' I blubbed.

'Well, when you were born your father and I wanted to keep you.'

'Oh, but I wanted to be chosen by you, not just 'had', it's not fair.' The words Queen, and Drama seem to be emerging, don't they?

One thing I struggled with as a child was my weight, and I still struggle with it. I have always celebrated with food, but commiserated with it also, double the trouble and double the portions at times. I could discuss food all day, every day, even after a banquet. I quite happily send myself to sleep fantasising about tomorrow's dinner, and wake with an urge to cook. Being brought up by parents who fed the whole village with fish and chips was only going to make this waistband a permanent issue. The biggest problem with having daily access to fish and chips was the fact that I never tired of them. I relished the summer holidays, as my mother would be working at the shop, and I would pop in for another bag of the best fish and chips on the planet. Even now, I have to cross to the other side on the road if I'm passing a good chip shop; the smell is like catnip to me. This is why I have chips hips.

I've tried every diet on the planet, but I emphasise the word 'tried' and not 'conquered'. I've dabbled with beta-blockers, but they just seemed to make me talk more rather than eat less, when in fact there wasn't enough time in the day to talk any more. Then there was the Pineapple and Wine diet. This one was a right laugh to begin with. I would have a tin of pineapple rings in the morning accompanied by a spritzer, move up a notch at lunch and have some pineapple chunks and a glass of white, then in the evening I'd have a couple of bottles of Sauvignon Blanc and fuck the pineapple, thank you. Not literally of course. My weight dropped, but so did my health. Within a week, the sides of my mouth had cracked, and I had constant stomach cramps, as I am pretty sure the lining of my stomach was trying to digest itself. The Cambridge Diet was another little fad of mine. This diet came in the form of countless carrier bags full of white sachets with grand titles proclaiming what the powder mixture within them should taste like. There was Mushroom Delight, Vanilla Cream and Chicken Surprise, the surprise being that there was no fucking chicken anywhere near the sachet. I would even go as far as to say it had been packed by a vegan. I would reach for a sachet, add water, consume, and try not to reach for the sick bucket. Again, I would initially lose weight quickly while losing the will to live just as fast, then start fainting due to the fact that every sachet consisted of the exact same amount of nutrition as a bag of Polyfilla. Handy, if the mouth started cracking again mind you. By the end of week two I looked and felt like Marty Feldman.

Now then, the Jane Fonda workout VHS was a big hit in my flat, at one point. I clearly remember bouncing into Tesco to buy her video, then bouncing back to mine and getting into my workout costume which consisted of legwarmers and headband, and decided to jump straight into the advanced workout as I was more 'in the mood' than the bloody Nolans. This short, intense blast was a hoot, so Mr Stupid here decided to repeat the challenge. All was well, until the next morning, when I had to come downstairs one step at a time, and waddle to work like a constipated penguin.

My weight has constantly shifted up and down throughout my entire life. I have recently just finished a stint with Slimming World, and am very happy to say that I reached my goal weight while managing to do it healthily, this time. I would rush there, every Tuesday morning, not only to be weighed-in, but also to listen to the pure comedy conversations that would delight my ears as I entered the room, full of women of a certain age who would queue and chatter nervously. 'Oh, I put on half a stone last week, but I think that was due to our Kylie's christening' WTF? Did she eat Kylie? And the lady who weighs you in isn't allowed to comment if you've gained. She, herself, is slowly filling the room, week by week, as she's paid in merchandise and has a handbag full of cheeky chocolate.

Anyway, sometimes I'm fat, and sometimes I'm not, and as long as I'm happy, I don't care. I like myself, fat or thin, but the latter means I can probably last longer on this planet. It's living your life that's important. I've been praised to the hilt, and slagged off, but as long as I am happy with my lot, then that's what matters. My cup is definitely more than half full, and for that I am grateful. It seems to me that most people who complain about their lives are the ones who don't do anything about it. I have created a great life, and I am fully aware that as I navigate along my path, that it's my path, and nobody else's, so beep, beep, get out of my way!

A drama teacher once asked me, 'Why is it you always seem to land on yer arse in the marmalade?' referring to the fact that I am very fortunate. Luck, some people call it, but I don't believe in that; only hard work and karma. This is probably why I received an honorary fellowship for services to the performing arts from Glyndŵr University. I could never have earned a fellowship in the usual academic way, like most, but I followed my own path, and was rewarded just the same!

Following my own path has meant I have also followed my own dress sense over the years, much to many people's amusement. These days, I'm happiest in a black T-shirt and jeans, or a 'happy' shirt if I'm on TV. I do remember to wear trousers too, of course. But when I was younger I used to have a ball just experimenting. I'm still proud remembering the orange council dungarees with jacket to match I bought once and wore forever. I'd go to London for the weekend feeling like 'one of them' while nobody batted an eye, though back home rooms would hush as I entered and you'd psychically hear them think, 'What the fuck has he got on today?' I once booked into the Ritz for the night, when I was eighteen, and waltzed in, in a new pair of legwarmers that were fashionable at the time. 'Excuse me, sir,' said the concierge, peering down at my woollen accessories, 'We have a strict dress code for the restaurant.'

Out with it!

'I have just had an operation on my ankles,' I lied.

'This way, sir,' he said quickly and ushered me to the best table in the room. Confidence. Or maybe cheek. Probably both.

Those who don't know me well will probably think I've had a dreamy, easy life, but however untrue this is, I go to great lengths to make sure I enjoy it to the max. I know only too well, that we're not here for long. We have no idea what is around the corner, but there is no point in stopping the car as a precaution. Drive on, as the next corner could offer all sorts of opportunities. I can be found smiling like a Cheshire cat on TV programmes, laughing at parties and in photographs or relaying a funny story on stage, and many would think what a lovely life he has, and to a certain extent I do. However, in the chapters following, you will also find that I've had to learn some tough lessons. These lessons have helped me to follow my instincts, in work and in play, so I immerse myself in projects that I absolutely adore, surround myself with only those who I admire and definitely those who make me smile.

I realise that I have been incredibly fortunate in the fact that I was brought up in a home full of unconditional love and encouragement. My parents have never tried to persuade me to go in a certain direction and, more importantly, never discouraged me from going in the direction that I chose.

Over the years I have had the experience of working with a diverse and wide range of individuals, and I'm sure that sitting on the counter of our chip shop helped me understand that I should treat everyone in the same way. This is how my mother greeted her shop customers, giving each one an equal welcome and respect. I love people, and have immense pleasure in being around them. I people watch and people listen, and I am very close to the most eclectic mix of individuals: old school friends, academics, big showbiz names, the people next door and all that's in between. My life, now, has become a busy and exciting conveyor belt of to-do lists with a diary full of meetings, opportunities and the most brilliant experiences.

*   *   *

I've also been lucky in relationships, and proud of two very long-standing ones, the latter being my relationship with David. We were brought together by what seemed like pure fate twenty years ago and have been together since the day we met. Although I am a lover of attention, I have a deep-rooted hatred of fancy dress. Nevertheless, I was persuaded by my weather-guessing friend, Siân Lloyd, to accompany her to a fancy dress party. She seemed desperate to appear as Purdey from the TV series *The New Avengers*, as she'd bought a leather catsuit, but was obviously not going to go alone. Much to my horror, I was forced to go as the character Steed, in a suit, bowler hat and cane. I also have a hatred of singing in public, although I have spent years singing in the West End, and one of Siân's favourite pastimes is making me squirm. She finds it fascinating that I automatically change character as soon as someone suggests that I get up and sing. For her own amusement, as she dragged me from one group to another, she spent the evening announcing that I was going to 'do a turn later', and within a very short time I had abandoned Purdey, and sneaked off for a quiet drink, minus the bowler hat and cane, I hasten to add. I was then suddenly approached by a person who had seen me in various productions, and asked for my number.

This is where most people get me wrong; the moment when I fall apart, my confidence leaves me, and I become a gibbering wreck. Although I was very attracted to this man, I nervously gave him the wrong number in my flustered state of turmoil, and that could have been the end of it. Luckily David already knew where I lived, knocked on the door, and that was it. We are complete opposites, which can be as much of a problem as it is a pleasure, but I am very proud of what we have achieved. David has also brought me something that I had never expected. He has a son, who was born well before we met but whom I have had the privilege of knowing since he was a very early age. Ashley is now in his twenties and is one of the most extraordinary people I have had the pleasure to meet, and one who I am very proud to call a best friend. Having a child was never on my to-do list. However, life without Ashley is unimaginable. So, life is good, and has been a colourful roller coaster ride so far, as you will discover in a moment.

CHAPTER 2
Childhood

'I'll eat my hat if you're not a producer one day, Stephen Parry,' said Mrs Brenda Jones, headmistress of Rhos Infants School after my first week there as a three-year-old. I'm so pleased that she lived long enough to see her prediction come true, and to this day I am immensely grateful to her for enabling me to follow my instinct on those first days of school.

Apparently the first sentence that came out of my mouth, as I'd entered her class, was, 'Please Miss, can I organise a play this Friday Miss?'

Luckily her answer was, 'Of course you can, *cariad*,' (our equivalent of 'love', or even 'babe' these days, God forbid) and there it was: my first 'green light' outside the walls of my home, the thumbs up to my first production to be performed for the whole school. Obviously, nobody expected much, as this little ball of bossiness had never seen a play, let alone produced one, although I had already perfected my own caterpillar circus in the backyard, and a murder mystery in the gap between our bathroom and the coal shed, which was my own personal theatre. Clearly I had big plans.

'I'm gonna need those for a while,' I nonchalantly announced over a jam sandwich, pointing at my mother's pride and joy, her brand new curtains, in our living room.

'Oh, what the hell for, fool,' Mam said, as she balanced precariously on a stool, up to her eyes in wallpaper and paste.

'Well, for my drama on Friday, actually,' I answered, as I flounced out in search of my banjo and a sword. There were so many props and costumes needed. Luckily for me, but deeply unluckily for my parents, my school was literally ten doors down from our two-up-two-down, so I was back and forth like a squirrel on speed during breaks, quickly filling our school hall stage with the contents of my increasingly empty home.

My father, who was a rent collector with the council by day and assistant to my mother in our chip shop most evenings, would come home to rest his weary legs at the end of a very long day and say, ' Oh for God's sake, where's the pouffe gone, Marilyn?'

'This little one has borrowed it for his school play,' Mam would answer.

'What the hell's he up to now?' he asked.

'*The Spirit of Bryn-y-Brain*,' I answered, as I waltzed down the stairs in an apron and wedding hat. 'It's my first play, and I'm doing it on Friday. Parents aren't allowed by the way.'

My brother Anthony just rolled his eyes as he looked at Dad, then got straight back to his clarinet. Bryn-y-Brain was a council estate not far from our house, but far enough. I was very uncomfortable there, and didn't quite fit in.

By the Friday morning, Rhos Infants resembled a 'bring and buy' while our house seemed twice the size. The moment came, and the crowds gathered, and my dream came true. I was obviously going to give myself the lead role; not doing so would have been stupid. I had given supporting roles to my friends, and those poor buggers, who were not faintly interested, had to sit and clap. There I was, backstage, bossing everyone around. Lynda, Dwynwen and

Bethan, Rhian and Nia Gilpin were all shaking with nerves behind the curtains as I grabbed hold of the reins. 'Lynda Evans, will you concentrate on your lines please, and Dwynwen, don't giggle when you see the ghost. You are meant to cry like the rest of us.' They didn't really have much to worry about poor things, as I had orchestrated that most of it, if not all of it, was all about me. After all, this was my debut. West End here I come, darling!

I wasn't like anyone else in the school, it seemed to me, boys or girls, though I was far happier playing with the girls than I was with the boys. The boys would want to play racing cars and football, and I was far more interested in hopscotch and 'Queenie-I-o-ko, who's got the ball?' I was definitely different. My best friend was Lynda Evans, the most beautiful girl in the village, with long blonde hair down to her waist.

'Oh, what's the matter, *cariad*?' said Mrs Brenda Jones one morning, finding me sobbing by the sandpit with a hairbrush in my hand and my head down. I turned to the headmistress, buried my head into her belly button and held on to her for dear life.

Eventually I blurted out, 'Lynda Evans has cut her hair short, and now I've got nothing to brush!'

'Oh, don't you worry,' said the teacher, who totally understood, giving me a big bear hug as I clung to her now soaking stomach.

Rhosllannerchrugog was quite a bizarre place to grow up. It was a very cultured and musical village, and a proud and very close community that consisted of highly dramatic women and silent men. Through my eyes, every mother was pantomime dame-like, larger than life and all make-up and hair, with mute husbands who hid behind them. Apart from that, nobody was supposed to stand out, or the villagers would disapprove. The years to come were going to be very interesting!

Like many small towns and villages, we would have rather unforgiving nicknames. There was Hugh Drugs, who was once caught with a purple heart in his youth, but still bares the label even as a pensioner; George on Order, the hardware shopkeeper, who offered a great catalogue of products but never had much stock, and the most important one of all to me: Marilyn the Chip Shop. Obviously having total access to the glory of fish and chips took its toll on my hips, and before I knew it, I was named Fatty by some of the more lithe children in the village. As soon as I developed as a 'creative' I was then re-branded Poof. How sensitive of them. Then in a flash of inspiration, some local genius decided to join the dots and crown me Fatty-Poof. But Fatty-Poof didn't give a flying fuck and had the happiest of childhoods. I was resilient due to the amount of love and encouragement I received from my parents and the likes of teachers like Mrs Brenda Jones, who by now had allowed me to stage and star in a show every Friday, but I soon learned that not everyone was going to be as supportive.

To my mother's excitement, my elder brother, by four years, Anthony, was already showing signs of becoming an academic. To be honest, my mother behaved as if she'd given birth to Bamber Gascoigne. There was no chance in hell that Fatty-Poof was going to steal that accolade. On the other hand neither was he going to hide in the shadows of the genius that arrived before him. I made my own plans, in my own time, on my own terms, and brought my own spotlight!

We brothers were obviously equal in our parents' eyes but not in one particular teacher's, and although I use the word 'teacher' this person was more of a bully, and a paid one at that. I suffered her as my form teacher for a whole year, as she would daily express her disappointment in me not being like my brother. Why aren't you more like Anthony? Why aren't you as good as him? Anthony would not have got only six out of ten, would he? Her constant put downs and public humiliation cut through my eight-year-old heart like a knife, as she tried her best to ridicule me in front of my friends.

After a painfully long period of abuse, I decided to put a stop to it, and did something that I am still proud of today. Unbeknown to anyone, even my mother, I cut out a large circle of white cardboard, taped a safety pin onto the back to create a very eye-catching badge, and on the front I passionately carved, in thick bright red biro, in large capital letters, in Welsh 'MY NAME IS STEPHEN, AND NOT ANTHONY'. From that day onwards, the teacher never once compared me to my brother again. Yes, he was a budding academic, but I had discovered my own place to shine, a place where I would develop a talent, creativity and, furthermore, a career. I had discovered my love of entertaining, and the confidence to be myself, and nobody was going to take that away from me.

So my Friday productions went from strength to strength, and I took every opportunity within my reach to exercise my passion. Christmas was a great time for me too, and I remember one year playing Joseph in the nativity play, and Father Christmas in the Christmas concert. Double whammy! Showbiz big time, baby! I came to know all the characters in the village from the best seat in the house – sitting on the counter of the chip shop for six weeks every summer holiday. My mother would feed the world from behind this counter: the great, the good, the bad and the ugly, and there were plenty of each in the Rhos. Like a bolt out of the blue, I overheard a customer telling my mother about his rehearsal that evening, whilst waiting for his fish, and when I asked what the rehearsal was for, the answer changed my childhood forever. It was explained to me that there was an amateur dramatic society in our village, which produced two musicals a year and rehearsed every Tuesday and Thursday in a disused pub called the Cross Foxes. Not only that, but the pub was literally at the bottom of my street. How lucky was I? I was centre stage every Friday at one end of the road in the Infants, and now there were musicals happening throughout the week on the other corner. I was living on bloody Broadway. Boom.

Later that day ... 'Ma-am, if I ask you something, will you say yes?' I asked my mother in Welsh, as I persuaded my latest caterpillar to attempt the cotton high wire in my little circus.

'What is it this time?' she said as she studied the instructions for her new pressure cooker, which my father and she had decided was an investment, to save time, apparently.

'Can I go and watch the rehearsal tonight please, please, please? They are doing *Camelot*.'

'Of course you can, *cariad*,' she said, struggling across the kitchen with the largest saucepan I'd ever seen.

'As long as you come straight home when they finish,' said Dad, following her with a massive lid and a pressure valve bigger than our cat.

'I'm going to attempt sloppy peas and ribs for tea. They shouldn't take half the time. I'll keep you some, *cariad*,' she said.

At 6.55 that Tuesday, Fatty-Poof climbed the scruffy stairs of the Cross Foxes pub, to the sound of a brass band rehearsing in the top room on the right, and a certain energy and laughter coming from the top room on the left. I never once entered the band room during my childhood, but bizarrely if I had, I would have met the gentleman who would be my first ever conductor in *Les Misérables*. Small world, eh? Anyhow, I entered the room on the left to find a large empty space full of my mother's customers and school friends' parents, all chatting away. Suddenly, a gentleman clapped his hands, and the room suddenly hushed. 'Starting positions please. *Diolch*,' he said, and magically everyone in the room snapped into a completely different mode.

I spotted an empty armchair at one end of the room and, as I settled into it, a piano started playing and everyone started singing. My jaw dropped to my lap and lay there for the whole rehearsal. The constant changes of energy in the room had the most strange and wonderful effect on my body, and for the first time ever I experienced tingles down my spine, watching the plainest of people become such colourful characters. This was mesmerising, as two and a half hours of rehearsal whizzed by in a matter of minutes. Who would have thought that my heaven lay in the top room of a disused pub at the bottom of my street? I skipped home like a fresh member of the Young Generation, as I sang the final chorus of *Camelot*, word perfect.

There was obviously something afoot back home: a strange silence welcomed me as I breezed through the door. I could see that our kitchen had been redecorated once again, but this time in a pea-green. My father was on his knees in the kitchen, scrubbing the floor, while my brother was lying on the sofa, oblivious. He had Acker Bilk blasting through his headphones whilst making the sound of an elephant in distress on his clarinet.

'Ma-am, that was amazing tonight,' I blurted out, as I plonked myself down on the arm of the chair, and described every single detail of the rehearsal. My mother appeared from around the corner, with a piece of toast on a plate. She seemed to have developed the complexion of Kermit the Frog. As she got closer, it seemed that her whole being blended in with the walls.

'There's no sloppy peas, *cariad*,' she muttered awkwardly. 'We had a bit of bother with the pleasure cooker.'

'Too much peas, and far too much pressure,' my father grunted under his breath.

Nothing, except our annual pilgrimage to Prestatyn for our family holiday, would stop me from spending every Tuesday and Thursday in the armchair at the Cross Foxes. I would sit quietly for hours every week for years on end, as they rehearsed show after show, praying that the Main Man would spot me and offer me a part. 'Hey! Mr Producer, I'm looking at you, sir!' But the director, Meirion Powell, was as totally unaware of the needs of this chubby, desperate child, as I was oblivious to the fact that I was actually sitting in his chair. Fatty-Poof had made himself quite at home in the director's chair, and although I knew every line of every song, for every character, of every musical that they produced, he would never ever consider me for even a walk on part in *The King and I*, *West Side Story* or *My Fair Lady*. He didn't even give me a part in the chorus of *Oliver!*, although every other child in the village seemed to be included. I remember sitting there thinking, 'Watch this space, you miserable git.'

After a few years of sitting patiently in his chair, from which I could prompt every rehearsal for every show without a copy, and running back and forth from the rehearsal rooms to our fish and chip shop to order forty-seven chips 'n' scratchings and a fishcake in the coffee breaks, there was still no chance of me getting a role. One of the leading ladies, Aunty Eleanor, eventually had a word with the Main Man.

'Oh Meirion, don't be so mean with Marilyn the Chip Shop's son. He's so keen to be on the stage, you miserable old bugger.' Reluctantly he allowed me to be a page boy in *Iolanthe,* where I had the magnificent responsibility of carrying the Fairy King's crown on a cushion. This vital role would see me walk on, stage right, and stand next to the King, Uncle Brian, who would then place his crown on my cushion. I would then have to walk off, stage left. The responsibility was mind-blowing.

'Maaaaaaaaaaaaaam, I'm actually going to be in Gilbert O'Sullivan,' I said, as I ran into a busy chip shop. Most of the customers laughed at my mistake, though I was totally unaware that I'd mistaken the creators of this musical for someone off *Top of the Pops.* 'Jesus Christ,' my mother exclaimed as she dropped two fish, one chips and scratchings on the floor in shock. 'Thank the bloody Lord for that. I'm made up for you, *cariad*'.

At the opening night, whilst prompting the whole cast from memory in the wings, it was time for my big break. My mother, who had taken the night off to come and fuss, was backstage with me. 'Now don't forget your cushion. Do you remember where you come on? And stop doing that or you'll ladder your tights'. My moment came, and as if in slow motion, I walked on, stage left, stood patiently next to Uncle Brian, then as he placed his crown on my cushion, before walking off, I looked out at the audience, and saw that the Stiwt Theatre looked so much better form this angle. 'Well, smile, for Christ's sake,' I heard Mam stage whisper from the wings. I beamed, before proudly walking off.

As I grew older, and into my teens, so did my interest in the stage and creating events, and I soon became a bit of a young entrepreneur. I taught myself the guitar, and as soon as I had conquered the C, D and G chords, I started teaching other children in the village, for cash. I would then rush home with my thirty pence in my pocket and try and master an F chord in order to go back and earn more the following week. By this time, my singing and guitar playing brought me to the obvious conclusion that I should start a band.

I asked my friend Lynda Evans to join me, and then everyone

else had to audition. Once I'd chosen my other three members, including a drummer and another guitarist, my band was complete with harmonies, outfits and moves! I already had many contacts with various clubs and chapels as a solo singer, so as soon as we had a fully formed band, we had bookings. I was eager to play in every hall, vestry, community centre and old people's home, and I invested every fee we earned along with the ten pence a week I demanded from every band member, towards our marketing and costume budget. We had pink ribbed tops for the girls and brown cheesecloth for the boys.

I came across an advertisement in the paper declaring that the BBC was searching for new talent to take part in a brand new TV programme, and so, following on from our twice weekly gatherings, I demanded extra rehearsals to be on top form for the audition. As with every interview, there is usually a long wait for the result. By the time the letter had arrived at my house weeks after we'd sung for them, the rest of the band members were losing interest and Mr Bossy Boots wasn't having it! 'Lynda, why can't you sway to the right first, like the rest of us, eh? And why is a five o' clock rehearsal, always a five fifteen one with you?'

'Wake up, *cariad*,' said Mam, 'There's a letter here from the BBC.'

'Dear Stephen and Members of the Band,
Thank you for coming to audition for us. We're happy to let you know that we were thrilled with your performance, but instead of inviting you to appear in an episode of our new series, we would like to offer you to be our resident band for the whole series.'

'Oh I'm absolutely thrilled for you, *cariad*,' said my mother, early that evening, up to her eyes in pickling onions. 'You will have to reply to that letter tomorrow won't you?'

'I already have,' I answered, whilst practically breaking my own fingers trying to master the F chord without looking down. 'I've turned them down.'

'Why the hell have you done that?' she asked as she poured her vinegar over the onions.

'I've said thank you, but no thank you, as the rest of the group aren't dedicated enough. So I've had to turn it down.' I heard the thud of a pickle jar on the kitchen table, as she lost her grip. Everyone tried to persuade me to think again, but Fatty-Poof had made up his mind. It was either 100 per cent or not at all.

My weekly schedule was ambitious to say the least. How I ever got any homework done still baffles me. Even without the band rehearsals, there was the youth theatre, the chapel drama group, school productions, amateur dramatics and solo gigs that filled every evening and all of every weekend. As soon as it was time for the eisteddfods, it was even more crammed as I wanted to compete in anything and everything, even competitions that I had no expertise in, such as classical solos.

One eisteddfod sticks in my mind, although, to be honest I can never remember whether it was the National Eisteddfod, or the Urdd (Youth) Eisteddfod. They all seem to merge into one mishmash in my mind. There would be one big tent that nobody seemed to sit in, and everybody would be walking around and around aimlessly, talking absolute drivel in Welsh in the most bonkers accents. Nobody really engaging, just everyone struggling through mundane and totally superficial politeness like, 'Lovely to see you. Are you here for the week? Oh, how she's grown! What a lovely poncho. Good day to you.' Then around again with 'Lovely to see you. Are you here for the week? Oh, how she's grown! What a lovely poncho. Good day to you.' All in varying accents and colloquialisms, like the droning chant of a monk-like merry-go-round. Anyway, during one of these festivals, I woke up in a strange caravan.

As soon as my eyes opened I knew I had a hangover from hell, and an illegal one at that, as I was just fifteen at the time. Before I could even try to unstick my furry tongue from the roof of my mouth, the bed suddenly plunged about a foot down and crashed to the floor. The shock of this mighty crash made me sit upright, now at ground level, only to discover that I was not the only six-foot hairy monster in the bed. I had shared a bed with a friend from another school. Phew! At least I knew him! As soon as we hit the ground, we both shot up, jumped into our school uniforms, and ran like the clappers through the wind and the rain for miles and miles, until we reached the location for our 'prelims', leaving a broken bed in our wake.

We then parted company and started a day of intense competitions. I ran from pillar to post, from one 'prelim' to another, in the hope of being one of the top three in each category, in order to sing later that day on the main stage, in front of a live audience and TV cameras. My hangover stuck with me as company for every damn attempt, but somehow, I managed not only to get through to the main stage in four competitions but actually win them on the main stage too! By mid-afternoon I had collected four first prizes, including the rock and folk group competitions, and God knows what the other two were; drinking and misbehaving probably.

There was one competition left for me to enter, that being the classical solo for boys between the ages of fifteen and eighteen. This young, confident, and probably rather stupid teenager had decided to enter this competition despite the fact that I had never had a singing lesson, let alone a classical one. My mother had also come to the eisteddfod field that day, and followed me from one competition to another like a well-trained hen. She sat in the audience as quietly as she possibly could as I stood at the side of the 'prelim' stage, while, one at a time, a hormonal teen took to centre stage and sang. I clearly remember how pitiful some sounded. They seemed to ignore the fact that their testicles were too heavy to allow them to reach for the top notes. Most of them looked so miserable, but then most of them had been hijacked at gunpoint and frogmarched there by their mothers. Despite my hangover I was happy to be there so when I heard the announcement, 'Next to compete is Stephen Parry from Rhosllannerchrugog,' I marched to centre stage and decided to imitate a classical singer who was actually happy to be there. It worked. I was through to the final on the main stage, along with two other prisoners.

'Oh you're on a roll, *cariad*,' Mam said, as she stubbed her cigarette out, before following me backstage. She was a nervous wreck by now, running back and forth to the Ladies like a leaky yo-yo. Although she was on the verge of needing gas and air, I nonchalantly made my way to the side of the stage to watch the other two miseries trying to reach the big finish. This was the fifth competition on the main stage that day, and as they announced my name again, I cantered on, like a steaming racehorse. The applause came to a hush, the crowd settled down, the TV cameras rolled and the accompanist started my introduction. As I took a breath to start my attempt, I heard, in the loudest stage whisper this side of the moon, 'Stephen, sing till yer arse shakes, *cariad*.' Yes, my mother. And although her outburst was a little less crude in the Welsh language, it is probably still to this day, the only time this stage direction has ever been used at the National Eisteddfod. As embarrassing as it was, I did take her suggestion, and sang with such gusto that it not only shook, it nearly fell off. And it paid off too, as I left for home with five first prizes under my belt. Now then, what next?

CHAPTER 3

Loss

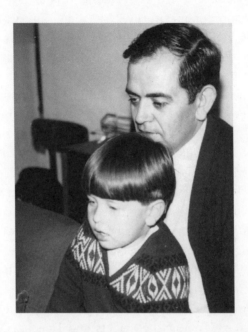

There is one thing in life that's certain, and that's death. From the moment we pop out and say 'hi', we're all slowly making our way to the door to say 'bye', but losing someone still seems to be the most difficult thing to deal with. Unfortunately, I have experienced this rather too often in life, and each time it's a major kick in the soul, as I've had to face one loss after another. But it was my first significant loss, when I was in my teens that shaped my whole character, my instinct, and shook my everything forever.

It was a Friday morning and I woke as usual in the coal shed. This was no ordinary way to wake up, I hear you think. But this was also no ordinary coal shed; in fact this was a coal shed like no other on earth. You could call it a man cave, or to be more precise, a boy cave. Because of the amount of theatrical and entrepreneurial activity that was going on in my house, and the amount of through traffic I was subjecting my family to, by organising band rehearsals, productions, meetings, murder mysteries and circuses, my parents decided it was time to create another space, in order to preserve their sanity. We had already had one extension to our tiny two-up-two-down, in the form of our first ever bathroom. This was bigger than the rest of the house, but was no help in easing the lack of space that resulted from the theatrical shenanigans going on, and no one in the family could ever go to the toilet in peace.

So it was decided that we would transform our unused coal house into a den for my brother and I. I distinctly remember my excitement that it had a stable door on it, as it apparently used to be a stable for horses. We were also told, believe it or not, that this coal house-cum-stable even once housed an elephant, when the circus came to the village at the beginning of the century. Mind you, that was no more theatrical than what it was about to become – the world's first shrine to Kate Bush and ABBA. Yes, my brother had not a cat's chance in hell of putting his stamp on this new venture with his Santana and Subbuteo malarkey: this was going to be early beginnings of the first ever Rhosllannerchrugog Gay Club.

By peering over the stable door, it was possible to catch Fatty-Poof's creative dancing to 'Wuthering Heights' and 'Dancing Queen'. There would also be twice-weekly band rehearsals, production meetings, puppet shows and much, much more. This is where I would sleep, and spend every hour after school, only entering the house at feeding time. Unbeknown to me, however, this new den, which was my heaven on earth, my sparkly escape from the boredom of a dull and dusty coal mining village, was about to become my hiding place to sob my heart out.

On what was to become the most significant Friday morning of all time, I woke as normal down the coal house, put on my creative version of our school uniform, which was just within the limits of taking the piss and bending every rule to the max, and headed for the school bus. I'd jumped the stable door in my platforms, and was enjoying my fashionable reflection in shop windows, striding Travolta-style, along the lane with the Bee Gees 'Stayin' Alive' playing in my head. The morning breeze failed to blow in my hair as it was solid with gel and hairspray, giving me my 'natural' centre parting. Life was ace. Friday mornings were just brilliant since a change in the school timetable. It used to start with double gym, that literally sucked the happiness out of me, as I used to try and drag this large unit of mine around a circuit of physical hell. I was the size of the elephant that had slept in my coal house, as I was at least eighty-five per cent fish and chips. The other fifteen per cent was hair product. It wasn't just the physical exertion that punctured my happiness, but the horrendous public showers that followed. The amount of time I spent worrying about how to get this overweight and gorilla-like hair-matted body in and out of the showers without the rest of the pre-pubescent boys seeing me, I could have probably got an A* in Serbo-Croat. How furious I was that girls could calmly walk in on a Friday with a letter from their mother explaining they were on their period, while I prayed I would suddenly grow fallopian tubes. I even nurtured a verruca for years on end to avoid gym classes. Despite my mother buying me a treatment, it never came close to my foot, so that I wouldn't have to tackle, shower or cross-country. As the top of the verruca treatment stayed tightly sealed, the roots of my verruca grew dangerously close to my fringe.

So due to the timetable change, with physical exercise safely out of the way, we were now given double music. Friday's double music was even better than any other days, because instead of music history, this was a practical lesson and it was always the aural test. I had a very well-developed musical ear, due to the fact that I could not read a note of music, and still can't to this day, despite having worked in West End musicals, but I was always guaranteed top marks. My ear was so finely tuned that I would get at least twenty-eight out of thirty every week, and be top of the class. This was a rare occurrence in any other subject for me. No, let's be honest, never at all in any other subject. I could hear a Bach chorale as clearly as a bell in my head, and then be able to write it out in sol-fa. Much easier than a handstand or long jump. Friday morning had become a musical dream and my chance to shine.

This fateful Friday school bus journey was exactly the same as usual, where I'd sit at the back with the girls, and discuss what we'd wear for the chapel disco that weekend. However, as soon as we all stepped off the bus and were greeted that day, as we were daily, by Ben, our headmaster, I noticed something was quite different. Ben, or Mr Davies, to his face, was wearing a black suit, and not his usual grey, brown or navy. I remember this being quite significant to me at the time. After registration I could not wait to take my front seat in double music and get my teeth into a juicy chorale. Mr Daniel set us our musical task, and off I went, chomping at the bit, creating a mini musical masterpiece to receive my weekly top results. As usual, I handed my creation back to the teacher to mark, and sat there smugly waiting for the drum roll and my moment of glory.

'What is wrong with you today, Stephen Parry? One out of thirty!?' he said, surprised. This was even more of a shock than a smack across the face to me. Then things took a very strange and unexpected turn. I looked around a classroom of faces that were as shocked at my pathetic result as I was, and my eyes travelled to the twins in my class. What happened next can only be described as a mathematical conclusion that seemed to land in my head, and I cannot explain whether I saw it, heard it or just instinctively felt it, but as I looked at the twins, this is what came to me. **Their father has had a heart attack = MY FATHER IS DEAD.** As I burst into tears, there was a strange silence deep in my head, and suddenly Mr Davies the headmaster came in and asked me to step outside.

By the time I had left the classroom and reached the corridor, the silence in my head had become strangely deafening and I have very little memory of the next hour or so. He put his arm around me and told me that my father was seriously ill, and apparently, I hit him across his back and told him not to lie. This mathematical equation was somehow an accurate message and I knew wholeheartedly that my father had died. There was no other way I would have known; as he wasn't ill, and I hadn't set foot in the house before leaving for school so had no idea he had been taken to hospital early that morning. I was ushered to the staff room, a journey that seemed like a ten mile walk, where I was greeted by some family members and a few teachers. I learned that he had died of a ruptured abdominal aorta that could have happened any time in his entire life, only it had happened today in his forty-ninth year. I desperately needed to see my mother and I was taken to hospital only to see her being taken away by police, for routine questioning. I realised later that this was procedure, only at the time I remember thinking, 'Do they think she's killed him?' Had she?

I gained significant strength on that day of loss, but also the conviction that my father actually came to tell me personally that he was leaving us, by some strange mathematical message. That gives me such pride and comfort, and was such a help during my grieving process. We left the hospital, having to leave Dad there all alone, and as soon as we arrived home there was a knock at our back door, before I could even take my coat off. It was Pauline, the chirpy girl next door.

'Hi, is ya' dad in?' she smiled. I then had to say those very unfamiliar words for the first time.

'My dad's dead,' I said, and went to hug her. She screamed in shock, and sobbed into my chest for what seemed like hours. Other horrible memories hit me as I write this, like the time, a few days later, when my mother mistakenly set the table for the four of us. As she placed the fourth plate, we three froze. She then quietly picked it up, and put it back in the cupboard. Every day seemed to pose a series of challenges. However, the wisdom, and the coping mechanism that came in the side door as the door in front of me had been slammed in my face, was an immense help. One coping mechanism during this time was the sense of humour that I had most definitely inherited from my dad.

The way some adults react to someone's loss still baffles me to this day. The days leading up to his funeral were very long days of tears, constant visitors and more tears. I would fall asleep crying on our sofa, and then wake to find a completely different batch of tongue-tied well-wishers, all wanting to help us feel better and all failing miserably. Some faces were familiar, some weren't, but all were kind, bringing cakes and awkward silences. Our living room felt like a doctor's waiting room, while our tiny kitchen had become a full-time cafeteria. Baps were buttered, sponges were sliced and Welsh was whispered. My mother seemed to repeat and relive the final hours of my dad's life, as if on a loop, which is why my brother most probably offered to make tea for the armies who came and went. There was nothing but a living room full of death surrounding me, as I sat numb in the centre of a merry-go-round-of pleasantries and *bara* bloody *brith*. No one would dare look me in the eye, and most of them would then launch into one of the two main competitions. Ladies and Gents, gather round for the first competition of the day... Who has got the best recipe for *bara brith*? Roll up, roll up, who understands the most about how I'm feeling? Get in line, form an orderly queue.

'I can't quite accept that I never had a chance to say goodbye to Sally, from the shoe shop, who suddenly died at the age of sixty-two. I'd bought laces from her only a week or two earlier.'

'Our Brenda has a recipe that is outstanding. She soaks her sultanas in cold tea, that's the secret. Oh, talk about moist!'

'And what about Arnold the Veg, dropped down dead over his potatoes a week before he was meant to go to Cyprus with the choir. Tragedy.'

'Our Gwen's *bara brith* is so moist, she gets upset if you put butter on it.'

'I'll never forget my budgie dying; such a character. It's something I'll never truly get over.'

The truth was, nobody knew how I felt. I didn't know how Anthony felt. Neither of us knew how Mam felt, and none of us cared a flying fuck about anyone's *bara brith* or anyone else's loss either.

It's strange but a snapshot of the details of the day of the funeral has stayed with me. The journey there was unforgettable. Mam sat in the back of this big black car, with her two boy-bouncers each side of her. The car travelled painfully slowly. As we turned a corner along the way, at the pace of death, something caught my eye, a sort of apathetic orange light that flashed on and off, and then suddenly disappeared again. When we finally reached another corner, there it was again, and this time I could see that this car had the most ridiculous indicators that popped out like fish-finger shaped puppets. The throbbing indicators would pop in and out as shocking as a dog's cock, like something from a Monty Python sketch. It was the campest thing ever, and my dad would have laughed too.

'And now, Ladies and Gentlemen, Stephen's school choir is going to sing a tribute to the deceased, Ted Parry; a song that Stephen has written especially for the occasion,' said Elwyn, the lay preacher and workmate of my father. What the fuck? I practically fell off the chapel bench in shock. I hadn't written anything! And nobody would have asked me, under the circumstances. I could hear my heart pound as my school friends all marched to the front in four orderly rows. What were they going to sing? Was it suitable? Was it going to be good? Who the fuck had written it, saying it was mine? Then they started, and PHEW! It was a song from a school musical that a handful of us had composed, and a very suitable song, thank God. They sang it beautifully, and did my father proud.

Each and every time Elwyn, the part-timer, announced the next hymn, the huge congregation stood to sing, along with the crowds who were already standing at the back and outside due to the lack of room, and my father's popularity. But the shock of my mother's loss had gone to her legs and every time she stood, her legs would weaken beneath her, and she would have to sit down again. Both Anthony and myself would then loyally sit each side of her to keep her company, and then a few family members would also sit in support. This strange routine carried on for a few hymns, and must have looked odd from above, especially from my father's bird's eye view, as if we were doing the bloody Hokey Cokey.

The funniest thing by far, in this painfully sad situation, was the fact that the minister had the voice of a ship's horn, a bellow of decibels far too powerful for an outdoor event, never mind a crematorium chapel. Every time he invited the congregation to sing, what he basically meant was, 'Will you all please be my backing singers?' To intensify the comedy, he would automatically improvise a descant that seemed to celebrate his lack of pitch and tone to a degree that is impossible to put into words. This Brian Blessed sound-alike would have made Tarzan seem like a lightweight. But fair play, Elwyn has fronted many family funerals, and never lets us down although I have a verbal contract that states he's not allowed to be booked to conduct my service, if he's still standing then of course. If he does, I'll knock on my coffin lid, pop it open and say, 'Calm down, dear!'

I've experienced so many losses since losing my dad, and although it never gets any easier, at least I know that they only ever leave us physically. Spiritually, they are always with us. My father is still an integral part of my life and influences my decisions, my experiences and my being. I'm aware of him in those significant moments such as when you reach a crossroads in life and moments of intense emotion. For example, when I am touring and am backstage, preparing to storm the stage for my one man show, I always feel that those who have passed seem to be closer, especially Dad. I have a feeling that I'm not alone. It could be my imagination, but whatever it is, it's a great reassurance. I'm floored sometimes when I think of all the people I have lost, but then the upside of this is that I really do appreciate the people who are here, maybe more than most, and probably more than they realise. I was once told, 'We are only on this earth for as long as we need to be,' and although this can be difficult to accept, it's also of great comfort.

Sadly, as I lost my father at the age of sixteen, I never got to know him as an adult, and never had the chance to take him for a pint or a meal, as I do so often with Mam. Only as we get older do we get to know our parents as fully rounded people and not as the people who pay the bills, tell you when to eat, what to eat and when to go to bed. At least I never had to experience seeing my father being ill, aging or losing his grip. It seems Dad was known as a good man. So many people who worked with him have told me this. He was very funny, and had quite a warped sense of humour, which I adored. I came in from school one afternoon, to find him standing in the corner with a large lampshade on his head. As I opened the door, there was complete silence, as I tried to compute what I was actually seeing. He then uttered, 'Sshht, I'm not here.' And that was it. No explanation, just a silly joke to make me smile. One of his favourite pastimes was to embarrass us as children, when our friends would come to the house. As they knocked and entered our tiny home, my father would snap into an improvisational scenario, whereby he would act as if we were in the middle of a humongous family row, and he would shout at the top of his voice, while slapping us boys in a stage-fight fashion, 'How VERY dare you speak to your father like that, you cheeky boy,' and frighten the living daylights out of our friends, while my brother and I screamed laughing, and my mother chuckled with a hint of shame.

His *pièce de résistance*, however, was saved for tea times, when my shy and stuttering, gentle friend Wayne would deliver our *Evening Leader*. This was Dad's chance to perform the most profound routine, which we all found hysterically funny, except for poor Wayne of course. My mam had wanted a porch built in front of our front door, and to this day I still have no idea why, as it was only big enough for a welcome mat and a half dead geranium. It was built of brick to knee height, and was all glass from knee height up, with a full glass door. At a quarter to six each day, Dad would take his position on his knees on the welcome mat in the porch, as Wayne struggled down our path with a newspaper bag, bigger than our porch and my father combined. As Wayne would push the newspaper through our letter box, my father would start barking like a rabid dog, and grab the paper as it came through, and grapple with it and rip it out of his shaking hand. Wayne would scream and run off with his oversized paper bag, losing half its contents along the way. Dad would then get up off the floor and walk back into the room with his daily paper, and sit and read it, as if nothing whatsoever had happened, while my brother and I would be choking laughing and my mother shaking her head in dismay. This scenario seemed to go on for years on a daily basis, and although Wayne could see through the glass that it was my dad crouched down and he knew that we didn't have a dog, he was still terrified. I still suspect that it was my father who gave him his stutter. These are the things I miss most about Dad, but at least I can remember them and cherish their ridiculousness.

One drawback from losing someone so close and so unexpectedly is that you can come to expect that it can happen again. This becomes a huge problem, and so I ring my mother daily. If she has forgotten to tell me that she is going out and there is no answer, I instinctively fear the worst. She may be out having lunch or has gone shopping, but in my imagination she is lying helplessly at the bottom of our stairs. I have rung around to see if any of my cousins know her whereabouts many times, and once persuaded my cousin to let herself in and search under the bed for her! At this point I had totally accepted that she'd been frogmarched by gunpoint to the cashpoint by a mass murderer when, in fact, she was having afternoon tea and a chat with a friend. But that's what comes with major loss and shock.

Everything in my life changed forever the day my father died. However, I was also aware that I had gained something from that loss, a certain wisdom, a life lesson that has been quite empowering. Since that fatal Friday I feel that I have an armour, a protection, an understanding. This immense loss has given me courage to take risks, and has strengthened my instincts. I seem to have been able to ignore the usual inner voices that say, 'What will people think...? What if you make a fool of yourself...?' These questions stop us from conquering our own fears. Since that day, I am far more fearless. The worst had already happened; go for it.

Even today, decades later, if I say I'm going to do something, it's done. Since that major loss, I can somehow summon up enormous energy and drive as if I'm being lifted by helicopter, and it's a force that then spurs me on to accomplish whatever needs conquering. So, this difficult life lesson has allowed me to fully enjoy life, friends, and opportunities, and seems to have freed me from anything that could hold me back. My attitude is now that life is full of doors, and as some close, others open, and unless you keep your eyes wide open you will miss all the opportunities that surround you.

Since losing my father, I have lost so very many close friends over the years, and my ex-partner to suicide. Each and every one has left us far too soon. With some, I had the chance to say goodbye, and be able to speak openly, and to look them in the eyes and let them know how much I have appreciated them, and more importantly to comfort them. And with each loss, I feel stronger in the opinion that we should all live our lives exactly as we want to. There are two sides to this coin, and for every loss there is also a gain. We have a responsibility to enjoy, to relish, to celebrate and to live our lives to the full. We should live our lives and not someone else's, and just as importantly, let other people live their lives also. We're not here long, make it great!

CHAPTER 4
Marilyn the Chip Shop

Anyone who meets my mother and me for the first time is usually surprised by the banter we have between us. We have rather a unique relationship. I am sometimes accused of speaking to her as if she's a younger sister or even my child, but she can be all of these at times. Since my dad died, she has been everything and everyone to me: best friend, mother and father too. She hasn't always been as confident as she seems now. During my childhood she seemed to be my father's foil or stooge, and would let him have the limelight. Nowadays, she and I are more of a double act, as we both wrestle for centre stage.

Years ago her stage was behind the counter at the fish and chip shop, and, as ringmaster, she would welcome the crowds in, and keep 'em happy as they queued. She would send them back out with full stomachs and a smile on their faces. She was friendly with each and every one, as she still is. That has never changed.

All my friends think the world of her and she thinks the world of them. She has a big heart with time for everyone. I've never come across anyone who enjoys people so much, and is so happy for other people's good fortune, although she maybe was not as blessed with much of that herself. Even now, as she's well into her eighties, she is thrilled to see people enjoying themselves and celebrating life when in fact she herself has been widowed twice, in a way. She lost her longstanding boyfriend Malcolm, who she met years after losing Dad. She has been left alone twice, but we have never heard her complain once.

Some of my childhood memories of Mam are a little foggy, as most of the time she seemed to be behind the counter feeding the five thousand. However, we would not be left for too long during opening times. Anthony and I would create havoc over nothing, as kids do, as he was full or hormones and I full of drama. We would infuriate and throw things at each other. Our chosen ammunition was usually her treasured figurines. She was so proud of these 'realistic' monstrosities that she had collected over the years from various trips and catalogues. I can see them now: a milkmaid in a long dress, daintily holding buckets of milk, while another held her parasol in one hand and her little puppy in the other. Then there was the musical tramp who bizarrely played the piano in his tail-coat and top hat, with a bird balanced on his shoulder. They would all be on the windowsill, catching dust. Mam would 'just pop home' to check on her little angels, but luckily, we could always hear the porch door, so by the time she'd reached the living room, Anthony would be fiddling angelically with his clarinet in the corner, while Gabriel here, would be lying on his back on the sofa with his hands behind his head humming a little hymn. 'Oh, you're such good lads,' she'd say in Welsh as she quickly scanned the house before popping back to the chip shop. Luckily, she was oblivious to the fact that there had been a world war in the lounge seconds before she entered, which had usually started as a row over who was best, ABBA or bloody Santana. Luckily too, she never saw that the milkmaid was bucket-less, the puppy was headless and the pianist tramp was armless.

Weeks would go by before the damage was noticed, then we'd try and pass it off as 'wear and tear'.

There were never any arguments during the evenings because Anthony would disappear to our bedroom to study, and I would be out performing somewhere, while our parents happily ran the chip shop. I was constantly invited to sing at old people's homes or charity nights in the Hafod Club or the Stiwt, and if I wasn't I would have organised an event myself. This would allow me to earn a bit of pocket money, but guitar strings and music copies were expensive, and Mam would give me practically every penny she earned, for me to have the right clothes, the right guitar and to keep my social life alive.

'Don't you worry, Mam; I'll give you my first pay packet when I get it,' I'd say in Welsh, and Mam would laugh, not believing a word of it.

In those days I'd be constantly on our landline with friends I had made all over Wales.

'Get off the bloody phone, fool, it's costing a fortune!' she'd shout from the kitchen. I would totally ignore her for at least another half hour. I'd collected so many friends from various drama courses over the years, that by the age of sixteen I had a fully-fledged network. Most of these friends and contacts are still part of my life today, most of them high up in the same industry as me. It seems that the thousands of contacts that my little black book boasts come from those early years. And it must have cost my mother a small fortune to fund my drama courses and eisteddfod visits.

When my father died, it was a major loss for us three, but a completely different loss for each one of us. My brother was at university for the first few years after he died, and Mam and I were left at home, and it was then that our relationship developed into what it is now. I remember enrolling her on so many trips to meet new people and have experiences. I was fully aware that the early days of our grief was especially difficult on special occasions like birthdays. She made so much effort, although she must have felt so alone. On my eighteenth birthday she hid a hundred pounds in ten pound notes all over the house, which was a fortune at the time. I ran like a pig snuffling for truffles around the place, frothing at the mouth with every paper note in the fridge, under a figurine or pinned to the ceiling. Little did I realise that while I'd been enjoying my treasure hunt, she was probably in tears as she hid the ten pound notes, one by one.

She's never been a pushy mother or one of these monster mothers who drag their children from eisteddfod to eisteddfod or pageant to pageant. She never tried to live her own life through her kids. She just let me be me, and how lucky am I? I never heard her say, 'Pity you aren't a bit more like so and so,' or 'Why aren't you more like what's his name?' I've never felt that I've let her down, and I've always felt that she's proud and supportive of anything I do. Neither she, nor anyone else for that matter, would have been able to persuade me to be any different, but the fact that she has never judged me has allowed me to be free and be me, and for this I am eternally grateful.

In my teens I had a monthly slot on the radio, giving my review of the latest singles, and my mother would not only be my five star taxi service, but would come in with me and smile at me through the glass in the studio. She forked out a fortune for me to audition for drama schools in London, and we sat waiting for weeks to hear about recalls. We'd both be excited that I had a further chance to try and win one of the twenty places at the Guildhall School of Music and Drama, but of course, having to find the money to fund this expensive adventure was her problem.

Having finally been offered a place at this college, I'm sure that saying goodbye to me as I headed off, with all my belongings, must have been another stab in her heart, as it meant leaving her all alone in our home. Although she managed to save enough money to enable me to go, there was no way I would be able to afford the London rents, so I lodged with my uncle in Epsom and commuted into the City every day. It seemed a good idea at the time, but having to get up at five-thirty in order to dodge rush hour, catch up on sleep in the cafe, then start classes at nine o' clock, and not leave until nine at night, meant living the life of a pit pony. There were no windows, in our drama department, tucked in the corner of the Barbican Centre, so I never saw the light of day until the weekend, and then, when I could see, I would catch a glimpse of the map of Wales on my uncle's wall and cry with homesickness, miles away from my comedy partner.

My Guildhall School of Music and Drama experience was a dream come true, and the complete antithesis of Rhos. I could wear what I wanted, dye my hair any colour I fancied and nobody would bat an eyelid. I'd phone home every day to check Mam was alright, and still do. She would be over the moon with news of my achievements and would even learn my new college friends' names, before meeting them. It was while studying in London that I heard though a friend that there was a drama series being produced by HTV Wales for a brand new channel called S4C. I'd been aware of the channel for some time, as I had ruined Mam's gas fire by sticking some protest stickers all over it declaring 'We Demand our Promised Channel'. I confidently picked up the phone, and asked directory inquiries for the phone number for HTV Wales. They put me through to the correct department.

'I'm terribly sorry, but the auditions have been,' said the producer's personal assistant on the other end of the line.

'Well,' I said, flirting like a media whore down the phone, 'I just happen to be in Cardiff soon, and it would be a shame not to see me, given that I've just been accepted at one of London's top drama schools'. Within minutes, the poor PA had been bulldozed into letting me in, and within days I found myself at the reception desk of HTV in Cardiff, now ITV Wales. I was directed to go to a large room down a corridor, where I presumed I would sit and wait to meet the producer. As I entered the large room, I saw a very nervous but unassuming man fidgeting in the corner. I went to keep him company and nonchalantly asked him if he was nervous. He looked at me and seemed puzzled by my concern.

'No,' he said, but I didn't believe him for one second.

'Which part are you going for?' I asked, presuming he was there for the same reason as me.

'I'm the producer,' he said.

'Oh,' I said politely, wincing slightly, then read for him and chatted happily. Within days, I was offered the part of a clown-like character, in a new series called *Coleg*, a sort of grown up *Grange Hill* and the first episode was to be aired on the channel's very first day. Landing right in the marmalade! Result!

'Oh, I am over the bloody moon!' screamed Mam over the phone. You'd think I had won the lottery the way she reacted, and in a way, I had. It was a great contract, in the days when there was serious money in television, and of course when my first fat pay packet arrived I handed it straight to my mother. 'Don't be so bloody daft,' she said pulling her hand away, but keeping my word filled me with absolute joy.

The series took hold, and before we knew it, it had gone from a twenty-six part series to a fully blown twice-weekly soap, and I now had to decide if I was to return to the Guildhall, who had kindly given me leave to film for the original contract, or to stay with the series and move to Cardiff full time. It was a tough decision, as I adored the drama course and all my wacky and wonderful new friends, but being offered a full-time contract for TV seemed too good an opportunity, so that's what I chose: a decision that my mother let me make totally independently.

That first year I earned about forty thousand pounds from the soap and I also got to present a weekly, live Saturday morning children's show for the BBC. Back in the early eighties this was serious money, and I think my mother and I ate in every restaurant we clapped eyes on, as if to try and make up for all the pocket money, lifts and love she'd given me. Moving back to Cardiff was better for Mam and me, as we were then back in the same country, although Rhosllannerchrugog was the other side of the map. She visited constantly, and we'd party and enjoy my new fortune.

By the time I had decided to buy my first flat I had spent most of my income. I was working with the late Myfanwy Talog, who was widely known as Phyllis Doris in the *Ryan and Ronnie* show of that period. She sold me her first ever flat, in Fairwater, Cardiff, so now Mam could come and stay as often as she wanted. She was very impressed with the fact that the electrics in the flat had been installed by Myfanwy's partner, David Jason, who'd been an electrician with the BBC originally! 'Our Stifyn's only gone and bought a flat, and you'll never guess who fitted the electrics... bloody Del Boy!'

As soon as I'd settled in and seemed to be getting constant work, Mam could worry less, as she realised I could stand on my own two feet in Cardiff. She could see I was eager to take risks, and make the most of every opportunity and she seemed thrilled at every bit of daily news I would give her. I could ring Mam from the moon, and she'd still say, 'Oh I bet you're having a lovely time. Take care, *cariad*'.

She has never judged any decision I have made, nor any partner I have had. To be honest I could have taken home Jack the Ripper, Herod or Hitler and she'd say, 'Make yourself at home, *cariad*. Would you like a cuppa?' Any friend of mine becomes a friend of my mother's, and every partner I've had has been welcomed with open arms. I can't recall any phone call when she hasn't finished the conversation with, 'Remember me to David'. We have some superb photographs of our wedding day, and my favourite is one of Mam, proposing a toast. She was so proud.

The only time we really clashed was when I was offered roles at Theatr Clwyd. Naturally I was to stay at home with my mother, as it was only a few miles from the theatre. Mam was so excited to have me back home, but of course things had moved on. I had my own life, my own plans, and my own social life and work schedule. 'What time will you be home, *cariad*? I'll have a meal ready for you as soon as you are back,' she would kindly offer, but I was not used to having to abide by someone else's rules, or feel I was being managed. It didn't help either, that if I was late home, and Mam was asleep, I would have to creep through her bedroom in complete darkness, to get to my old and tiny lean-to bedroom, and try and navigate her bedroom layout like a pissed moth. Once I'd conquered the obstacle course, and having actually reached my bed, I would suddenly be reminded that my bed was a single one, and would try and fold this rather large body of mine to fit this postage stamp of a bed. I would then try and sleep, origami-style. Bollocks to this. I rented a flat near the theatre quickly: less hassle, less tension, fewer bruises. Nowadays, Mam demands that I have her double bed when I come home, and claims that as she's shrunk, she's quite happy in the single. Now that IS love.

In the early nineties I was offered two tickets for the opening night of *Some Like it Hot* in the West End starring Tommy Steele. 'Would you like to be my 'plus one' Mam?'

'*Iesu Mawr!*, of course I would. Oh, we're going to have a lovely time. I'm made up,' she said as she threw a few things in a case and jumped on the train to Euston. As soon as I'd picked her up from the station, we went for a couple of cocktails before getting to the Prince of Wales Theatre. As we walked up Old Compton Street and approached the theatre, there was a very bedraggled looking homeless woman standing in the middle of the road. She stood with her legs astride, and then urinated, in the street.

'Well, I've seen it all now,' my mother muttered in Welsh. 'Has this one got NO pride?'

'Shut up!' I snapped. 'You shouldn't judge. You don't know her circumstances. She may have lost her home, or her career, or her children.'

'Huh, it doesn't cost anything to be clean,' she exclaimed.

I quickly ushered thunder-mouth into the foyer before she said any more, and headed for the box office. We thoroughly enjoyed the first night performance and then we were invited to the first night party.

'Look at us having free drinks in the bloody West End,' my mother chuckled as she quickly put down two empty glasses and swooped another two from a passing waiter. She'd never seen so much complimentary champagne. These after-parties are always full of eccentrics, and this one didn't fail on that score either. We were approached by identical twins, and engaged in polite conversation. They were in their late seventies, but were dressed like they were from the cast of *Love Island*: skimpy, provocative and totally unsuitable.

'Don't say a word,' I muttered to my mother in Welsh as she reached for a top up and I tried to make conversation with the 'ladies'. Mam was in full flow now, living the high life. She leaned over to one of the twins and said, 'Is this your daughter?' One twin was delighted, but the other was seething.

'We have to leave now,' I said, grabbing Mam by the collar, and pushing her out into the cold and down to the underground to make our way to my home in the East End. Mam knew she'd done wrong, as I never uttered a syllable to her for the half-hour journey, and kept the awkward silence going until we'd reached my stop. As we were walking down my street, I couldn't keep my anger in any longer.

'That's the last time I take you anywhere,' I blurted, like an angry father.

'Oh, what have I done now, *cariad*?' she said innocently, hoping to wipe her behavioural problems away.

Out with it.

'What have you done?' I repeated 'WHAT HAVE YOU DONE? I'll tell you what you've done. You heartlessly judged the poor homeless woman for wetting herself in the street, for one, and then you mistook a seventy-eight-year-old's twin sister for her daughter to finish!' I blurted.

She looked at me, and screamed laughing, and as she did so, yes there is a God, she pissed herself in the middle of my street. She ran behind a hedge to finish off, and returned with her tights in one hand and her patent leather shoes in the other. 'Don't you say a word to anyone about this!' As if!

We have a fantastic relationship, and wherever I am, or whatever I'm doing, she is always so happy for me and says, 'Oh you're having a lovely time.' It doesn't matter what the situation, nothing fazes her. She is just willing me to have the best of times. Siân The Weather Lloyd, and I were invited to *An Audience with Shirley Bassey* at London Weekend Television Studios. We were both so keen to be a part of this audience, and so early for the reception drinks, that they hadn't even finished rehearsals when we arrived. This series was one of those shiny floor Saturday night extravaganzas that I'd been brought up on, and Siân and I had been to quite a few recordings of others such as Cliff Richard and Diana Ross. But Bassey was going to be the night to remember. I could feel it in my water, so much so that as we were called through to the studios from the bar, I popped into the Gents, so that I could enjoy the show ahead. However, there was another show waiting for me before that, an unexpected one too!

As I stood at the urinals, a gentleman came to stand next to me, and as all you men know, it's polite to turn, acknowledge or nod, or even mumble, 'Evenin'. To my astonishment, the gentleman next to me was none other than Tom Jones. Well, I had to have a peep down below. And oh my god, it was all true! Siân and I giggled and gasped like schoolgirls as I relayed the vision I had just seen, and took our front central seats. The band exploded into action and the voiceover bellowed, 'Ladies and gentlemen, please welcome to the stage Miss Shirley Bassey!'

We all stood and applauded as she made her way down the steps in her heels and phenomenal gown which had a split right up the front. She embarked on a medley of her greatest hits, and when she got to the 'Hey Big Spender' bit, she kicked her leg right up into the air and Siân and I both saw the whole damn lot. Bassey had no knickers on. We were delighted.

As we left the studios, high on the fact that I'd basically just seen the genitals of the King and Queen of Wales, I rushed to get out my mobile phone to relay all this to my mother.

'You'll never guess what I've just seen, Mam,' I chuckled.

'Tell me!' she demanded.

'Well, I've just seen Tom Jones's 'doodle-do' AND Shirley Bassey's 'goodihoo'.'

Most mothers would have been gobsmacked; my mother just said 'Oh, you're having a lovely time.'

CHAPTER 5

Brookside

After an exciting start in my career in the Welsh language, I soon became eager to work in the English language too, and like every other time in my life, as soon as I start thinking about a plan, I was determined to make it happen. I realised that there were two camps in the acting world in Cardiff: those with aspirations and contacts further afield, and others that kept safely within their home patch. I knew which camp I wanted to pitch my tent in, and I became aware that I was being judged for wanting to cross the border and 'turn my back on my country and language'. Utter bollocks! What border? How was the fact that I would also work in the English language going to have the slightest effect on anything apart from my career opportunities?

I was set on being able to flex my Welsh and English muscles equally and started to broaden my horizons and build my contacts, despite some local bitter backlash. There seemed to be an unwritten law that Welsh speakers could only work in Welsh, and English-only speaking actors could work anywhere. Watch this space! I accepted lead roles in four superb productions at Theatr Clwyd, under the direction of the late Annie Castledine, who gave me the chance to develop my acting skills in *Three Sisters, The Corn is Green, A Child's Christmas in Wales* and *Murder in the Red Barn*. Those days were so thrilling, and I remember being hassled daily by Vanessa Redgrave, who was playing at the same venue and who was constantly trying to sign me up to a protest or put my signature on some petition or other, as she whizzed, politically, around the green room in between Shakespearean scenes alongside Timothy Dalton.

I got myself a London agent who would hopefully open some more doors for me, and she did just that. I was offered a part in the TV film of *Just Good Friends* and *Dear John* and was given the chance to relive my *Corn is Green* experience, but this time with the Hollywood movie star Deborah Kerr who'd shone in so many blockbusters like *The King and I, Casino Royale* and *From Here to Eternity*. This new production would tour some of England's biggest and most prestigious theatres, before ending with a six-week run at London's Old Vic. Oh, God help Wales and its language! This was going to be such an adventure: touring and sharing digs with this fantastic cast.

While playing at Theatre Royal Bath, I found myself in a pet shop in between shows one Saturday afternoon, and decided, far too impulsively, to purchase a couple of mice, one black and one white. Before I sneaked them past the stage door man, in their cage, I'd already christened them Dick and Fanny. Their names were not inspired by the Tom and Shirley story, I hasten to add. Our dressing room had constant visitors from all the rest of the cast, and even Deborah herself would come in and see how Dick and Fanny were getting on. Little did I realise that they were literally and constantly 'getting it on'. I was completely taken by my new little friends, and would often take them on stage in the pocket of my costume. Once a week, some of my fellow cast members and myself would put on a show for the rest of the cast, to keep our morale up during this gruelling tour. We called these little sketch shows 'Capers', and the likes of Imelda Staunton, who was also in the cast, and Deborah Kerr would dress especially for the occasion, as if they were going to the Oscars!

A few weeks into the tour, we were starting to tire as a cast, performing eight shows in a six-day week, then travelling to the next town or city that was usually a half day's journey away. Deborah Kerr was beginning to find it difficult to remember her lines, and having Dick and, now a very pregnant Fanny, upstaging her at times, didn't help her predicament whatsoever. Deborah was apparently having 'problems' back home, but more of a problem with the vodka than her husband, perhaps. A prompter was rushed in, and a little too hastily if you ask me, as he was quite hard of hearing. It was pitiful to see such an accomplished actress frozen with fear before every show, having to be pushed on and reminded where to stand, let alone what to say when she got there. The more lines she forgot, the more babies Dick and Fanny had. By the time we reached the Old Vic, they had had more babies than Deborah had had on stage.

During the opening night it was published in many of the reviews that Deborah had received 53 prompts. Obviously, it was not only Deborah who'd heard the prompts, but every member of the audience, every critic and probably the box office staff too. 'Move over to the table dear!' he'd bellow. 'Now bow dear, and smile dear!' That was the end of our run at the Old Vic, and sadly the end of Deborah's glittering career. It was also the end of Dick and Fanny. Following that final show, I took my rather over-populated cage to a pet shop near the theatre, left it on the counter and scarpered, shouting, 'Here, have these for free. They're theatrical mice.'

Not long after this, I received a call from my agent saying that I had an audition for the Channel Four soap *Brookside*. 'It's for the part of Gordon Collins's 'friend',' she stuttered on the phone. I knew immediately what she meant by 'friend' as she said it in the same way as my mother would half speak and half swallow the word 'hysterectomy'. 'You have to wear jeans and a leather jacket,' she ordered, in a matronly voice as she gave me the rest of the details.

This was an important audition, as it was such a popular and ground-breaking series.

On my way to the train station to travel to Liverpool for my audition, I started to get a little hot under the collar. Fuck, I can't do a Liverpudlian accent, I thought to myself. Accents are really not my forte; I can hardly do my own! I decided to phone a friend who had mastered every accent on earth, and ask for help.

'Write this sentence down,' he said. 'It's got all the Liverpudlian sounds you'll need.' As I poised with my pen and paper, I heard the most outrageous sentence of all time, all punctuated with that guttural explosion on every 'C' and 'K' that Liverpudlians do, as if he was clearing a backlog of phlegm deep from within his throat. 'Get yer friggin stochhhhns off, will ya? And let me fuchhhhh ya, ya chichhhhn'. I jumped on the train and rushed straight to a vacant toilet, not because I needed to go, but because I needed peace and quiet to rehearse my 'C's and 'K's, and repeat this filthy sentence over and over and over. I sat on the loo, faced the mirror and spent a cramped five-and-a-half-hour journey perfecting my new accent with every nuance and attitude I could muster. 'Get yer friggin stochhhhhns off will ya... Get YER friggin stochhhhhns off... Get yer friggin' stochhhhhns! OFF!' until I heard, 'Next stop Lime Street Station.'

On arrival at 'The Close', which looked so much smaller in real life than on my TV in Fairwater, I was ushered to a house that didn't feature in the series, but was used for casting. There were hundreds of spikey-haired men in their mid-twenties in jeans and leather jackets all eyeing each other up. 'Stiff one next,' said Dorothy Andrew, the casting director. This lady was the queen of casting in the North so there was no way I was going to correct her. I just smiled and followed her into a small room where, sat waiting, was the King of TV, Mr Phil Redmond, creator of *Grange Hill* and *Brookside*. He knew the business inside out, and it was no accident that viewing figures for Brookie were eighteen million plus. This was before digital, so there were only four channels, remember. Oops, no five. Sorry S4C!

'Come in, darlin',' said Dorothy.

'Take a seat,' said Phil. 'We're recording the auditions on camera, if that's ok?'

'Not a problem,' I said, running the 'friggin' sentence around and around in my head, to keep my accent fresh.

'By the way,' said Phil, 'Your character is from Wrexham.' There was a slight pause.

Out with it!

'What?' I gasped, 'I've been locked in a toilet, on a train for five and a half hours, repeating the same filthy sentence, over and over again, to practice the accent; and now you're telling me my character lives four miles from my mother!'

'Go on then,' said Dorothy Andrew, 'Let's hear this sentence.'

'Oh my God, NO!' I answered, 'It's so obscene. I'd never get the job.'

'Try us,' said Phil Redmond, smiling.

Then, without a word of a lie, as I took an intake of breath to debut my new accent, the camera fell off its tripod, and landed on the floor in front of me. Without a flicker of hesitation, I jumped to the floor, looked right down the lens and said, 'Get ya friggin stochhhhns off, will ya, and let me fuchhhhhhhh ya, ya chichhhn!' And I got the job! Not because of the accent, obviously, but maybe because of my timing, confidence and utter cheek!

Within days, there I was working alongside faces that I'd watched many a Saturday morning on the *Brookside* omnibus on S4C, glued to the telly and hungover in my flat in Fairwater. But what was more incredible to me is that I was playing Christopher Duncan. He'd been mentioned for years in the soap, as an antiques dealer-cum-ski instructor 'friend' of Gordon's, although we never saw him on screen. I distinctly remember sitting on my brown shag pile carpet back in Cardiff, years previously, wondering when we'd meet him, and who would play him. Who'd have thought? Fatty-Poof from the chip shop, with marmalade on his arse!

Within a few weeks, the writers got to know me and my character better, and I started getting more and more storylines. Juggling

'*Brookie*' with my theatre work was something I was really proud to do, and I was more than happy to work in English in Wales, and play a Welshman in England! Although the money wasn't good for *Brookside* – in fact, at the time it was far less than half what the cast of *Pobol y Cwm* were earning – but the status and exposure of being in this soap were high. This meant I was offered even more theatre work and for far better money. Win, win. It's very odd, but when you are in a high profile TV show, everyone in a pub wants to buy you a drink, and landlords would be falling over each other, sending over bottles of champagne to try and keep you on the premises. When you're out of work and skint, no fucker wants to know! The cast of *Brookside* was a very close-knit bunch of people, and some of them are still good friends, over thirty years later.

The show was ahead of the game, and in its prime, cutting new ground technically and creatively. Its writers were very shrewd in not giving us any gay storylines whatsoever for a whole year, so that the audience would get to know and like us, and we'd gain their trust and support in readiness for when the big storylines hit. Gay characters were relatively new in the soap world at that point, so the writers craftily weaved us into the Close and built a relationship between us and its audience. Many of the cast, like myself, didn't live in Liverpool, so the company had negotiated a very low rate at the Adelphi Hotel, which was once the pride and joy of the city. By the eighties it was shabby, without the chic. We paid fifteen pounds a night for our art deco second home, but they more than made up for the discount with the profit from behind the bar. We had absolutely brilliant nights there, drinking till all hours of the morning, but I can't remember any of the details! The staff also made extra money by selling stories about us to the press, revealing many of the shenanigans of who was sleeping in whose room.

After my first year, I read in my script that I was to give Gordon a casual peck on the cheek, for his father to wince and cringe at. We shot episodes six weeks ahead of broadcast. It was very timely. Clause 28 was beginning to get major publicity in the press. This was a ridiculous homophobic government law that prohibited local authorities from promoting homosexuality or 'pretend family relationships' as they so outrageously called them. However, what this did, in my opinion, was make gay people second class citizens, leading to other monstrous situations whereby gay people were not offered the same rights, refused insurance and mortgages, etc. Unless something was done about this clause, life would be catastrophic for so many people. There was a protest march and rally, organised in the heart of Manchester, and I had already been persuaded by Sir Ian McKellen that I should be with him on the march, representing gay men across the country. Who could turn down Ian McKellen?

Cleverly, the scriptwriters had timed the peck I was to give Gordon's cheek to be broadcast at exactly the same time as the march. This resulted in *Brookside* not only backing an historical fight for gay rights, but also gaining immense publicity as the *Nine O'Clock News* carried our storyline in the 'And Finally' item, claiming that 'two men had kissed for the very first time in a television soap in Great Britain.'

The following day I found myself walking on the frontline of the Clause 28 march through the streets of Manchester alongside Sir Ian McKellen and Michael Cashman, who also played a gay character on *EastEnders,* followed by over eighteen thousand well behaved protesters. Not one arrest was made that day! I then found myself in Manchester's Albert Square climbing the steps to speak to the crowds! I was part of history and felt like Evita. I'd written a speech which ended with, 'Don't worry, ladies and gentlemen, who the hell is gonna find a closet big enough for all of us?' The crowds went wild, and so did the press and media. Little did Ian McKellen, or anyone else for that matter, realise, that I hadn't actually come out at that point. I had not admitted (which is what you did then, as if it was a cardinal sin) to anyone back in Wales, any of my friends, colleagues, family but more importantly my Mam that I was gay. As I stood there taking in the cheers and the applause from this immensely grateful and positive crowd, I suddenly thought 'Fucketty Fucketty fuck fuck,' and heard a voice in my head saying, 'You'd better go home and tell your mother you're gay.'

People who know me well are always shocked to hear that I never came out as a gay man until I was twenty-six, but I was scared that people might turn their backs on me, stop me seeing their children or just generally disrespect me. I felt I had so much to lose and with my profile back in Wales and, more importantly, in my village, I was terrified to say the least. But the fact that I wasn't being totally honest with my mother was slowly killing me inside. I had never kept anything at all from her, and this had to be sorted somehow, and soon. I absolutely dreaded having to say those three words I had rehearsed and rehearsed in my head: 'Mam, I'm gay.'

That journey home to Rhosllannerchrugog seemed the longest journey of all time. I took a friend, in case I needed support. 'Hia *cariad*,' Mam said as she gave me a kiss and handed me newspaper cuttings. 'Hey, look at you all over the papers in that march in Manchester; you're in the *Wrexham Leader*, the *Herald* and the *Daily Post*. Everyone in the Rhos thinks you're gay,' she said casually and turned to go to the kitchen and put the kettle on. This was it. This was my cue, and probably my last day on earth. Out with it.

Three words fell out of my mouth: 'I am, Mam,' and there was complete silence, as if a bomb had just gone off in the middle of our living room. I only remember the response in slow motion, as a look of horror crept over her face. She then turned to go towards the kettle and I spurted out, 'Mam, don't go, it's taken me years to tell you!'

I don't remember the following minutes, probably because there was adrenalin rushing through me like a tsunami, but all I know is that within no time at all, my mother seemed rational, accepting and my mother again. I feel that as soon as she realised I was confident enough, and that I would be able to deal with any negativity from others, then she was happy. It's a parent's instinct to be protective, and I felt I'd shown her that I was now ready to face the world and that I was safe. As soon as she realised this, she was back on her feet and enjoying this slightly new relationship; a closer and more open one. How would the Welsh media lot react? And what about the village people? (No, not the 'YMCA' group!) Sod 'em. The worst was over, and I was feeling such a relief that it's impossible to describe. My next step was to write to Anthony and tell him that his brother was on a different bus. I waited for the longest week and a half for a reply to my letter. The phone rang, and I heard his voice say, 'Thanks for the letter. It's not a problem. I didn't like you anyway!' Wow, humour about being gay. Perfect.

I stayed at *Brookside* for another year and had the time of my life. Life was so much easier now, not only because I could really relax and be myself, but also due to the relief that I, and my sexuality, had been totally accepted. Our storylines within the show developed, and my character became a bit of a hero. The cliffhanger at the end of one episode was that both Gordon and Christopher had been attacked by a gang of 'queer-bashers' as we were leaving a gay club. As the cameras panned across a hospital bed at the beginning of the next episode, with machines bleeping in the background, it was revealed that the victims were not us at all. My character had fought back and hospitalised the ring leader of the attackers for trying to harm Gordon, while the others ran off, and there I was visiting the patient with flowers! To be honest it was of great personal help to me that I was playing a very confident gay. I learned a lot from him, and the writers, and was far more prepared for things that cropped up in my later life. I also carried on to help Ian McKellen with his continuous efforts to help bring awareness to his campaign, and was invited to appear in the most exciting events alongside Bronski Beat, Erasure and the Pet Shop Boys!

One of these concerts was at the Piccadilly Theatre in the West End of London, and that's where Marilyn the Chip Shop's son was, sharing the stage with Timothy West, Celia Imrie, Harold Pinter, Maureen Lipman, Gary Oldman and Anthony Sher, directed by none other than Richard Eyre. I'll never, ever, forget sitting in the stalls during the afternoon rehearsal and turning to Ian McKellen and saying, 'Thank you for this amazing experience. This will stay with me forever,' as the Pet Shop Boys were sound-checking *West End Girls.* The strange and spooky thing was that it was not long before I became a West End Girl too, and on that actual stage as well!

Back at *Brookside,* my character had been causing mayhem in the Collins's household, and I was forever being thrown out of the house by Gordon's parents. This pattern was becoming repetitive and when I saw that Christopher was being shown the door for the tenth time I clearly remember thinking, 'That's a nice round figure. It's time to go.'

I sat one day in the green room at *Brookside.* A 'green room' is a seated area where actors hang out, waiting to either do a scene or go on stage, though strangely they are never actually green. In fact, in those days they were usually yellow with cigarette smoke! The *Brookside* green room was the lounge of one of the houses on the Close that wasn't featured in the storylines. As we sat there, smoking ourselves to death, Kate Fitzgerald, who played Doreen Corkhill, said to me, 'Sorry to hear that ya leavin', chuckkkkkk. What's yer plans, Stiff?'

Out with it.

'I'm going to sing in a West End show,' I said, in a matter-of-fact tone.

'Oh? Which one?'

'I dunno yet,' I said, as I stubbed my cigarette out and stepped on to the set.

CHAPTER 6
West End

'You have an audition for a new musical that's going to be staged at the Piccadilly Theatre in the West End,' said my agent. 'They want you to sing a Billy Joel song.' I ran around like a headless chicken trying to find a copy and recording of a suitable song of his, and you have to remember that being a dinosaur, this was a time before the internet and downloads. I finally found the right song for me: 'My Life', and I prayed it would be the right song for them too! This new musical was called *Metropolis*, and was based on the cult film of the same name by Fritz Lang.

As I write this I can clearly see exactly where I stood in my bedroom in my flat in Fairwater, as I rehearsed this song over and over and over again. It's probably ingrained in my head because I worked on that song with such focus and passion, and I not only learned the words and tune, without still being able to read a note, but also worked on every possible interpretation in the book until I was happy with it. My performance had to be 'bombproof'. While I was working on this song for the audition, my mother had come to Cardiff to stay again, and we had planned to go for dinner. 'For Christ's sake,' she said, 'can we go and have some food. I've learnt this bloody song myself just waiting for you.' But I didn't leave the bedroom until I was ready.

'Good choice,' said a voice from the darkness of the stalls at the Piccadilly. The voice belonged to Jérôme Savary, the famous French director. 'We're going to give you a copy of 'The Sun', a solo from the show. Come back next week having learned it.' Back on the packed train, I sat with the copy in my hand, and started to learn the words, and from what I remember, they were not the best. I also had with me a cassette of the song that the accompanist had recorded for me before I left, which was just as well, as the score was going to be no help to me at all.

I then disappeared back into my bedroom and didn't reappear until I was ready again. Within no time at all I was back on the train to London and back on the famous stage, where this time Jérôme Savary stepped out of the darkness, and came to speak to me centre stage and shook my hand. He asked me to sing the ballad they'd given me. I gave it as much welly as I possibly could, and yes, as much as my mother would have wanted, until my arse shook! My rendition of 'The Sun' must have caused Jérôme's arse to shake too, as I received a call suddenly after my recall to ask, 'How would you like to play the part of George in your first West End musical?'

I phoned my mother immediately and said, 'Don't ever moan again about me rehearsing. I've only gone and got a great part in a new West End musical, and I don't have to start in the chorus.' I suddenly found myself renting a flat in Chiswick, although I had been kindly offered the keys to Ian McKellen's house, but declined. I unpacked my belongings on the Sunday night, and early next morning I climbed the steps from Piccadilly underground to face the first day of rehearsals for this ground-breaking new show. As I turned the corner into Denman St, I had another marmalade moment, I looked up and saw a poster, bigger than our house, with some familiar names on it. Brian Blessed, him with the voice, Judy Kuhn, a Broadway star and Fatty-Poof, Marilyn the Chip Shop's son! Oh my God, I thought, I'm gonna have to pull something out of the bag now!

Being a member of a musical cast was very exciting and new for me. I was now rehearsing, eating and socialising with such an eclectic mix of people: designers, dancers, drag queens, seriously talented vocalists, and choreographers, all as one big happy family. Well, except for maybe Brian Blessed, who seemed to flip on a coin from being the funniest man in the room to behaving like a child having a tantrum. I'd never come across this sort of behaviour in the business before. He stormed out of a rehearsal one Thursday as he allegedly didn't appreciate the rather 'French' way the director was giving him notes. He was told that his character sounded like he was laughing when he was meant to be crying. Brian didn't find this funny at all. He went silent then exploded and called the director a rather blunt expletive. This monosyllabic word seemed to be enunciated with such gusto and breath control that it lasted as long as the rest of the rehearsal period. When the Tarzan-like word finally came to an end, Brian stormed out of the room and didn't return the next day. The weekend came and went, and on the Monday, he burst back into the rehearsal room as happy as hell, with a bellowing, 'Mooooorniiiiiiiiiiiiing darlings!'

I was thoroughly enjoying my new life in London working on this musical that was becoming the talk of the town. I even rewrote the lyrics to my solo, as the originals were cringe worthy. The production had cost millions, far more than any other West End show of the nineties, and was breaking new ground technically, although that technology broke down rather too often. Our set consisted of a three-and-a-half-ton monster piece of machinery that we cast members worked on. Tricky enough without the fact that it also had to move around the stage like a hovercraft, floating on air. Together with this, there were some fundamental problems within the management, and following the longest technical rehearsals in the history of technical rehearsals, the technical problems increased.

During the previews many shows were cancelled. The hovercraft stopped hovering, and we as cast members left work and sat in the pub. By the first night, everyone was on tenterhooks, and Brian Blessed certainly seemed to be on them. Something else had upset him and I remember hearing the roar from his dressing room, then seeing a kettle, followed by a lampshade fly out of his window. His finale was, believe it or not, a flying armchair! Don't ya just love showbiz?

The first night performance of *Metropolis* was slated by the press, but luckily, I came out of it rather well. It ran, or maybe I should say stumbled along, for nine months, due to very kind American investors. But those nine months were some of the happiest months ever: educational, hysterical, and sometimes hair-raising. Quite a few good things came out of it. One was that I fell for someone who was in the show, called Charles Shirvell, and we lived together for ten happy years. I also learned how the West End 'worked', made some life-long friends and contacts, and recorded the cast album. The solo I recorded for the album became a staple choice for many to sing at auditions, and it has been played on Elaine Page's Radio 2 programme on a Sunday. The only Sunday I've ever enjoyed her show!

Once *Metropolis* closed, it was hard going from eight shows a week to no shows at all. I really needed to get back on stage. I was so eager to be considered for other shows, but I was one of many thousands who were as keen, or as talented, all desperate to play so few parts. I was offered to understudy Michael Ball a few times; however, I was never going to do that. We were friends, and we'd worked together on Michael's first job in Aberystwyth in a production of *Godspell*. We'd shared a flat, and even considered starting a close harmony group together. I held out, and waited patiently until something came along that I was happy with. That opportunity was to audition for *Phantom of the Opera*. I sang for them and my audition went well; they called me back and back again. My patience was tested like never before. I ended up having eleven recalls, where they had started with a casting net of hundreds, and now it was down to two to take the part of Raoul.

My competition was Robert Meadmore, a well-known West End name. We were told that we had to perform the whole show, on a very hot Friday afternoon, in front of none other than Howard Prince, the notorious Broadway director, and the biggest producer on the planet, though he is only knee-high to a grasshopper – Sir Cameron Mackintosh. No pressure, then. I was very excited with this. We both performed each and every one of Raoul's scenes in order, with a cast who were not happy at all. The poor buggers had only just done half their week's load of shows, and would have a show following our audition and two the following day, while under the constant scrutiny of the show's original director and producer.

By now, Marilyn's lad from the chip shop had his eye on the goal, and was nailing every note and executing every piece of direction. I remember how calm and focused I was, and was pleased to hear my competition's nerves get the better of his technique, as his vibrato became so dominant, you could have driven a bus through it. He sounded like Larry the Lamb arriving at the abattoir.

After the audition, like every performer, I went home and waited for the phone to ring, and waited, and then waited some more. Days later there was a knock at the door, and there stood an Adonis in lycra from his thighs up, with a huge bouquet of flowers in one hand, a jeroboam of champagne in the other, and a card from Sir Cameron's office. I thanked the courier, and paused a moment to take it all in. My heart stopped, as I took a long intake of breath and opened the card. There was Sir Cameron's signature on the bottom. Oh my God, I thought, this is it. This is the answer to all my needs. I then read on.

'Unfortunately, it didn't work out this time, but let's hope something better will turn up for you soon.
Love, Cameron x'

My whole life came to an emergency stop, as I crashed into a huge wall of disappointment; I could hear an incredibly loud silence in my head.

'Not to worry dear,' said my agent, who obviously had seen this time and time again. 'Theatre Royal Plymouth has offered you Eric in *An Inspector Calls*,' and I wanted to shout from the roof, 'I don't fucking care, I want to be in the West End.'

Within days I found myself, heavy of heart, packing my bags and leaving for Plymouth. After a few days of rehearsal, I received another call from my agent. 'Cameron's office has been on the phone; he's only gone and offered you Marius in *Les Misérables* at the Palace Theatre, West End.' Cameron had actually kept to his word, and he'd offered me a far better part than Larry the Lamb had got. 'However,' said the agent, 'they need you to start rehearsals while you are still performing at Plymouth!' How the hell was that going to work? Following a million phone calls, my agent had negotiated a deal whereby I had to commute from Plymouth to London for the final two weeks of *An Inspector Calls*.

Living in London, I knew what commuting was, but this was a completely different ball game altogether. The *Les Mis* production paid for me to fly every morning at six o'clock from Plymouth to rehearsals. However, I had to travel from the airport to central London by taxi, which took triple the time the flight took. To make things worse, because of fog in Plymouth, the Theatre Royal demanded that I travel back by train, as landings were often cancelled. So, at lunchtime every day I sat on a train which took the whole afternoon to get back, just in time for me to get to the theatre for the performance that evening. After the show I would then rush to my lodgings, get to bed and start this gruelling schedule again, and again, and again. 'Do you think you can cope with this schedule?' my agent asked before I signed the deal. 'Does the Pope wear a dress?'

The schedule nearly killed me, as I carried the almighty unopened score of *Les Mis* with me, back and forth across the country, day in, day out. I should have left it behind; it wasn't in sol-fa, and so I learned the whole show from the album. But however tired I was, I was so proud that all my hard work had paid off, and I beamed from the inside.

Suddenly it was my opening night for *Les Mis* and I sat in the tiny, mouse-ridden dressing room, staring at myself in the mirror, collecting my thoughts, and focusing all my energy ready to give my very first performance as Marius. As my mother and my agent must have been taking their seats, I placed my microphone onto my hairline, and checked my costume. Over the tannoy I heard the announcement from stage management.

'Tonight, the part of Jean Valjean will be played by the first cover.'

Peter Karrie, who played the part, a well-known singer from Wales, had to pull out of the evening's show with vocal problems, so the understudy was going to take the part. I was not surprised about Peter's voice problem, because it was a humongous vocal role to sing eight times a week; however, I was more focused on who was about to pay Marius than who wasn't playing someone else. The orchestra burst into action, as I made my first of many journeys to the stage, with my heart half stuck in my throat and half in my pants. Sweat started to trickle down my back as I slowly realised that I would be on stage playing opposite someone whom I had not even met properly, let alone rehearsed with. As I stood vulnerably in the wings, I overheard one of the chorus saying, 'It's a big night for the understudy. He's only just back in work since open heart surgery'. Hearing this, seconds before walking into the light, was as traumatic as having your head trapped between the symbols of an enthusiastic percussionist. Those of you who have seen the show will know that my character Marius is carried around the sewers of Paris by Jean Valjean during the second act, and even thirty years later, I still hold the award for being the heaviest Marius in history. So imagine what was rushing through my mind as this fresh news of cast change was being processed in my giddy head. Even Peter Karrie had trouble carrying me, and he was a fit, strapping man, and I had the hips of a chip shop lad! Still, to this day, Peter tells me what a struggle it was. How on earth was the understudy going to cope, when his heart had only just settled back into his chest. Mine was bursting out, let alone his!

Somehow, the understudy dealt with my large frame and tossed me around like I was Darcey friggin' Bussell. Phew! The worst was over, I thought, as the end of the show in sight. I was smiling on the inside, and imagined how elated I was about to feel when it was all over. I could see the horizon as I stepped back onto the stage for the final choral song. Because of the ridiculous rehearsal schedule, I had never rehearsed this part, and was told that I should just kneel centre stage, next to my new bride, surrounded by the cast as we would all repeat a song from the first act. Easy-peasy-lemon-squeezy. What somebody had forgot to say was that these were different lyrics entirely, so there I was kneeling with a spotlight on me next to my wife in her huge meringue dress, while I tried to sing words that I'd never seen before in my entire life. I ended up just smiling, as you would if you'd just married someone, I suppose. As I smiled my mother and my agent smiled serenely back at me, proud as punch, none the wiser.

You'll be glad to know that I did learn the last song by the second night, and the whole experience of being in the world's most successful show was such an honour. And although the job was probably the most gruelling that I've ever done, I have some fantastic memories and made friends for life. There were many children in the show, and to comply with rules and regulations, we had to have many different sets of kids. Also the cast was always changing, due to people's six-month contracts, continually evolving and continually rehearsing.

The rehearsal schedule along with the show schedule was so cruel. The show at the time was three-and-a-half hours of constant singing, double the time of most other shows, so performing this eight times over six days a week needed the stamina of an ox. But we also were expected to rehearse all day Monday to Friday, and sing out, full pelt. When Michael Ball and I shared a flat, I remember thinking what a fuss he was making when he originated the role. He was forever complaining about the gruelling workload, and pressure, and was quite often ill. Now I totally understood. However, saying this, I never took for granted having the chance to sing perfectly constructed songs, with an orchestra beneath me and the audience on their feet, giving us a nightly standing ovation.

So many friends came to see the show, and came to the dressing room for a glass of champagne afterwards; only one, mind, as I had to get home to bed to be ready for a French revolution or two the following day. The West End felt, at times, like a mini Welsh village with so many Welsh artists working in so many different shows. So many cards, messages and presents were left at the stage door by so many kind people, wishing us luck, just saying 'hello' or congratulations.

One day I was called down from my room to stage door to say that there was a jar of pickles waiting for me, and I chuckled all the way down the flights of stairs to pick them up, knowing only too well who had left them for me – my old friend Valerie Roberts from Rhos. She was the queen of pickles, and I am glad to say I have received many a jar at many a stage door from her since then.

Outside stage door was where the fans would queue, and some would become familiar faces. One mother and daughter would travel from Manchester twice a week to catch the Thursday and Saturday matinee without fail, stand and wait patiently to greet us as we arrived at the theatre, then sit in the same seats, stand, applaud and travel back. They would not only want a photograph, but would bring the most bizarre mix of things for us to sign, not just scrapbooks and autograph books but bread boards and even a specially printed bedroom wallpaper with all the faces of every Marius on it! Imagine trying to sleep with me staring at you in the dark! What a nightmare! And speaking of nightmares, we had to be careful not to reply more than once to anyone that sent us fan mail. More than one response could make the sender imagine there was a relationship and things could get tricky to say the least. I'd learnt this on *Brookside*. Although I was quite meticulous about the 'answer once' rule, it didn't stop some from writing time and time again. One guy, from Ireland, would write to me weekly.

I had taken a week's holiday from the show around my birthday, and on my way back to the theatre, for the first time since my break, my agent rang me to say that their office had received a startling number of messages left for me on their answer machine, each one a little more dramatic than the last. It turned out that while I was on leave this Irish lad had written to me at the theatre to say he was coming to London to see me in the show and that he had booked a table at one of London's top hotels for us, and a double room too! I obviously was none the wiser, safely behind closed doors at home in the East End. The poor guy, on arriving at stage door with birthday gifts for me, had been informed that I wasn't on that evening. He had gone back to the hotel, started drinking heavily and then recorded a series of rather nasty messages for me at my agent's office.

When I arrived at the theatre, I was greeted by the pile of gifts he had left me while I was away, and the stage door reception guy said, 'and this was left for you this morning'. I stared at the packages. 'I think you had better open this one,' I gulped. He opened the present wrapped in black paper. There was a large half-full box of chocolates, each one smashed to pieces. Inside was a card saying, 'It's over.' Thank Christ it had never started. This time it could have been Marius' blood on the bedroom wallpaper.

Playing Marius for two years brought me so many more opportunities, and I am proud that I got to perform at Wembley Stadium, and also the Albert Hall to celebrate the show's tenth birthday. The show is over three times that age now, but those memories are still as clear as crystal. Being in the show was also responsible for bringing me so many concerts and work as a presenter back in Wales. It was difficult trying to fit every opportunity in, as the contract for the show was very tight. However, Sunday was always free, and although your mind, body and spirit would want to just lie down in a dark room, someone, somewhere, would ask you to sing at an event that would seduce you into not having a day off at all for weeks on end.

One such show was a tribute show to a star of the 1920s: Evelyn Laye, who was a household name back in the day. I was invited to sing a solo at this event that was going to be at the Palladium with the likes of Dame Hilda Bracket, Dora Bryan and many, many more. What an honour, and what a shock when I turned up to the rehearsal on the Sunday morning of the show to find an eighty-seven-year-old Evelyn

Laye still alive, though a little musty. I had presumed we were doing a tribute because she was dead! These sorts of jobs ran like clockwork, with a piano rehearsal in the morning, some staging in the afternoon and the show that evening. Wham! Bam! Thank you ma'am!

My solo was 'Beautiful Girls' from Stephen Sondheim's show *Follies*. The director, the late Christopher Wren, explained what was going to happen. 'You'll be wearing top hat and tails, Stifyn, and as you sing, "Hats off, here they come, those beautiful girls," you turn up stage as all the beautiful girls will come down the steps at the back of the stage, joining you on each side as you finish the number. I've rehearsed the girls already, so just imagine them for now.' Fine, I thought, imagining myself flanked by these beautiful girls, all feathers and jewels at the bloody Palladium. What would Mam think!

My moment came, and I stood in the wings waiting for the legend Elisabeth Welch to finish her number, before I strode on with a smile and nailed the song. The band burst into action, the spotlight hit me, I beamed and started singing, 'Hats off, here they come, those beautiful girls' and turned, as directed, with my top hat in one hand and my cane in the other to greet the feathered and bejewelled beauties as they appeared upstage. I would never have imagined what actually appeared. These ladies may have been beautiful girls years ago, but now they were in their eighties and nineties, with walking sticks and zimmer frames. It looked just like the Michael Jackson 'Thriller' video. I forgot every single lyric to the song following that first line, and sang absolute rhyming nonsense, some even in Welsh, right up to the last note. And although my whole world had now fallen through my pants and was practically running down my leg, the audience never noticed a damn thing wrong. I ended centre stage, flanked by the living dead to a standing ovation. That's showbiz!

CHAPTER 7
Social Welsh and Sexy

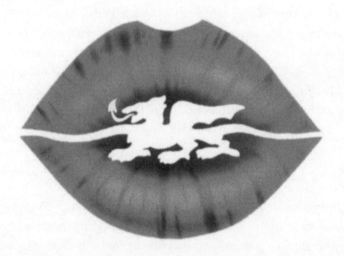

While living in London, it seemed that Siân The Weather Lloyd and I would be invited to every event in the city that had any Welsh connection whatsoever, and wherever we went, there would be a photographer catching us both laughing and swigging champagne in bars, grand hotels, celebrities' homes and even Buckingham Palace. I'm sure people were beginning to think rehab was just around the corner for both of us. We'd both met and clicked while co-presenting *Children in Need* for the BBC. Siân flirted with me throughout the broadcast, on the steps of the Llandaff studios, in Cardiff. She would giggle coyly at every little thing I said, in between the live items we were there to deliver. She'd fancied me since seeing me on *Brookside,* apparently, and fancied her chances. I immediately explained I wasn't on the same bus as her, and she heard me loud and clear. We spent the rest of the evening giggling like schoolgirls. From that night onwards, we were on each other's arms at every event, like Mr and Mrs, but on separate buses.

The problem with being invited to so many Welsh society events in London, to be honest, was that most of them were the absolute opposite of what I wanted. Siân and I would find ourselves out at least three times a week at concerts, dinners and balls, and what a load of balls some of them were. Guests would be frothing at the mouth, in astonishment, at being given a Welsh cake, listening to a harpist plucking away while another male voice choir crucified 'Myfanwy'. These evenings would seem to go on for ever, and despite raising money for charity, I feel many would have paid more for the bloody things to finish early. But no, let's have another speech, and why not bring the choir on once more for seventeen verses of 'Calon Lân'. I often fantasised about shouting, 'PLEASE STOP!' just to see the reaction.

By the end of February there would be a glut of St David's Day extravaganzas looming, and Siân and I would have to dig deep into the reserve tank and get out there and start smiling. She was very professional, while I scuttled behind, muttering bitterness with every breath. We'd eaten so much lamb by mid-March that we would have to dodge any sheepdog in sight. I even started rolling my eyes and tutting at daffodils, my favourite flower.

It was during this time that I started to imagine how nice it would be to go to a Welsh society event that I really wanted to attend, and I started to put my energies into this concept, instead of slagging off the rest. Wouldn't it be fantastic to belong to a society that you really wanted to be a part of, look forward to its events and then, after arriving never want it to end? I booked a room that held fifty people at the famous Groucho Club in London, and invited that exact number of people including both Siân Lloyd and Siân Phillips. Every one of my guests turned up, and it seemed such a relaxed and genuinely enjoyable night, laughing, drinking, reminiscing, meeting new friends with cool background music and a feel-good factor that felt just right. I thanked everyone, in a very informal speech at the end, and asked if we should do it again, and there was a resounding 'YES' from the room.

By the next event, the fifty had turned to hundreds and

contained quite a few well-known faces. I decided we needed a far better name for our society than the other societies; in fact I didn't want to call it a society at all. I wanted a catchy little name that was maybe a Welsh word that the non-Welsh speakers could pronounce. It needed to be something that meant something in both languages. I was determined that this society was for all: every status, sexuality, age, you name it, not like some gathering exclusively for the rich, or the boring, or both at times. I wanted this to blow them all out of the water. And so I hit on the word *sws*, which means kiss in Welsh, and then wondered what those letters could represent in the English language. And that was it! Social, Welsh and Sexy, a society for everyone!

As soon as I'd chosen a name, in true Welsh fashion, a committee was formed, and this eager bunch of helpers, to whom I am eternally grateful, helped with opening a bank account, spreading the word, and most importantly, folding letters into envelopes and licking stamps. This was before email and sticky stamps, folks! I knew that the inclusion of the word 'sexy' in the title of this new society would attract the press; why should the Irish have all the credit for sexiness? And wow, was I right; it seemed that every journalist was excited to be able to print the word 'sexy' without the editors frowning. With the title and some famous faces, the word was on everyone's lips! Now there's an idea!

That evening I happened to be having dinner with Catherine Zeta Jones, so I asked her, once she'd put her cutlery down of course, if she'd mind putting on some more red lipstick and kissing a white piece of paper, so that I could take it to my clever IT members, in order to create our new logo. She agreed, and the unique red lips logo, in a Welsh dragon pout, was born. The press loved my backstory of Catherine's lips being the inspiration for our logo, and who was I to tell them that in fact we got so drunk after the dinner that night, that I lost her 'lips' somewhere under the table. They're probably still there, at the restaurant. Who cares! The press carried the story, 'Catherine's pout gives Welsh Club kiss of life', and SWS's success grew even stronger. This was the time when Catatonia was storming the charts, as we were storming the social scene, and the term 'Cool Cymru' was born.

The press were hungry for news of Cool Cymru, and SWS provided the Welsh and English press with every opportunity for stories and photographs of Matthew Rhys, Ioan Gruffudd, Rhys Ifans and the likes. Radio and TV got on board, and apparently every SWS party in London saw the 125 train from Cardiff to Paddington full of Welsh people travelling to be a part of it! Bryn Terfel agreed to call in at the Groucho, following his performance at Covent Garden Opera house, and sang 'Happy Birthday' and, of course, the Welsh National Anthem as a surprise for everyone. Suddenly there were over five thousand members, and even more of an excuse for me to flex my party planning muscles and deliver events that would be remembered.

Once the Monica Lewinsky story had broken, I couldn't resist hiring a ship on the Thames called 'HMS President' and printing tickets inviting everyone to 'Come and celebrate SWS's Birthday – Let's all go down on the President!' Everyone, who was anyone was there. I organised a large ice sculpture of a Welsh dragon which was not traditional in the slightest, as it was a vodka luge. I had great pleasure in watching some of the more traditional London Welsh, as I poured vodka into the dragon's mouth, and they puckered their lips around the dragon's arse, waiting for their welcome drink to pour out. What a Welsh welcome, eh? Better than a bastard Welsh cake, any day.

Maybe it was my dragon luge that got so many of my guests kissing that night, because I know for a fact that one couple met and married after that evening, but not immediately of course. I know of at least three couples who married through meeting at the SWS parties, and I know of four children who were born as a result of those marriages. Of course, there could be so many other children, but we'll never know! But they ain't Siân Lloyd's and mine. Can you imagine! With the size of both our mouths our child would have a gob like a flip-top bin! Maybe this is why so many people, and journalists for that matter, thought we were Social Welsh and Single, because it seemed to be a place for connections. But most of these connections were business to business and friendships. I'm also convinced that many thought it was a singles club as it was run by an openly gay man, and many, at that time, considered all gay men to be single and promiscuous. However, it was obvious to everyone at the time, that this society was hugely social, very Welsh and considering its growth and popularity, incredibly sexy.

Sadly, it was during this time that I became single again, as Charles and I parted company. He had always promised that we would go to New York together, and therefore, as we had never managed it, I thought I would go it alone. Before going, I contacted a few Welsh contacts out there, and by the time I landed in New York I was totally fired up about creating a branch of SWS in Manhattan. I spent the whole trip of a lifetime meeting people, visiting potential venues and plotting my next moves. Within no time at all SWSNY was launched and I approached the Welsh Government to help me financially. There were individuals within the Assembly at the time who really liked the concept, and they knew that the Government should be a part of it. However, getting adequate funding was impossible.

Having said that, I was totally focused on delivering a humdinger of a launch party, and despite the inadequate funding, I managed to get over five hundred social, Welsh and very sexy guests to turn up to an event that I had timed to be part of Welsh Week in New York. This occasion dominated the whole festival, in popularity and press coverage. We filmed an item for the news where I was landing by helicopter, Bond-style on a roof top in Manhattan, and the party location I had chosen was Madonna's favourite night club at the time, allegedly, called Lot 61. On the microphone that night, my welcoming speech consisted of subtle lines like 'First there was King Kong, then there was Godzilla, now get ready for SWS New York!'

SWSNY really did conquer that festival, and I managed to attract all the press, as there was a bank of cameras and journalists parked right outside expecting Catherine Zeta Jones to appear. She was our patron, of course: we had her lips as our logo too, and although she was actually on the island, I didn't tell them that she wasn't available that evening! We still got the attention, however. We even managed to get a whole page in *Tatler*, one of the world's classiest magazines. The article claimed that, thanks to myself and SWS, the Welsh were the fastest growing minority in Manhattan. That sort of PR would have cost the Welsh Government thirty thousand upwards, but Fatty-Poof paid nothing!

Before I knew it, I was invited to Moscow to re-launch their Welsh society as part of the SWS brand. I was to host the new SWS Russia and they asked me to take a Welsh singer with me to entertain them. I invited Amy Wadge, a pretty undiscovered singer-songwriter at the time, who I thought was truly brilliant. When we arrived, we sat in our six-star hotel in the centre of Moscow waiting for our car to take us to the venue, to sound check and rehearse what we were both doing later on that evening. While we sat in the grand foyer, my phone rang and I was told, to my horror, that the SWS evening would be fancy dress. 'What?' I yelled across the hotel, 'I have not crossed the world, in order to ridicule the Welsh as a nation!' I could just envisage seeing photographs in the Russian press of a drag act, Bassey-style, pulling a raffle! 'This was no way to promote the Welsh image,' I said as I slammed the phone down furiously, threatening to get straight back on the plane. Amy sat consoling me, as I saw all my plans for strengthening our image internationally, slide right into the Russian gutter. Suddenly there was a great kerfuffle at the far end of the foyer, as a tall blonde entered with much shorter people scurrying around. I squinted and froze. I could see tight leather trousers, a tighter leather basque, massive blonde coiffured hair, and amazing make up and I thought, OH MY GOD, some bloody man has turned up for SWS Russia dressed as Bonnie friggin' Tyler. I couldn't believe my eyes. I squinted again and then it hit me. It WAS Bonnie Friggin' Tyler, one of the patrons of SWS!

'Hiya, Stiff,' she said casually, as if I'm forever waiting for her in every foyer of every country around the world.

'What are you doing here?' I said, 'Are you coming to SWS?'

'Nah,' she said nonchalantly, 'I'm singing at the fucking Kremlin.' I could not believe it! Not only was it a small world, but Bonnie was doing two consecutive nights at the 'fucking Kremlin'. She was massive globally, and still is, and it baffles me why most people in Wales seem to think she's retired. She is a superstar. I was also so bloody relieved that we didn't have any men dressed as female superstars at SWS later that evening. Phew!

While Bonnie rocked the Kremlin, Amy and I tried to rock SWS Russia in a room packed with Welsh Russians, some Welsh learners and some ex-pats, who seemed more interested in each other than Amy and I. We tried mingling, but to be honest we couldn't understand a word, especially when some of the Russian Welsh learners demanded to speak to us in Welsh. The double 'L' and the 'CH' seemed to dominate every sentence as we stood there with a puzzled look, dodging spittle and phlegm from every angle. I introduced Amy, who stood on the stairs so everyone could see, and she sang five of her own compositions.

She was superb, but the Russian bastards just chatted all the way through her performance, to the point that Amy and I laughed out loud, but of course nobody spotted us. Little did they know that the girl on the stairs, strumming her guitar and singing her heart out, was going to be a Grammy winner and a superstar in her own right one day. She is partly responsible, alongside Ed Sheeran, for one of the world's most successful songs of all time, 'Thinking Out Loud.' They missed her because they were too bloody busy talking out loud! The surreal evening came to an end as we got back to our plush hotel and Bonnie burst in, fresh off the stage, to announce: 'We're going for a burger if ya' wanna' come. None of this Russian shit.'

I forged so many relationships with so many people all over the world by running SWS. I'm sure I would never have been invited to the wedding of Catherine Zeta Jones and Michael Douglas without it. I have to say of all the events I have been to, or produced, their wedding was the most social, Welsh and sexy ever. I still can't believe I shared the red carpet that lined the bottom of Central Park, with the likes of Goldie Hawn, Kirk Douglas, Danny DeVito, half of

Swansea and bloody Superman! I have never seen such a bank of world press in my entire career, literally hundreds of cameras with lenses that would shoot the moon, and journalists crawling over each other like ants.

It was the most glorious and tasteful event ever, and every detail was perfect. It was truly magical, and very intimate. My favourite moment was very late in the evening; after the stunning couple had cut the cake I found myself standing around a white grand piano with Mick Hucknall, Art Garfunkel and Gladys Knight, listening to Catherine singing the Welsh song 'Calon Lân'. It doesn't get much better than that.

Another member of SWS who has made a huge impact in America is my good old friend Matthew Rhys. Matthew is so unique on so many levels. Apart from the fact that he is a phenomenal actor, and has won countless awards including an Emmy, he is also one of the most down-to-earth, funny, intelligent and selfless people I know. Over the years, through the MR PRODUCER agency, I have had to contact many Welsh stars for endorsements of projects, or invite them to take part in various high-profile events and he is always the first to respond; nothing is ever too much trouble, and he is genuinely passionate, and I think most would agree, that he is the most Social, most passionately Welsh and definitely the most Sexy.

The strengths and success of SWS was dependent on many things. It was very timely for one, and the fact that its doors were open to the great, the good and the cheeky also helped. SWS, like me, treated everyone the same, and wasn't asking anything of anyone, just offering that feel-good factor. Members really wanted to be members, and didn't feel they ought to be, or feel obliged to support, like some of the other societies. Looking back, it was clearly a clever networking machine, with an attention-seeking title, a bit like me! It was ahead of its time, and self-promoting, and I got a huge amount of pleasure from producing the events.

I cannot begin to describe the feeling of satisfaction I felt as I fell into bed late after each event, and I miss that at times. I never dreamt that I would run a successful global network for so long, but it seemed I was born to do it. It was successful for over twelve years, with around four events a year in London, and annually in New York and Moscow. And we even did a few in Spain. But every good thing must come to an end, and as there seemed to be an increasing reluctance to fund what might have been seen as 'jollies', so I decided it must, sadly, come to an end. I'm surprised nobody else has organised something similar over the years. Who knows? I may produce a SWS comeback. God help me! God help everyone!

CHAPTER 8

Events

Without a shadow of a doubt, my life has been eventful to say the least. I've managed to create a really interesting existence for myself. However, I am aware that it wouldn't be to everyone's taste. My cup has not just been half full; it's been full to the brim and beyond, with the large scale events that I've produced, events I've been invited to, and other 'life events' that I have had no control over whatsoever. These have had more to do with fate, coincidence, luck and timing, with a few spiritual experiences thrown in.

I have had a real hunger for producing events from as far back as I can remember, and there is nothing better than visualising an idea and then making it happen. It's a process of decision-making. The adrenalin then starts to pump, which feels like half excitement and half shitting yourself with terror, and using that feeling to fuel and drive yourself forward towards the end goal. There is nothing better in the whole world than pleasing an audience; it's like a drug, and one I am addicted to.

Although it was such an honour to be part of a French revolution in the West End, eight times a week, I was beginning to feel I should put my head on the block again and challenge myself a little more. There was no way I was going to sit and wait for the phone to ring and for someone to offer me a job at the end of my *Les Mis* contract; I needed to be in the driving seat, manage my own career, and make the calls instead of sitting there waiting to answer them.

While I was living in London, I had already had a taste of some of the events in Wales at that time, and it wasn't good. So many of these Welsh occasions were mediocre, forgettable and dull, with no structure, no rehearsal, no professionalism and definitely no creativity. I had invested some money in a house in Cardiff, and was spending more time there. It was at this point, that I had a vision of creating a company that would change the face of events in Wales, and create memorable, and confident gatherings that people would really enjoy.

Following the success of the first ever BAFTA Cymru Awards ceremony presented by Siân Phillips and myself, they wanted to follow it up, the following year, with something bold. They needed big ideas, big names and a big splash.

'I know who can deliver just that,' said my friend Sue Roderick, who just happened to be on the BAFTA committee at the time. I was given the challenge with five weeks' notice; that included Christmas and New Year, so let's call it three weeks, to make my mark and nail something special! With no time to lose, I realised I needed a big fish to agree to be part of the event, then all the other tiddlers would follow. I rang Siân Phillips, and was thrilled that she agreed to be a part of it. Predictably, everyone else fell into place. The star-studded evening was really important to me, and went like clockwork in a packed auditorium.

Following the success of this night, and all my SWS events globally, I was beginning to become addicted to creating large-scale events, giving me control over the tone of such happenings, but more importantly, ensuring I had full control over my career, my wages and my future. I decided to jump into the events world with both feet and start my own company. I had a phone, a laptop and more contacts than anyone else I knew, so all I needed was a company name. I wanted something memorable, confident and cheeky, something that would reflect my own personality. I definitely didn't want a corporate name, and MR PRODUCER in a fat capital font seemed just right. The company could take advantage of my profile as an actor, singer and presenter, and as MR PRODUCER took over the attic of my house, I recruited staff, and the company grew quite quickly. Now I had the chance to produce some of Wales' most spectacular and prestigious events and on a scale I could only have dreamt of. As the company grew, so did my passion for creative freedom.

Some events became an obsession. I remember hearing that there was going to be a new building for the arts in Cardiff Bay that was to be called the Wales Millennium Centre. I instinctively felt that I had to be a part of this happening and I went all out to find who was responsible, where they worked and, more importantly, when could I meet them! Slowly but very surely, I manoeuvred my way around some of the movers and shakers who were instrumental in the initial plans for the centre, and learned that the new chief executive they had appointed was an Australian lady, called Judith Isherwood, who was moving to Cardiff to run this truly exciting new centre. I set out, a little like a stalker, to discover when she was arriving, on which flight, where her office was, who would be working with her, when I could meet her and hopefully blow her mind with all my ideas.

Before the poor woman had a chance to unpack properly I 'happened' to meet her at an event that she 'happened' to be at, and suddenly I was introduced to her. We clicked immediately and by the end of the evening we were chatting happily, like old friends. I had stressed how lucky we were to have her as chief executive and expressed an interest. I offered my services as someone who had local knowledge, all the contacts and an understanding of the local culture. I offered to meet her again to present my ideas for the opening launch event. Nothing was going to come between me and this historic opening; my eye was totally fixed on the goal. I saw it as my personal opportunity, and although it was open to all, my obsessive attention to detail and sheer determination drove me to visualise every single detail. I was ecstatic when eventually our pitch at MR PRODUCER won the contract. We would work alongside the Wales Millennium Centre for eighteen months and I would be creative producer.

Working with the centre was so exciting. They needed all the help they could get because, at this early stage, there were very few people appointed to work there. This was good for us as a company, as we then had to coordinate the council, police, broadcasters and all the companies who were going to be resident at the centre, such as Touch Trust, the Urdd and the WNO. I was elated to have all my ideas accepted for the opening weekend. Mind you, I had spent hours and hours thinking it all through for months on end. Working alongside Bryn Terfel as a consultant was also a pleasure and honour. Following months and months of meetings, planning, re-planning, appointing and reappointing, budgeting and re-budgeting the opening weekend became a reality.

On Friday the 24th of November 2004, we produced the Cymry for the World Honours which was a gala to celebrate five of Wales' most dynamic exports who had brought Wales to the world and the world to Wales. Our five winners were Dame Shirley Bassey, my very good friend Dame Siân Phillips, the late Alun Hoddinott, Dame Gwyneth Jones with a posthumous award to Sir Richard Burton to be accepted on his behalf by his daughter Kate. Just organising these five was enough to keep us busy at MR PRODUCER, but we also had on the stage Ian McKellen, the late Barbara Cook (Broadway), Derek Jacobi, Michael Ball, Nana Mouskouri, Michael Sheen, choirs, orchestras and dancers galore. Organising this was a feat, and the whole evening was being broadcast live on the BBC.

The first half of this event ran like a dream, with everyone congratulating everyone else during the interval. A great start. My responsibility during the interval was to keep Dame Shirley happy.

I was slightly nervous about this, so I'd organised the champagne to flow and canapés of the highest standard. She was more than happy with the champagne but seemed a little dubious about the food. She made me taste everything as if someone was trying to poison her. 'Will I like it?' she kept asking me.

I wanted to answer, 'How the fuck am I supposed to know, Shirl?' but I just said, 'You will love this one,' time and time again until the table was bare. So, I had Bassey in one ear, and my stage manager in the other on my earpiece, keeping me updated with what was happening back stage. Suddenly there seemed to be a problem with the fire curtain. It would not lift back up off the stage to reveal the second act. Then there was a warning that the second act could be cancelled. 'Keep Shirley Happy' was the message, so I ordered more champagne to help, while I taste-tested another hundredweight of vol-au-vents. Eventually, the fire curtain magically worked again and was raised from the stage, as we hurried everyone back into their seats. The event was being recorded and broadcast half an hour later, so there was no time to spare. I put Dame Shirley back into her seat and sat in between her and Kate Burton. Kate seemed to enjoy the fact that we'd had a technical hitch, but there was no time to discuss this, as the band struck up and the second act started. Following another star-studded act, the show finished with my good friend Matthew Rhys as King Arthur in gold chainmail. He was performing a tribute to Richard Burton in the final song from *Camelot,* surrounded by a choir of hundreds, consisting of the Urdd and of course the WNO chorus.

The finale was rousing and the whole auditorium rose on their feet to applaud this fantastic performance. As Kate Burton and I stood there clapping, I turned to her and asked why she seemed so intrigued by the problem with the fire curtain during the interval. I'll never forget her answer; it made me go quite cold. She smiled, then reminded me that Richard Burton was known in the theatre as a bit of a trickster, and two years previously a theatre in Canada had also staged a tribute to him, where exactly the same technical hitch happened. 'It's my Dad playing tricks,' she said. We continued to applaud while I processed what she'd said, and a cold shiver ran right down my spine.

Then I heard her call out, 'Oh no!'. Her ring had flown off her hand while applauding, and it just happened to be the ring Burton had given her as a gift, just before he died. Now that's what I call a night to remember, on every level possible. And in case you're worried, she did get the ring back!

There was not much sleep that night, for myself or the rest of the MR PRODUCER staff, as there were two other rather major events to conquer that weekend. With less than twenty-four hours to go, we would be back, this time outside the Wales Millennium Centre, with ten thousand people from the community, followed by a Royal Gala on the Sunday. During the hundreds of meetings leading up to this weekend, with each and every one of them exciting me more and more, I was given my brief for this series of events and the impact expected. In a nutshell, it was vital that we attract international news coverage of the opening, and it was this brief alone that inspired me to literally blow up the Centre on its first weekend, with a firework display that the Sydney Opera House could only dream of. I wanted this event on the Australian news, because I thought that if the chief executive's parents could see their daughter's new workplace on their news, then we would have nailed it.

I travelled to Nice to watch a world firework display competition that was happening out at sea. I sat in a restaurant on the sea front and had the most spectacular visual experience ever. I approached the winner to pitch for the contract back in Cardiff. What we eventually produced was a mind-blowing evening, where male and female dancers, wearing very little apart from backpacks full of fireworks, danced on the roof of the centre and climbed the outside walls. This was all health-and-safety checked, I can promise you. We also had fireworks on the roofs of all the restaurants in the bay, and on boats and ships on the surrounding water and out at sea, all being set off to the voice of Bryn Terfel and a ten-thousand-piece community karaoke choir. Of course, it was going to be on the Australian news!

The following day, after hours of safety checks, snipers galore, the closing of roads, sniffer dogs and rehearsals, we were ready for our last, but definitely not least, event of the opening weekend, the Royal Gala. We had to entertain the Queen, her son, her husband, the rest of the nation and announce globally, that there was a brand new iconic building open for business in Wales. As soon as royalty get involved, it's insane how people react. At least half a dozen people fainted that evening, just because they were in the same room as the Queen. I've been in rooms with countless queens and never even felt lightheaded.

It fascinates me how one event can lead to another. Within no time at all, following the success of the opening for the WMC, I was in talks with an extraordinary man called Graham Pullen. He worked with Live Nation, one of the biggest event companies on the planet. They basically 'owned' Madonna! He wanted me to work alongside him as creative producer, to put together the Ryder Cup opening concert at Wales's Millennium Stadium, as it was called then. Not only that, but also the opening ceremony for this international event at Celtic Manor.

This was the biggest sporting event ever to come to Wales at the time, and it made me chuckle that I had dodged sports for years at school, and here I was staging a world class tournament! My brief was to create an event that would be a shop window for Wales in America, to be broadcast live on Sky One. I was also to deliver some superstars suitable to host this golfing tournament between the both countries. I realised quite quickly that the only option I had, in order to nail this event, was to ensure the presence of Catherine Zeta Jones and Michael Douglas, the perfect high-profile couple. They were also keen golfers. I contacted their offices and invited them to become ambassadors. Once again, I landed with my arse right in the marmalade as they both accepted!

It wasn't long before Graham had a disagreement with the powers that be, and he decided to walk, saying, 'I'm off, you don't need me anyway; Stifyn is more than capable of creatively leading this project,' as he left. I will always be so grateful for his confidence in me, but this man knew his stuff. I had rather large shoes to fill, and I was nervous! The production carried on, involving hundreds of people, all pulling together in order to put on a world-class event.

All was going swimmingly, until one day I received a letter from Michael Douglas's office apologising that he would have to pull out, due to throat cancer. However, he reassured me that Catherine would be present, come what may! What a gentleman.

I still can't quite believe the number of phone calls and bribes I received from various Welsh performers wanting to be a part of this event. Some of the strops I was subjected to by a few wannabes who realised they were not 'on the list' were laughable. I was threatened by some as others licked my arse; showbiz at its best! But I'd never divulge. On top of this drama, the logistics for this complicated event were verging on impossible, and the coordination of such a demanding process, combined with the fact that Cardiff City Council had closed some vital roads around the stadium in order to tarmac was teetering on pure comedy.

As the day came closer, so did the tension! Following nine months of hard graft, there were only eight hours of stage rehearsal time available on the day of the event. This would only be possible if everyone behaved! I had already rehearsed with Catherine Zeta the previous day. She'd come straight to rehearsals after landing in Heathrow from New York, breezing in and saying, 'Hi darlin', where do ya want me, luv?' in her unique American-cum-Swansea accent. I explained what I needed, and she rehearsed without any problems at all.

The eight-hour rehearsal on the day was so tight, with each artist having exactly thirty minutes each to be staged, and run their act. But, of course, Dame Shirley Bassey needed two hours to rehearse three songs she had been singing for over forty years. We had already flown the orchestra over to Paris the previous night for a pre-rehearsal. Having said this, Bassey's band rehearsal on the day was extraordinary, as she stopped and started, and started and stopped, dictating that the piccolo, or the second violin was not quite right. And she was absolutely correct every time; she knew her orchestrations inside out, and she nailed every note of every song with absolute gusto. She deserved every single penny she received for that event, but she refused to do an encore. Well, she hadn't had time to rehearse one!

One whole section of the first act of this event was a medley, where I had arranged a musical journey starting with Motown, starring Shaheen Jafargholi of recent *EastEnders* fame, through some Tom Jones hits such as 'Delilah' and 'It's Not Unusual' sung by Only Men Aloud, ending in a very Welsh 'Green, Green Grass of Home'. The staging of this medley had literally hundreds of people in it, and the rehearsal was so tight that I'd rehearsed every aspect of it separately, before the day. It was all going well until I was informed, about an hour before we went live, that Tom Jones wasn't happy with Only Men Aloud's rendition of one of his hits. Out with it!

'Tough shit,' I said. 'Tom didn't write it, so the show goes on as I planned it.' And it did.

There was no time for drama that day; however we still got it! This drama was hanging above my head all day and throughout the evening, literally. I had invited Katherine Jenkins to sing three songs, and she could have just stood and sung the songs like most singers would have done. Katherine, on the other hand, and I applaud her for this, wanted to make a huge spectacle. This event was going to be aired in America, a country that she was keen to break into, so this was a great opportunity for her to really show 'em. We had Kim Gavin, Take That's creative director, to stage her songs. He had also directed the opening for the Olympic Games, and would most definitely bring high production values to our show. Katherine intended appearing as a large butterfly during her first number, as you do, and then suddenly be scooped up into the air by an aerialist on ropes. She would then fly above the audience in the stadium, with no safety net, or harness, just held in the arms of this magical Tarzan, while singing live! Easy!

However, the previous night, her aerialist had been taken ill with a virus, and although I had stated I was quite happy for her to just stand and sing the songs, Katherine was determined to make her mark and spread her wings! She hired a substitute aerialist, who didn't even know who she was, let alone know the song. This was a problem for her obviously, but we had no extra rehearsal time available as we were transmitting the show live on Sky to the world. No pressure! The poor girl had to snatch every second in between other acts, and in coffee breaks, to try and deal with this unfortunate situation. She was a true heroine that night, as she was scooped up in the air by a terrified understudy on a rope, swinging around, way above the audience and TV cameras, singing live. Nobody would ever realise how brave she had been.

This wasn't the last problem of the evening though. I'd briefed Prince Charles and Carwyn Jones, former First Minister of Wales, TWICE that evening on when NOT to walk onto the Ryder Cup stage, given the potential danger of indoor fireworks. But they both did exactly that, and I had to run out and stop them or I would have been responsible for the disappearance of the Prince of Wales and the First Minister in a flash.

CHAPTER 9

Celebs

The word 'celebrity' seems to have become a bit of a dirty word, doesn't it? What constitutes a celebrity these days? If you recognise their faces, there's a chance you'll think of them as a celeb. However, if you've never seen them, or maybe don't like them, you'd probably not consider them as anything special. And what actually is a celeb anyway? Someone who has a recognisable sister? Someone with large breasts? A handsome, unemployed poser? I've had the pleasure of working with the most famous 'celebs' of their time, and the least known; some really talented ones and some who are as thick as two short planks; some who are absolutely charming, and others who are outrageously rude. I've been responsible for paying some of them large amounts of money for singing a few songs or just turning up, as I ran an agency for some time that specialised in this field. I've even been one myself, and I am still none the wiser!

These days it seems you can be famous for the most random of reasons, like breaking the law, sleeping with a certain person or just taking your clothes off. However, being a star is a completely different kettle of fish. Stars have a real talent, and it's these I have the real respect for, though I treat all of them, as I would everyone I've met, equally. I have always treated everyone as an equal, and in my game, this has proved key.

What I find interesting is that the 'keen to reach the top' types, both stars and celebs, seem to be far more badly behaved than the ones who have reached their goal. There have been some major diva tantrums, but it's usually from the ones who think that this behaviour will get them to the top. However, we all know that it's only true talent that can get you there.

But there are a few rare exceptions to this rule, who even when they've reached their goal, still behave badly. Over the years I have worked with Kylie Minogue, Dame Shirley Bassey, Nana Mouskouri, Derek Jacobi, Colin Jackson, Ioan Gruffudd, Katherine Jenkins, the cast of *Coronation Street*, Michael Ball, Deborah Kerr, Marti Caine, Dai Jones, John Inman, the cast of *Big Brother*, Anita Dobson, Grace Jones, Steve Jones, Barbara Windsor, Ronnie Corbett, David Soul, Matthew Rhys, Julie Andrews, 'Maureen the learner driver', Catherine Zeta Jones, Bruce Forsyth, Chris Eubank, Al Pacino, Paul O'Grady, John Barrowman, Rhys Ifans, Ruth Madoc, Ruth Jones, Alex Jones, Brian Blessed, Paul Nicholas, Cannon and Ball, Sister Sledge, Heather Small, Charlotte Church, Shaheen Jafargholi, Bonnie Tyler, Prince Charles and many, many more, but if you've never heard of some of these, it probably will mean absolutely sod all to you!

I've had the 'pleasure' of working with Dame Shirley Bassey on many grand occasions; in her case, 'challenge' would be more appropriate. Her standards and demands are so very high, but without a shadow of a doubt her performance and the whole process is worth every single penny and droplet of sweat! I could never dismiss her talent. Even her more recent performances, now that she is in her eighties, are simply magical, but I wouldn't want to live next door to her! Some people's demands over the years have been absolutely shocking, and I discuss some of these antics in my one-man-show 'Stifyn Parri SHUT YOUR MOUTH' but I'd better not put them in print! However, I imagine you'll enjoy deciphering who had the biggest demands, the biggest riders and the biggest egos!

Who, for example, demanded we build a staircase on the stage that had steps high enough to allow her to flash her bum as she lifted her legs to climb them to the rhythm of her song? Who is the diva who was banned from two of Cardiff's most luxurious hotels for stealing lamps from her room? Which two celebrities, who were paid eight thousand pounds each for a charity event, were late to appear on stage because they were 'busy' in a toilet cubicle together, for hours? What performer ignored me totally for two years when I worked opposite them as a presenter, but then as soon as I became a producer, wanted to be my best friend? Who is the household name who still owes me a considerable amount of commission? And what headline act demanded we hire a wind machine strong enough to blow her dress up, à la Marilyn Monroe, then had the audacity to steal the machine afterwards? I could go on and on.

I still laugh at the memory of flying in a private jet from Biggin Hill to Devon with Siân Lloyd who was working on a charity launch at a gallery on the coast. She'd invited me along and there was no way I was going to turn down a ride on a private jet. We were both finding our own banter highly amusing, as always, and behaving a little more excitedly than adults should. We were amused to see that there was another famous face travelling with us, apart from the charity representatives, in the form of boxer Chris Eubank. His face told us immediately that he wasn't in the best of moods, and obviously wanted to be left to sit alone, for the journey. Siân and I seated ourselves with the charity representatives, commenting on every single detail of the jet, and finding even the most mundane things highly funny. As we sat back in our cream leather seats after take-off, chuckling away like highly-strung children, we were aware that Chris was tutting to himself, hoping for a bit of quiet time.

The higher we flew, the more hysterical Siân and I both became.

One of the charity representatives pulled out some canapés and a bottle of champagne for me to open, and as I hurriedly turned to open it away from our faces, I popped the cork in the direction of the aisle and accidentally shot a snoozing Chris Eubank right between the eyes. I have never been so scared in my life. He was as shocked as I was, but bizarrely didn't react. What a gentleman! However, we were all staying at the same hotel that weekend, and I never left Siân's side for fear that he 'may have a word'.

Speaking of gentlemen, one of the brightest stars I had the pleasure of meeting over the years was George Michael. Unassuming, gentle, with no frills whatsoever. I'd moved to London to play a part in the musical, *Metropolis,* at the Piccadilly Theatre in the West End. After rehearsals one night, I went out to a famous club called Browns for drinks with some of my mates from the cast of *Brookside*. While washing my hands in the gents, I noticed a recognisable face looking at me in the reflection of the mirror, but a face I couldn't quite place. Before I had time to think, he said, 'You're in *Brookside*, aren't you?'

'Yes,' I said, half recognising his voice.

'Are any other members of the cast here?' he asked and I suddenly heard my inner voice shout, 'IT'S GEORGE MICHAEL, YOU NUMPTY!'

'Yeah,' I said, trying to be casual, 'Do ya wanna meet em?'

'I'd be honoured,' he said, washing his hands next to me, as we starting chatting like old friends. I quickly remembered that I had read in *Look-in* years previously that his favourite TV programme was *Brookside*.

My mother is gonna love this, I thought to myself.

'I'm out with Sue Johnston and Dean Sullivan,' I said.

'What? Sheila Grant and Jimmy Corkhill? Oh my God,' he said.

Within seconds, my new best friend and I walked out of the gents and joined my pals. He then went to buy us all a drink and Sue said, 'Oh Christ on a bike. I can't believe he's buying us a bloody drink!'

'He's a fan of yours,' I said.

'Don't,' she said. 'I'm gonna be sick in a minute. I'm shaking!'

He returned from the bar with our drinks, chatted casually with us for about ten minutes, thanked us for our time and then left. And that was it.

The next morning in my rehearsal room, in between scenes, I happened to be chatting to one of the chorus guys and said, 'You'll never guess who I met in the toilets of Browns last night? Only bloody George Michael!' Within a verse and a chorus the whole cast, including the not- so-subtle Brian Blessed, knew!

The following morning, I received a call from my agent asking if I would like to do an interview with the *Daily Mail*, for a feature about soap actors starring in the West End. Do bears shit in the woods? I would have been stupid not to take advantage of this publicity. That evening I left rehearsal for one of the trendiest restaurants in Soho, and there waiting for me was a pretty and friendly journalist with a bottle of champagne in an ice bucket and a notepad. While chatting and eating our way through a five-course meal she asked me so many questions about my background, which I was happy to answer. Where was I from? What did my parents do for a living? Which school did I go to... blah, blah, blah.

At the end of the meal, as she went to put her company credit card on the table to settle the bill, and turned to me. As the smile drained from her face, she looked me right in the eye.

'And how long have you been going out with George Michael?' There was a very obvious and awkward silence, as we both stared at each other.

'I'm sorry?' I replied trying not to show any shock in my voice. Then, out with it. 'I've never even met him! I don't even like his music!' I added, knowing every harmony to every one of his songs.

'We know. We know you frequent Browns nightclub. We know you met him in the Gents. So how long have you been together?'

My heart and adrenalin were pumping like mad; someone in the cast of *Metropolis* had contacted the papers in order to make money. And this newspaper was trying to make a fortune by proving that George was gay. Then the journalist, who had appeared so pretty but who now had the face of an ice queen, bent down and brought out of her hand bag a large brown envelope and placed it in front of me. The envelope was open, and open on purpose, as I could see a huge wodge of cash in there. I had no idea how much, but it was thousands of pounds.

'I really think you've been misinformed,' I said and I picked up the envelope and slapped it on the plate in front of her and walked out. For years this newspaper had tried to pay cash to take advantage of his sexuality, and although I am happy to be in the press, I would never take part in this sort of vulgar exchange. Years later, I was lucky enough to see George in concert in Cardiff, and sat there, overwhelmed by the pure genius of his songs and the remarkable quality of his vocals. I sat there in the dark, proud that I'd refused that bribe. How dare they twist a very innocent meeting, and try and undermine someone's life and livelihood? I am so pleased that, nowadays, social media has ruined so much of the power of the tabloids, and that there are no more 'fortunes' to be made by ruining people's privacy.

This next scenario was definitely a marmalade moment. The date Michael Douglas and Catherine Zeta Jones chose for their wedding was coincidentally the day after SWSNY's first birthday. BINGO! There would be an infestation of Welshies in Manhattan! The happy couple had booked the Russian Tea Rooms for a pre-wedding party, for both parties' guests to get to know each other before the big day. When I entered the tea rooms I didn't recognise many of the faces, but one very familiar face caught my eye, the one and the only Bonnie Tyler. This is how we met.

'Hi, Bonnie.'

'Call me Gaynor,' she said as quick as a flash.

'OK Gaynor, you don't know me, but I run a cool Welsh ex-pat society here in New York, and we'll be celebrating our first birthday the day after the wedding. I'd love to invite you to cut the birthday cake.'

She looked at me straight in the eye and said, matter-of-factly, 'I'll sing for ya if ya like. I got my backing track in my 'andbag.'

Two days later, following the wedding, I picked Gaynor up in a cab and we both walked into my SWSNY event. The whole room froze. You would have sworn that I'd walked in with Whitney Houston the way they reacted. Of course Bonnie Tyler is a legend all over the world; it's only here in Wales that we take her for granted, or even believe she's retired!

'Alright?' she said to the room as she fumbled in her 'andbag, before producing a CD which she threw at the DJ and said, 'Track five, luv.' Within seconds she was standing on the bar, now her stage, where she nailed 'Holding out for a Hero' with ferocious gusto. Nobody could believe their eyes or ears. Neither could I, as I wiped the marmalade off my arse.

Since then Gaynor and I have got on really well. 'Why don't you, ya mum and David come over Christmas day? We have an open house every Christmas. We start at eleven, and you can fuck off by four.'

That Christmas morning my mother, David and I drove down to the Mumbles, where she lives, David wondering why, while my mother was wound like a spring with excitement, about to wet herself, muttering, 'Oh, we're gonna have a lovely time.'

To be honest, I was really chuffed to be invited to their little private drinks party, but when Gaynor answered the door her little drinks party consisted of about three hundred and fifty friends and family, caterers, the lot!

One definite marmalade moment was when I booked Grace Jones to headline a production of mine at Wales Millennium Centre entitled *Jones Jones Jones*. It was a televised event whereby we were trying to break the Guinness World Record for having the highest number of Joneses in the same room at the same time. We needed a large room, so we had to have the main auditorium and we filled it with Joneses. We even filled the stage with Joneses too! We booked every Jones we could in the business, in order to break this record.

One of my tasks as creative producer was to come up with a watertight plan for getting Miss Jones on stage on time, as she was renowned, allegedly, for being two hours late and keeping audiences waiting. I suddenly had a flash of inspiration. I decided to have an alternative timetable, two hours ahead of real time, especially for

Grace and her team. This left Grace thinking she was two hours late when in fact she was bang on time! Genius!

I'd given the responsibility for getting Grace to be ready to step onto the stage, on time, to one of my staff at MR PRODUCER, called Lydia. Grace was booked into the St David's Hotel, a spitting distance from the Wales Millennium Centre itself, so what could possibly go wrong? Everything! Following our 'new' timetable, Lydia went over to the hotel to bring Grace to the theatre in time to get prepared ready for the show. She was informed by the concierge of the hotel that Miss Jones was having a sauna, so Lydia went down to the hotel spa and knocked on the wooden sauna door.

'What is it?' said a very low voice.

'Hello, is that Grace Jones?'

'I don't think so,' said a man, alone in the steam. Lydia went back up to reception where the concierge explained that although he'd said that Miss Jones had gone for a sauna, what he hadn't said was which sauna or where!

She was apparently having a sauna at the Hilton Hotel, in the centre of the city, so Lydia jumped into a cab and found the sauna at the Hilton.

'Excuse me, is that Grace Jones?' she asked again.

'Who's asking?' said a deep velvety voice.

'Well it's Lydia from MR PRODUCER. You're due on stage very soon.'

'I'm not ready,' she said. 'They'll have to wait.'

Thinking quickly on her feet, Lydia said, 'The show will be broadcast live.' We were, in fact, pre-recording it to be broadcast the following week. Suddenly the sauna door opened and this apparition appeared from out of the steam, bellowing, 'Get me there NOW!'

Within minutes, Grace was backstage, with anyone and everyone helping her to get into her bizarre costume, make-up and heels, with unbeknown to her, plenty of time to spare. Then, with perfect timing she appeared on stage, in the spotlight, in her costume, seducing the audience with her unique vocals to 'Slave to the Rhythm' and flashing her arse periodically to the front four rows. That's showbiz!

Not only did we manage to get her on stage and on time, but we smashed the Guinness World Record too!

I haven't seen Grace since that weekend, but some stars I have worked with have become great friends, like Siân Phillips, for example. It was while I was at the Palace Theatre in *Les Misérables*, that I was invited to co-present the first ever BAFTA Cymru awards that was being televised nationwide on BBC Two. My co-presenter was to be Miss Siân Phillips, and I was very excited to meet her for the first time in the rehearsals the afternoon of the event. She sat there, looking stunning and exotic as she personalised every line in the script in order to make her presentation genuine. A tip I have stolen from her!

At the end of the rehearsal, she leaned over and said, 'Darling, shall we have adjoining dressing rooms? And would you mind zipping me up in my frock before the show?' Oh my God, I was going to be zipping a major star into her frock! How bloody exciting is that?

The time came for us to be ready, and we could hear the Welsh media lot, who already seemed drunk well before we'd started, taking to their seats over the tannoy in our dressing rooms. Siân called me into her room to zip her up, and as I walked in I could see in the mirror that she was dropping something onto her tongue. Then she turned to me and whispered, 'Do you want some?'

'No! No thank you,' I said, shocked that someone like Siân would take drugs before a prestigious live event, and more importantly, one that was going out live to the nation with an audience full of drunks! My heart began to race as I heard the drum roll and then the announcer on the microphone. 'Ladies and gentlemen, please put your hands together for your hosts this evening, Miss Siân Phillips and Mr Stifyn Parri!' We entered down some grand staircase onto the set, to our respective lecterns. I was still reeling from what I'd seen, and thought I was now on stage with a druggie. The bilingual event was painfully long, and we were baking in the heat on the stage. To make things worse, every time Siân or I said anything in English, the Welsh-speaking drunks in the audience heckled us horrendously, shouting, 'Speak Welsh ya bastards!' And every time I looked at Siân she was either on her way off stage or on her way back on, looking very uncomfortable and wiping her nose. Oh fuck, no! She's on cocaine! I thought.

The ceremony went on for hours, as the audience became even more unruly and Siân was back and forth, on and off the stage like a demented waitress. When this car crash of an experience finally came to an end Siân and I lay on the floor of the dressing room. 'Never again!' Siân sighed, and I thought 'Abso-bloody-lutely, love.'

Days later my slightly homophobic agent rang saying, 'A dodgy postcard has been sent to the office from someone called Stan, wanting to take you for lunch!'

'It's Siân,' I said, rolling my eyes quietly the other end of the line. Siân wanted to meet to reflect on the experience of the BAFTA event.

'Darling! I don't know what I would have done without my Bach Remedy,' she said, forking her way through her salad.

'I'm sorry,' I said, not quite understanding.

'It's a herbal tincture you drop on your tongue to calm the nerves, darling. I was shocked you didn't have any yourself.'

'Oh Siân,' I said, dropping my knife and fork right in my sausage and mash, 'And there was me thinking you were a crack whore!'

'What!' she gasped. She then explained that she kept popping on and off stage to change her dress shields, as the dress was worth a fortune, and had been lent to her by a designer, so she didn't want to sweat in it. That's also why she was wiping her nose, as it was so hot under the lights. We laughed until we cried that lunchtime and became firm friends from then on. She is an extraordinary lady, a perfect blend of royalty and the woman-next-door, with a hint of gypsy and fairy godmother about her. She is big-hearted, warm, magical, wise and graceful.

The following year I was asked to produce the second BAFTA Cymru awards and the first person I contacted to ask them to present it was Siân. 'Of course, I will darling,' she said instantly. That second event was such a success that I was later invited to produce them for the next ten years, contacting all the big names, but she was always my first call. And before I forget, or she'll kill me, I consider Siân a star not a celeb. Oh, and she most definitely doesn't take drugs either!

CHAPTER 10
Out with it

I'm quite surprised that my mouth hasn't got me into more trouble than it actually has over the years. However, I do believe that most of what comes out from this rather large hole underneath my nose is what others are usually thinking; they are the ones who are shocked I've said it, because they are guilty of thinking the same thing, but don't have the balls to say it. Others just laugh at what comes out, and I'm very happy to be surrounded by them! However, I was once surrounded by people who thought I would be sent to the Tower and beheaded, after something I'd said in Llangollen, years ago.

I was working as the PR director for Llangollen International Musical Eisteddfod at the time, where Prince Charles was patron. Although his connection with the festival was strong, he had never actually managed to attend since his visit in 1985 with Princess Diana. It was in situations like this that my contacts came into play. My good friend Manon Williams was his private secretary and a member of SWS. This made organising his diary much easier, and therefore I was able to deliver our Royal Patron, much to the eisteddfod board's delight.

The big day finally arrived and the festival was in full swing with the board, the chairman, the mayor and committee members all in a royal flap. Whenever there is a royal visit, it is always a strain on the organisers, and the simplest of ideas can become the most complex reality. The minute detail of the arrangements needed by the royal party for a public engagement is staggering. The timetable is guarded, and usually quite unaccommodating, as they have to cover quite a few engagements in the same area in a very short time. The police, local council and sometimes the army are involved, depending on security issues and so on. So you can imagine how tetchy the organisers of Llangollen eisteddfod were when His Royal Highness finally landed on the field by helicopter, as one of his minions rushed over to reorganise the line-up of people he was meeting and greeting.

Every detail of every person in the line-up had been sent to their office way ahead of time, all checked, double-checked and then triple-checked. It's usually at this time that someone realises that a vital person has been left off the list. This leaves a furious mayor, administrator or local celebrity spitting feathers, and another spate of flapping and running around.

At the last minute, when everything was finally in place, the Prince's party made their way towards us, with all of the line-up in place ready to be introduced one-by-one to the future king. Some were sweating and panicking like animals outside the abattoir, having been lined up in the stifling heat of the tent, far too early. All our details and names were in order on the royal clipboard, that was used to guide the party down the line. I was lined up happily between the chairman of the eisteddfod and the chief executive of Wales Millennium Centre, both my employers at the time. I was very relaxed, because I had been in a royal line-up many times, so I was quite used to the hullabaloo, and quite enjoyed watching the frenzy develop in front of me.

Everything was going perfectly as the line-up curtseyed or bowed in due course. Nobody fell over or fainted, although I could smell the fear from some! As His Royal Highness came closer, so did the lady with the clipboard, who was introducing each person in line, while another member of the party would whisper a little fact about that person in His Royal Highness's ear. It would then appear that the Prince seemed to know 'his people' and that he'd done his homework.

'And this is Stiff-one... erm, Stephen Parry, the PR director for the festival,' said Mrs Clipboard as the Royal Whisperer whispered, 'You've met before,' in his ear.

'Good morning, Your Royal Highness. *Croeso i Langollen.* Welcome back to Llangollen,' I said.

'Thank you, I believe we've met before,' he said shaking my hand. I smiled. Then... out with it... I couldn't resist.

'Really, Your Highness? Do remind me!'

The whole tent froze in the heat and the royal party glared at each other, then at me. The Prince looked at me and burst out laughing, like a best friend at a party. He absolutely loved the fact that I had challenged him. Slowly the chill in the room lifted and as he laughed, it seemed to spread like fire through the tent. They had badly needed someone to puncture the tension in the room, and I was so happy to assist, with a bulldozer!

This is not the only time I've played Russian roulette with the Prince of Wales, mind you. I accepted a job securing some major Welsh faces to attend an event held by the Royal Welsh College of Music and Drama at His Royal Highness' home, at Highgrove. This was an event whereby many potential patrons were invited to invest in the college, and my responsibility was to gather the great and the glorious to scatter around the event and keep up the feel-good factor.

I had booked the likes of Rob Brydon, David Emanuel, and my old favourites Bonnie Tyler, and both Siâns – Phillips and Lloyd – one on each arm. Again, there was a timetable to adhere to, but as this event was at the actual home of Prince Charles, security and various other aspects were much simpler. They had scheduled a tour through the beautiful gardens first of all, with a chance for everyone to visit the royal garden shop, before a speech by the Prince himself, followed by afternoon tea. Everyone went their separate ways, though Siân Phillips stayed with me, as we wandered around the garden.

We listened as the guests were asking one of the gardeners questions such as, 'What is the name of this plant here?' but as they were given the answers Siân would whisper in my ear that the gardener had got it wrong. This happened a few times, and I only then realised how much gardening knowledge Siân has.

We finally caught up with some of the others in the royal shop, where Bonnie was laden with plants, royal dibbers and jams and was waiting at the till. 'Don't be too long, Gaynor,' I said. 'We're due back at Highgrove House in a few minutes for Prince Charles's speech,' while she filled her bags with purchases. As I was leaving, I shouted to the lady on the till and pointed at Bonnie, 'I'd watch that one, if I were you. She's a bugger for shoplifting.' Bonnie went bright red. I then went to round up all my famous sheep, ready for the royal speech.

As we made our way back into the house, my eyes were drawn to something I thought I would never see in a royal garden. Lying a few feet from the door was a rather spangled, yet worse-for-wear, stiletto. How weird, I thought. I would expect to see one of these outside a rough pub, where some poor bitch had been thrown, drunk off her face, in the back of a van, at the end of a long session, but Highgrove!? I checked Siân Lloyd and Bonnie's feet quickly, just to reassure myself, and then went into the main hall, a little baffled. Once we'd all settled, there was a little flurry of excitement, as His Royal Highness made his entrance down the stairs and over to where he would command the room with his speech on behalf of the college.

'Before I begin,' he said with a wry smile 'I have found a shoe.'

I heard some twat heckle, 'It fits! It fits!' and then realised that I recognised the voice: it was mine. I expected to be taken off to be beheaded at the Royal Tower by his henchmen but His Royal Highness just chuckled happily, enjoying the fact that I'd not only upstaged him, but drawn him into the Cinderella panto. Everyone else in the room smiled nervously, apart from the both Siâns, who roared with laughter like the 'Ugly Sisters' behind me. To this day we have no idea, whose shoe it was. Who knows – it could have actually belonged to HRH!

He has the most fantastic sense of humour, but I'm not surprised, because he seems to spend most of his day shaking the hands of rows of people who are, quite frankly, shitting themselves. He loves a laugh, does our Prince! I remember following an event I was producing for TV, where His Royal Highness had taken part, and I was invited to dinner at his home, Llwynywermod, in the Brecon Beacons. A strange name I know; it sounds like a ladies' 'problem'. However, it was a very informal evening that he was throwing for a small bunch of us 'creatives' in the hope that bringing us together would inspire a positive happening further down the line.

The evening was timed with military precision. We were instructed to arrive at 7.45pm, no sooner and no later. When David and I arrived, we were greeted with drinks, and mingled with the rest of the guests such as Rob Brydon and Ruth Jones. At eight-thirty on the dot the side door opened and His Royal Highness and Camilla came into the room. They spoke to everyone in turn, but this time without Mrs Clipboard or the Royal Whisperer. They'd been briefed on everyone perfectly, and they mingled happily, until eight twenty-nine precisely, when we were all seated around the most handsome dinner table, decorated with flowers from the garden, personally arranged by Camilla. I sat opposite our host, between Rob and Ruth. Eight-thirty on the dot, in came the waiters with our starters, and the evening rattled on with perfect timing but very informally otherwise.

At one point Prince Charles turned to me and asked, 'So why did you decide to call your society 'Social, Welsh and Sexy'?'

Out with it. I placed my knife and fork down slowly and, looking him right in the royal eye said, 'Well, as you can see, Your Highness, I am so very all three!' He laughed out loud. If I carried on like this, I'd be bound to get a knighthood.

Or maybe not! While sitting in on what was probably the most crucial meeting I have ever had, exactly a week before the Ryder Cup 'Welcome to Wales' opening concert at the Millennium Stadium, I made the biggest faux pas of my life. The event was to be transmitted on Sky One, and broadcast all over the world, and I was seated in the final production meeting. Amongst the American 'biggies' who ran the tournament and the Welsh Assembly Government sat Fatty-Poof himself. I was armed and ready with every single detail of my creative vision, as well as a thorough final presentation.

We had worked tirelessly on the event for nine solid months. It was the most ambitious show for Wales, and we needed to nail it. This was the time to show them what we would deliver to the world the following week. The Government was very twitchy at this point, but I was confident. I had everything in place: a choir of two thousand, a phenomenal orchestra, fireworks, Katherine Jenkins, Catherine Zeta Jones, Steve Jones, Dame Shirley Bassey, our First Minister at the time, Carwyn Jones, not forgetting my comedy partner, of course, Prince Charles. We had commissioned specially orchestrated music, not only to bring on the world famous golfers, but their wives too. The tempo of the music and the height of each step had to be taken into consideration because of the wives' long dresses and heels! At the end of my presentation the head of Ryder Cup America started to discuss some of the ex-players and various special guests and I was absolutely baffled when he mentioned Arnold Palmer. It was obvious that everyone had noticed how surprised I was by the mention of this name.

'What seems to be the matter?' asked the head of Ryder Cup America, in his thick American accent. 'You seem a little perplexed!' I sat and thought. Out with it.

'I'm just very surprised that you've ever heard of Arnold Palmer,' I said confidently. The room suddenly became deathly cold and strangely silent.

'I beg your pardon,' said the head of Ryder Cup America again. 'You're surprised we've ever heard of Arnold Palmer? Jesus!'

Let me explain. Years ago, as a child, we always went to Prestatyn on our family holidays. If the weather didn't permit us to spend our days on the beach, we were taken to the Arnold Palmer Crazy Golf Course where a lovely old gentleman used to hand out the clubs. Of course, I took it for granted that he was Arnold Palmer! It made perfect sense for an eight-year-old, or even an adult who had no sporting knowledge whatsoever. However, it didn't make any sense at all to the rest of the room, why this total nincompoop, who was the creative producer of their event, did not know the name of one of the legends of world golf. To make it worse, he had mistaken him for a poor pensioner working part-time on the outskirts of Rhyl!

Out with it. I explained who I thought Arnold Palmer was. Once the tumbleweed had finally rolled out the door, luckily the head of Ryder Cup America chuckled really hard at my unfortunate mistake, which opened the floodgates for the rest of the room. Suddenly everyone was enjoying my stupidity rather too much. The head of Ryder Cup America then started clapping and within seconds so did the rest of the room, even the twitchy Government, until it climaxed into a full standing ovation. Luckily, I didn't lose my job, and neither did it stop us from delivering one of the most glorious events from Wales to the world. Hole in one! Phew!

CHAPTER 11
Crying Laughing

Without a shadow of a doubt, my life is exactly where I want it to be, although I know that many people who meet me automatically think that I spend my days smiling, laughing and being outrageously happy. On the one hand, it's true: I really do cherish all the good things more than most around me and I do live life to the full. However, it doesn't mean that I never get upset. My life is a lucky bag of laughing and crying, and it's an equal mix, that keeps me and my life on an even keel. Yes, I cry very often, but I laugh at that fact too!

I can't go through a week without a damn good sob watching *One Born Every Minute*. You won't believe the mess I'm in, as each and every woman has to go through the palaver of giving birth, even if they've been gobby with the midwife or demanding with their partner. But as soon as that baby's head is out I start wailing like a banshee. David has come home many a time, thinking my mother has passed away, only to find that the waves of sobbing are due to some scally giving birth to her fifteenth child on screen.

The outpouring of emotion seems to come in two halves, a little like a play, with a chance for a fag and a cone during the interval, if ya fancy. Once the midwife places the baby on the mother's chest, for them to bond, I automatically calm down, and my breathing becomes normal again. But then, suddenly, like the last dip on a roller coaster, they hand the baby to Daddy and I'm off again, a hundred miles an hour full of tears and joy in equal measures, and covered in snot.

I'm no better with *Long Lost Family* either. In fact I'm probably worse. As soon as Davina opens her handbag to reach for a photograph of the person they've been searching for, I start. Maybe there's a gentle little sniff and a tear or two to begin with, and a quivering bottom lip. Then, as they get to meet each other in a deserted hotel room, our lounge becomes a maternity ward again, all screams and a desperate need for gas 'n' air. The research for this programme is phenomenal, and the way they produce the content is second-to-none. I wince, every time I watch an episode since I used to cry as a child for wanting to be adopted and chosen, and not just 'had' and 'kept'. What is wrong with me? Don't answer that.

I am extremely sensitive and feel every emotion to the core: the good, the bad, the love and the hate. Maybe this is why I go out of my way to create as much happiness around me. Who knows? So far, I have come across so many lovely people in my life, who I try to keep close for ever more. I know how lucky I am to have so many good, genuine friends. However, at times my instinct does let me down. A director friend of mine, Terry Dyddgen-Jones, used to say there are two kinds of people on this earth – radiators and drains, and how right he was. I'm pleased he saw me as a radiator, but this radiator has been drained of happiness, generosity and positivity quite a few times. Some people can only live off other people's energies, and I feel I have to weed these out of my life. I hurt most when I am misunderstood or wrongly accused. I take a long time to recover from this, but as I have so much energy to give, I am learning to understand and accept. Diolch, Terry!

During my career I have had many people, some well-known, who have misunderstood me, accused me, and treated me badly, but this isn't the place to name and shame them. I keep the good and glorious ones close. This helps me cope, but when I was younger, it was a difficult lesson to learn.

One occasion in my childhood stayed with me for years. I was let down terribly by an adult, who really should have taken care of me. I was about ten years old, and beyond excited that I was to go away on a field trip with my classmates. We travelled to a place the other side of Snowdonia, although it felt as far away as the other side of Zimbabwe, at the time. The excitement on the bus, on the way there, was extreme, as we sang, laughed, ate sandwiches and spewed. We were all staying in a huge country house, in the middle of nowhere. We were to sleep in large rooms upstairs, with the girls in one big dormitory, and us boys opposite, in a cluster of adjoining rooms the other side of the corridor.

On the first night, unbeknown to us, all the staff had gone for a drink to the local village pub, leaving us to our own devices. We were good kids, all pupils of a very small Welsh school, where every parent knew each other and sang with most of the teachers in a choir, so we never stepped out of line. We began to get ourselves ready for bed, and I can still remember the new underwear that I'd been bought for the trip: brown ribbed nylon pants with a vest to match. So cutting edge. As I was undressing I heard my best friend Lynda laughing hysterically from the other side of the corridor, so I went over, in my new pants and vest, to see what I was missing. I knocked their door, and Lynda answered it, in her nightdress, ready for bed. This was a totally innocent meeting; we were ten years old, like brother and sister who were quite used to being together dressed like this as Lynda would quite often sleep over at our house.

Suddenly this great adventure took a ghastly turn. We heard the headmaster bellow up the stairs as he stormed towards us. 'And what do you two think you are doing?' He grabbed my arm, pulled me across the corridor and threw me against my closed door, which was flung open with the force. He then came at me once again and threw me across Malcolm Smith's single bed before I landed on mine. Before I could take a breath, he barked at me, inches away from my face, 'I know what you two have been up to,' thumping me in the head with each syllable. I distinctly remember the boys trying to raise their voices to explain that there was nothing going on at all, but this thug, who had taught me so much about classical music and wild flowers in the past, was in such a frenzied rage that he was obviously out of control. Then there was absolute silence. Everyone was petrified, even the other teachers who had by now climbed the stairs.

The rest of the week was longer than the ultimate jail sentence, and it got worse. Although every single person in my class secretly showed me so much pity and kindness, all I wanted to do was to run home to Mam and Dad. I'd promised, like most, to call home every night at 6pm, when the calls were cheaper, and before my mother opened up the shop. I'd been given a plastic bank bag full of ten pence pieces to do so. The pay phone was in the public lounge area of the building below our rooms. After every long day of outdoor activities, with me physically and mentally in pain, we would queue for the phone.

As the queue slowly shrank and I got to my turn, I would pick up the receiver, and suddenly see the headmaster's brown brogues walk towards me. My mother would answer, excited to hear her second child's voice so far away from home, and I would be silently forced to say that I was having a 'fantastic holiday' as the bad wolf stared at me and breathed down my neck. This happened nightly, and every time I finally got to speak to my mother, I was silenced in the shadow of the devil.

Finally, the week passed, and it was such a relief to be packing my bags, knowing that this nightmare was very nearly over, as I settled onto the bus for the return journey. I had forgotten what it was like to feel safe and happy. As we arrived back in the village, and were dropped off near the Stiwt, most of the kids ran ahead of me to tell my mother what had happened. I will never forget the hug I got behind the chip shop counter from my mam. The shop was full of customers, but we didn't care. I will also never forget Dad's face, as he took me to the back of the shop to strip off. There was the evidence: he saw clearly how bruised I still was, a week later, with clear finger marks on my arm where I had been grabbed and thrown like a rag doll. I was taken immediately to the doctor to be checked and have each and every bruise registered. Dad then rang the school to speak to the headmaster, demanding that he come to our house immediately.

As the headmaster shuffled down our path, he was as white as a sheet, and seemed broken and meek. He was offered a cuppa, but this little and now very pathetic man mumbled, 'No thank you.'

'Give the man a cuppa, Marilyn,' my Dad growled, like an angry sergeant about to start his interrogation. The bully tried to pass off all my bruises as the result of play fighting. However, my dad knew that this was not my style. And were the other children just as bruised? After more questioning, it became apparent that all the teachers had gone for drinks leaving nobody in charge, and after a few too many, the headmaster had misread the situation and lashed out under the influence. My father gave an award-winning performance as the best dad in the world, as me and Mam sat quietly listening from the kitchen, where we could hear the headmaster's cup shaking in its saucer. Dad decided not to take this further following a full apology and a guarantee that this would never happen again to any child under his responsibility.

While writing the above, I rang my mother to double-check a few details and we were soon bickering on the phone. She was horrified to hear the description of my pants and vest. 'I would never have bought you brown nylon. Oh the shame!'

'Well,' I answered, 'they were definitely brown by the end of that evening,' and we both screamed laughing on the phone. It is absolutely brilliant to be able to laugh at an incident that once caused me so much pain. It's also funny to think that I was accused of being straight!

*　　*　　*

I'm the first to cry at any funeral, or wedding for that matter. I was once booked to sing in a funeral during my stint at *Les Misérables* and was asked to sing the Welsh hymn 'Calon Lân' at the funeral of a young Welsh girl called Kadamba, who lived in London and who had died tragically. The request was to turn up at the venue, stand by the coffin and sing a rousing and positive rendition of this famous Welsh song. Under these circumstances, it was really going to be a task and a half for me, as emotion always showed in my voice, and although I didn't know the deceased, any funeral would turn me into more of an emotional jacuzzi. I was so nervous about appearing more upset than the family and ruining the funeral.

Everyone gathered in the church, while I stood as still as I possibly could at the head of the grand coffin and waited for my one note from the organist so that I could begin. I heard the note, took a deep breath, and started singing but as I sang I began to take in the congregation in front of me, and slowly realised that some of the faces were rather familiar. How could this be? I didn't know any of the family. As I got further into the song, desperately trying not to become emotional, I now realised that some of the faces were even more familiar. Peppered, before me, amongst a sea of smartly-dressed mourners, I saw the faces of Kylie Minogue, Kate Moss, the Gallagher brothers and Natalie Imbruglia. Unbeknown to me, the deceased had been an up-and-coming model, and friends with many in the pop world. Seeing these faces had stopped me from becoming so upset and fucking the whole thing up, thank God.

Although I freely admit that I cry far too often, I have to say I do laugh rather a lot more! There is nothing better than a bloody good laugh is there? I am so seduced by people who make me laugh, and am attracted immediately to the more humorous of people in any job I do. It's so healthy, and so addictive. I can't ever get enough of people's funny stories.

In the early eighties I was in a production of *Godspell* at Aberystwyth Arts Centre, and I took some lovely digs in a local vicarage. The vicar was an absolute joy, but after a few days I began to suspect that he was starting to have feelings for me. This was a problem for me for several reasons. First of all, I didn't fancy him at all, but secondly I wasn't even out! The rehearsals were going really well and I'd clicked with a guy who had the same sense of humour as me and a mouth just as big – Michael Ball, fresh out of college on his first ever job. We'd spend all day giggling like two naughty schoolgirls. One evening, back at the vicarage, after a few sherries that the vicar had kindly shared with me, I retired to my bedroom to learn my lines before falling asleep. At about four in the morning I was awoken by a strange sensation. It felt like my bed was gently shaking. This went on and on for some time. I sat up slowly, wondering what the hell was going on, and pulling the bedclothes around me for extra protection. I assumed that the vicar had sneaked into my room, and was now under my bed, masturbating furiously. WTF I thought; no wonder the churches are empty!

I must have gone back to sleep and by the time I'd woken again and showered, the vicar was skipping, far too happily, around the kitchen sorting breakfast. 'Morning, Stifyn. Coffee?'

'No thanks,' I replied in my butchest voice and avoiding any eye contact. Over coffee in the rehearsal room that morning Michael Ball and I were back as our double act exchanging funny anecdotes and quoting every line written by Victoria Wood, when I decided to divulge what had happened under my bed the previous night. Michael seemed to be enjoying this story rather too much for my liking but when I told him who was under my bed, and what he was doing, he screamed out loud, laughing like a hyena on fire.

'You numpty! Have you not heard the news?'

'What bloody news?' I shot back, even more worried. Maybe this vicar was a serial killer too, as well as a sex fiend.

'There was an earth tremor in the middle of the night, quite big on the Richter scale apparently, and Aberystwyth got it quite badly,' he said. It was that day that I had it confirmed that I am a real drama queen, and still feel so guilty for blaming such a lovely, kind, and innocent vicar.

Remembering those golden days on *Godspell* is quite bittersweet. It was on the first day of rehearsal that I met my best friend ever.

Her name was Sara Weymouth, who was on one hand as posh as the Queen, but on the other as cheeky as Barbara Windsor in the days of *Carry On*. We all glued together pretty quickly as a cast, but Sara and I had something stronger. For the first time in my life I felt that I'd met someone who really understood me, and saw me totally for what I was. We developed the most perfect relationship that went from strength to strength for thirty years, and although we lived in separate cities for most of our friendship, we spoke every single day.

One phone call stands out. In the middle of a normal frantic yet bubbly conversation, Sara went abnormally quiet. 'Are you still there?' I asked, thinking we'd lost the line.

'Yes darlin',' she answered tentatively, 'but I've just found a lump.' Those words hit me hard.

'Don't worry, you're gonna be just fine,' I said, even more tentatively. Sara lost her confidence that day. Following the diagnosis, and due to complications in her treatment, she slowly and tragically lost her life. There is nothing worse than seeing a loved one slip through your fingers. Following various treatments, and surprisingly honest conversations, things took a turn for the worst. I travelled from Cardiff to London to be with her, and although she was so incredibly weak, I will never forget how she slowly crossed the room, one step at a time, held my head in her hands, smiled beautifully and kissed me right on the top of my head. I instinctively knew that the end was near and that this was the last time I would see her alive. That walk back along the Thames, as I pulled my case behind me, which seemed so much heavier now, was the most painful and hopeless journey of my life.

Back in Cardiff another friend was diagnosed with exactly the same cancer, but luckily she was strong enough to overcome it. Heulwen Haf, such an apt name for such a beautiful soul. The literal English translation is 'Summer Sunshine', and she truly was just that! Heulwen managed to fight her cancer head-on, unlike Sara, and withstood all her treatments with such bravery and dignity; she became healthy again and spent much of her time campaigning to raise money and awareness for other sufferers, and even offered reiki treatments. And despite all the hard work, and the happiness Heulwen shared, and the second chances we all got with her, sadly the cancer returned a decade later.

During the writing of this book we sadly lost Heulwen too, and the skies became cloudy again. I do believe that the spirits of those who leave us stay with us, and I also believe Sara is with me as much as I feel my father is too. And from now on, when the sunshine beams down on us, whether it's autumn, winter or spring, in my heart it will always be Summer Sunshine, and Heulwen Haf will beam forever more.

*   *   *

One death which caused far more laugher than it did sadness, was the death of one of my pets. Let me explain. When I was a blue-haired sixth former and head boy at my school I thought I was so cutting edge, and I decided I should have some 'alternative' pets. Everyone had a cat or a dog, but I needed something a little different. Without any warning, I arrived home one day with two terrapins. 'What the hell are they?' asked my mother, 'and why on earth have you got two, for God's sake?' I'd decided to name them after two authors of the set texts we were reading for Welsh 'A' Level. One was called 'Ellis Wynne, the terrapin' because it rhymed, and he had written a book centuries ago that was quite theatrical to say the least. I named the other after another author who was still alive at the time and living in Wales, the highly respected Kate Roberts. She was responsible for writing the book that instantly put me to sleep every time I picked it up; there was more action in a morgue than in her plot. So, Kate Roberts and Ellis Wynne lived happily in a tank on the front windowsill of our living room, despite the fact they were both from very different centuries.

They were much easier to maintain than a pet dog: you didn't have to walk them, and they were cheap to keep, with a sprinkle of flakes every day and the occasional treat. The treat was boiled ham, though they were quite fussy and wouldn't accept packet ham, only the best ham off the bone from our local butcher. These were classy pets.

One morning, before leaving for school, I went to give Kate and Ellis their little treat of ham. Ellis did his usual Olympic dive at it and chomped away excitedly. However, Kate didn't seem at all bothered, and if anything was very aloof. I looked closer and noticed she was as dead as the poor piece of pig that Ellis was eating.

After quickly burying her in the garden, between a couple of deceased goldfish and my old pet rabbit, I hopped on the school bus and set off on my daily journey. Before we arrived at the school I had told everyone about our 'bereavement', even the driver. I then headed in for my first lesson of the day. By playtime the news of the death of Kate Roberts had spread right across the school, and people were coming up to me and sympathising with me on losing my pet terrapin. A teacher asked me to carry some books for her to the school reception area, and when I arrived I could see the headmaster talking to his deputy, both looking extremely solemn. I then overheard them saying that the school should make a collection for the deceased as she was a national treasure and had written one of the books we were studying for 'A' Level. The penny dropped. The headmaster had heard the Chinese whispers and taken for granted that the real Kate Roberts had died. He was about to ask all the staff for a donation, when in fact it was only my terrapin. How I wasn't expelled that day I have no idea, but the headmaster went from major relief to absolute anger with the news.

I find panto to be the best tonic for the dark months, and not just seeing one, but being in one. It's a tough slog, and consists of two shows a day, six days a week, usually during gruelling weather conditions and a theatre full of flues and viruses. I've played panto all over the country, and in London, and, luckily, many at the New Theatre, Cardiff. I've had the pleasure of working with some of this genre's biggest stars, such as Marti Caine, Anita Dobson, Derek Griffiths and John Inman. There are more names I could mention but I've got nothing nice to say about them! Marti and John Inman were extremely funny both on and off the stage, and I have fantastic memories of laughing with them until we were ill. Sadly, they are both no longer with us, but they definitely left their mark. Marti had a condition that made her feel the continual need to clean, and as the big name always gets the big dressing room, she really didn't fancy cleaning it from top to bottom, so she very kindly offered me her star dressing room, Dressing Room 1, while she opted to move into a small cupboard at the side of the stage, where all she had was a stool, a mirror and no head room to stand up.

In between scenes, she used to invite me into her little cupboard and regale me with stories over a cuppa. John Inman, on the other hand was the total opposite. His contract demanded that he had Dressing Rooms 1 and 2. The second dressing room was full of his own personal collection of the most outrageous dame costumes, while Dressing Room 1 became his personal bar, where he'd invite us all in for a glass or three in the interval, and where he'd pour himself a large port and brandy the moment he entered the building, constantly topping himself up until he left.

Anita Dobson's antics were interesting too. We would both be screaming laughing backstage before stepping into the light where her Wicked Witch would put a spell on my Prince Charming. She entertained me constantly with stories of her husband Brian May and his days in Queen. When she left her moisturiser in London after one quick overnight visit home he hired a courier to bring it all the way to Cardiff for her. She then explained that the pot had only cost her about three pounds, but cost him about three hundred pounds to get it back to her!

The director of this panto, who also starred opposite Anita, was none other than Derek Griffiths, of *Play School* and *Play Away* fame, a talented and very funny gentleman. Again, we'd both scream laughing for hours after the show as he told me of the outrageous things they used to get up to with Big Ted, Hamble and Humpty Dumpty. It was Derek who first suggested I do a one man show. 'It would be good for you' he said, and he was right. OH YES HE WAS!

CHAPTER 12
SHUT YOUR MOUTH

It's often when you feel you are at a crossroads in life that the unexpected can happen. There are specific moments in my past, when I have felt an overwhelming mixture of fear and ecstasy that's almost tangible, like a big bubble of excitement about to burst. Even as I am trying to describe it to you now, I can sense the exact same feeling again. It could be adrenalin, but whatever it is, I am hooked. Walking onto a stage, facing a bully, splitting from a loved one, coming out: there are so many examples, but these crossroad moments have made me stronger and confident that I am taking the right path. People might assume that I would be in a real flap and behave like a right drama queen at these significant moments, but the truth is that a calmness, a peace of mind, a certain clarity comes over me.

I have a clear inner voice saying things like, 'You need to work in England as well as Wales', or 'You have to leave *Brookside* and sing in the West End'. Or even, 'Start your own events company'. This voice is usually louder than my own! I can't ignore it, and it's always been absolutely right. And it's always a positive one: I will, I am, I can. I've learned to listen to it and to trust it.

After years of flexing my creative muscles and injecting as much creativity as possible into some of Wales' largest events, it became second nature. This was at a time when people had proper budgets, and the client had the confidence to let me 'do my thing'. But sadly, the recession hit hard and existing or potential customers of MR PRODUCER became reluctant to invest in their events and more inclined to go for mediocre, soft launches or apologetic gatherings. My flair in creating a feel-good factor and an air of celebration was now being compromised.

Budgets were halved, and some totally disappeared, and gradually this creative producer wasn't allowed to be creative in his field. I needed to take control. There was another crossroads ahead, and I needed to change direction. I was beginning to feel shackled, and I needed my creative freedom back. The company had grown, and so had my overheads. I had an office and staff to finance. I had started taking on projects that didn't excite me just in order to pay the bills, and I knew deep down that this had to change. I had to be true to what I wanted creatively, and started to develop ideas for projects that needed nobody else. I was tired of being answerable to diminishing funds, worried committees, and weakening boards. To make things worse, I was constantly asked to produce events for nothing, and still am! I calmly decided that my creativity and my own integrity had to come first.

One of the things that brought me so much joy around this time was mentoring young entrepreneurs and giving talks on creating one's own career. I found myself standing on a stage with my unscripted personal story, a microphone, and a laptop projecting some photographs of various events I had produced. I liked it. I liked it a lot. In fact, the only closet I was still hiding in was the 'comedy closet'. I had always quietly wanted to be a comedian, and fantasised about being a stand-up. There is nothing better than getting a laugh. It didn't take long for me to be taken over by the urge of creating something that was totally in my control, a one man show. As safe as a reptile house!

It was time to say goodbye to my office and staff and step onto a new road the other side of the crossroads. This was not the end of MR PRODUCER, but the future of MR PRODUCER with fewer staff and financial responsibilities and far more control over creativity. I would never have made this decision before, but it was timely on all levels. With my office now set up at our home in St Fagans, on the outskirts of Cardiff, I sat at my desk and thought hard, staring at an empty notepad. Most people will be shocked to learn how I created my one man show. Even before thinking about the content, I had decided to write the press release describing it, and designed the poster! Those two things gave me my vision and I was on a roll. All I had heard throughout my life from friends, teachers and family was, 'Stifyn Parri, SHUT YOUR MOUTH', because talking was my favourite pastime since birth! So, *voilà*. That was the title.

I had enough stories of backstage nonsense, diva tantrums, celebrity demands, and funny stories of my own career to fill a library. So I created the concept of an autobiographical, gossipy stand-up show and organised a photo shoot with one of my favourite photographers. We created images with my mouth gagged by various comical things, to help brand the show in the correct comedy tone. All I needed to do then was write the bloody thing!

One bright and sunny morning the photographer arrived at the house and set up his equipment in the lounge, as it was quite spacious. He hung his larger-than-life roll of wallpaper on a frame to create a white clean background for me to perform in front of, and set up his lights. That morning became quite a hysterical one, as I posed in countless flashy shirts having various things stuffed into my mouth, such as a glitter ball, banana and cream cake. I'd also hired a straightjacket for me to try and get out of, as another form or visual 'constraint'.

After we'd exhausted every which way of gagging me, I opted to put on the straitjacket and gag my mouth with the glitter ball. At this precise moment, there was a knock at the door, and as I was rather 'tied up' the photographer went to answer it. It was our postman. He handed the photographer my post, and caught a glimpse of me behind him, looking as if I'd been kidnapped. As the postman made his way next door, still slightly worried, the photographer and I were wetting ourselves with laughter wondering what he might be thinking.

By now, my stretch jeans were starting to slide down with all the jiggling and laughing, and the only way to get them back up was with the help of the photographer. He put his camera down, as I leant on the front windowsill and jumped up and down as the photographer pulled my jeans up from behind me. I was still crying laughing. At that exact moment, the postman decided to return and check I was alright, only to be confronted by my face squashed up against the window. We had no option but to invite the poor postman in, to prove it was a genuine photo shoot.

But back to the show itself it was time I wrote it! I have a large wooden filing cabinet in the house, absolutely full of every photograph and newspaper cutting covering my whole life and career, from my early school days to the present day. I knew there was more than enough visual content to help back up my stories for the show so, one rainy morning I started sifting through them for evidence, inspiration and memories. Before long, I had a huge pile but then needed to whittle them down. Having put everything else back in the cabinet, I then went about structuring my show using these photographs to punctuate the content.

What I needed next was someone to sit and listen to the rough draft of my show, whose opinion I respected, who understood me, and understood comedy. Someone whom I could trust. I had just the person in mind, my friend Siân Naomi, an actress-turned-writer who had a great sense of humour, and seemed to find me amusing. One Friday morning I invited her over to sit and take notes as I tentatively performed my new cheeky, gossipy, stand-up show. We'd agreed she'd turn up for ten o'clock that morning. However, I had been pacing up and down like a circus lion in a rather small cage since eight. I had so much adrenalin in my body they could have powered the Heath hospital for a whole month.

By ten o' clock, I was in a frenzy and getting on my own nerves. I felt as if I was about to give birth to a breech baby hedgehog. By the time Siân arrived, a few minutes late, I had dilated enough to give birth to a tractor. Within minutes, she was sitting in her chair, armed with a notepad and a cuppa, and I 'let out' my show for the very first time. Three and a half hours later, the first thing Siân said was, 'It's too long'. I cannot begin to explain the euphoria I felt as I threw a pasta together and opened a bottle of wine for us to sit down and enjoy, and for me to get her opinion in detail. Her reaction was so positive, and I busily took notes on editing, structure and timing punch lines.

Now the hard work was to begin, so the next morning I had promised myself that I would wake very early and put this show back on its feet, having digested the feedback. That morning I managed to cut an hour and a half off the show, and was starting to feel my way through it with a little more confidence. At the end, one of our dogs, Bill, farted, and I hoped it wasn't a comment on the show! The plan now was to organise a preview in my home village at the Stiwt, before opening at Wales Millennium Centre and then onto London.

I was now confident that I had time to familiarise myself with the content and rehearse the show into something I would be proud of. It was a private project at this point, and I hadn't thought of getting the media involved until I was ready, but I was persuaded by a producer friend, Geraint Lewis, to allow his cameras to follow my journey from rehearsals through my first night, then onto Cardiff and London for a documentary. I had intended from the outset that this show was going to be available in both English and Welsh, and although I had a Welsh poster designed and a Welsh press release, I hadn't started working on the Welsh version of the show yet. The documentary would be in Welsh, so we needed a Welsh version of the show sooner than I had anticipated.

I had already been running my English show every Thursday morning for the dogs, making it tighter and tighter, and now it was time to give them the Welsh one too. They were bilingual dogs, so this wasn't a problem! There was another problem, however. I would now have to run the Welsh version, for the first time ever, in front of the cameras, and worse than that, in front of the camera crew, who would be totally quiet. Having a mute audience for your first run of a comedy is not the most encouraging experience, I can tell you, but at least it was good training before performing in front of a proper audience, I suppose. And nobody farted this time.

Finally, the day of my first English show arrived, and this was on home turf. No pressure then! The people in my village are very honest, and have no qualms about telling you how good or how bad you are, and this was the reason I wanted to preview it there first, although by now I was having doubts. After a four hour drive, and a full technical rehearsal, all on camera, there was no escaping the monster I had created that was looming ahead. I had promised myself that I had to enjoy the first performance, and the only way to do that was to not be nervous. The audience would smell my fear. The only way to not be nervous was to be absolutely ready, rehearsed and confident. I needed an audience now, to help me get the pace of the piece, time the laughs and bring the thing to life. There was no turning back.

I got dressed backstage where I had often stood, during my childhood, watching the amateur dramatic society on stage. But now, instead of standing in the wings, I was in the wings about to step centre stage, alone. I put on my personal microphone, gave my cameraman Rob the nod, then took a deep breath and prepared to step into the light. My adrenalin was pumping, my audience were all excited in their seats, but I could hear one laugh above them all, like an excited hen: my mother. I wondered if she would laugh a few seconds later when I walked on to my theme music, 'World Shut Your Mouth'.

'Good evening Rhosllannerchrugog!' And luckily for me it was a good evening. Probably only performers will understand this, but an audience really does help you know where to take a breath, where to draw it out and when to deliver the punch line. After I had settled into the show, I could see all the familiar faces: school friends, family, neighbours, ex-teachers, all there in the dark in front of me. Rhos people aren't shy, to say the least, and their positive reactions right through my show were such an encouragement. There were quite a few surprises in the show too, that nobody knew about, and as well as stories about divas, there were two stories about my mother.

I kept the most outrageous one of these for the end of the first act. It was the story of my mother judging the homeless woman for peeing in the street in the West End and later that evening, doing exactly the same thing on the very road where I lived. The audience roared, but the person who found it funniest was my mother! She nearly wet herself again. I then warned the audience to let her out first in the interval, so she could get to the Ladies before the queue. Believe it or not, a friend of mine came backstage in the interval to say that while he was standing at the urinals in the Gents straight after the first act, who should barge in, and head for the cubicles, only my mother. She had no idea she was in the Gents. What a perfect new beginning for my second act.

The following morning, I was in the car again, driving back to Cardiff, for my technical rehearsal at the Wales Millennium Centre. That rehearsal was a peculiar one for me. Twelve years before, to the day, I had been responsible for opening the building, with a huge team to help. Now it was little old me, all alone on the stage. I was worried about this second show as I had been stupid enough to book the theatre on the night of an important rugby match, and I was worried it wouldn't sell. To my delight it was a sell-out. Although the story of opening the Centre was already part of the show, that evening it had even more poignancy when I mentioned the date. I told them what my mother had done in the previous show's interval too. Again, I knew many in the audience, who were work colleagues and friends. The joy of the show for me is that it keeps on developing and changing.

Then onto London, with the camera crew of course. A different show again in parts, with old college friends, and actors I had worked with, along with my old friend Siân Phillips. She howled when I shared the story of us presenting the awards together and me thinking she was on drugs! Then came my first Welsh show, which was filmed for the documentary in North Wales. From then on, I had invitations to perform all over Wales, Bristol and even New York. The show still gets bookings today, years later. At this rate, this mouth will never shut! And Bill knows all the words, while Alfie, love him, has joined Heulwen, Sara, Dad and all the others up there.

This show really has succeeded beyond my wildest dreams, and I have never been happier than standing in a full room surrounded by laughter. There is a creative freedom here that really feeds my soul. I would never have done this show ten years ago, the timing wasn't right: I needed the experiences, the right timing and the balls. I could tour this show forever if people booked it. And I have plenty more content too, so hello show number 2!!!

Well, I should start thinking about bringing this book to a close. It's strange to think it's taken me over half a century to start writing it, and now I have, I can't seem to stop! I'm not trying to write anything clever here; I'm just telling my story as it is, with no frills and no filter. Obviously some people are scared of opening their mouths, saying their piece and lifting their heads above the parapet, and some are scared of pushing themselves beyond their comfort zones, but it seems that every time I have done all of the above I have benefited in many, many ways. For example, I still can't believe that I have actually run a half marathon, when I can't even remember having run for the school bus. I don't believe we ever benefit from playing safe, and every challenge that has crossed my path has always been beneficial to me in the end. I have learned that it's good to feel the fear at times, and to think that I'm about to shit my pants. That fear triggers the adrenalin and then suddenly the most inspirational things can happen.

Who would believe that having been the only child in the village not to be in an amateur production of *Oliver!* I would end up as one of the leading roles in *Les Misérables* in London's West End? Who would have thought that the child who was told that he wasn't good enough, ended up sitting in as presenter for Chris Evans at Piccadilly Radio while he was on holiday? Who would have thought that Fatty-Poof would end up winning a fitness competition two years running at the *Iechyd Da* gym in Cardiff? Who would have thought that the person who was 'far too working class' according to certain people in his village would end up on the guest list for Catherine Zeta Jones and Michael Douglas's wedding in New York? Who would have thought I would have gone from being a single, closeted gay, at twenty-six, to being in a twenty-year relationship and be a step-dad? Who would have thought that one could go from putting on a play at the age of three to being responsible for some of Wales' most prominent events? The answer is – ME! I believed it. And if you believe, you will succeed. Fact. I'm living proof. So what's stopping you?

Right, I'm off! Until the next book, that is. My lecture is over. As you were.

∾

Y gŵr. Me and Daves.

Teulu/Family: Daves, Mam, Pat and Anthony as I receive an Honorary Fellowship for services to the performing arts.

Mab David, Ashley my step son.

Y cŵn, Bill ac Alfie.

My comedy partner Charlie-boy!
Y tywysog yn tagu chwerthin eto.

London Palladium 1999:
Evelyn Laye a finne.

SWS patron: Miss Bonnie Tyler.

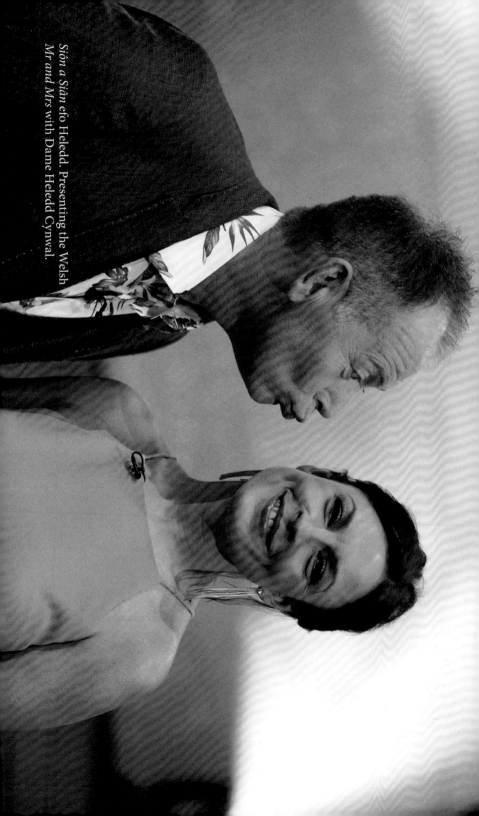

Siôn a Siân efo Heledd. Presenting the Welsh *Mr and Mrs* with Dame Heledd Cynwal.

La Lloyd a finne. Siân Lloyd and me.

Debora Kerr as Miss Moffat in *The Corn is Green* at The Old Vic, with Allan Cuthbertson looking on. Y cast ifanc ar y llwyfan a chefn llwyfan yn dathlu'r noson gynta. Us as miners on stage and as the cast of 'Capers' celebrating off stage.

My old friend Sara
Weymouth and I in
*Jacques Brel is alive
and well at Salisbury*
Playhouse. God, I miss her.
Un o fy hoff luniau erioed.

Gwisgo i fyny ar gyfer
poster fy sioe un dyn
Dim Cwilydd! My
photographer catching
me off guard at a
photoshoot for my one
man show – *No Shame!*

Fi a hi. Mam and me at my 50th birthday.

Catherine Jenkins, Dame Shirley Bassey,
Catherine Zeta Jones and Shaheen Jafargholi:
Ryder Cup Wales line up. Gydag Only Men Aloud,
Ysgol Glanaethwy ac Only Boys Aloud yn y cefndir.

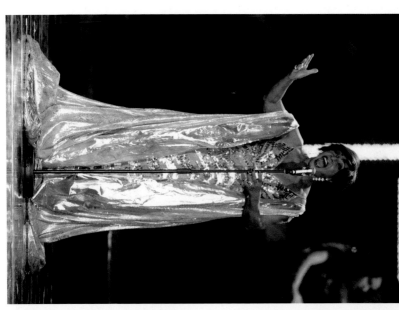

Yn croesawu y Ryder Cup i Gymru, Dame Shirley Bassey and Catherine Jenkins at the Welcome 2 Wales Ryder Cup opening concert at the Millennium Stadium, 2010.

The first ever recipients of the Cymry for the World Honours at Wales Millennium Centre. Dame Shirley Bassey, Dame Siân Phillips, the late Alun Hoddinott CBE, Dame Gwyneth Jones and Kate Burton, daughter of the late Sir Richard Burton. Sêr noson agoriadol Canolfan Mileniwm Cymru yn cael eu hanrhydeddu am eu llwyddiant.

Matthew Rhys yn serennu yn noson agoriadol Canolfan Mileniwm Cymru. The curtain call for Richard Burton's tribute at the Cymry for the World Honours with Matthew Rhys, as King Arthur in Camelot.

The 1st ever BAFTA Cymru award ceremony, Siân Phillips, Rachael Thomas a moi.

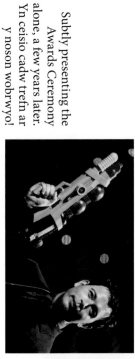

Subtly presenting the Awards Ceremony alone, a few years later. Yn ceisio cadw trefn ar y noson wobrwyo!

Hen ffrindiau: Siân Phillips a Matthew Rhys, at a subsequent BAFTA Cymru Awards Ceremony!

No Clause 28 Rally, Albert Square, Manchester, 1988. A proud day for us all. Fi, Michael Cashman (EastEnders) ac Ian McKellen. Diwrnod i'w gofio!

Miss Grace .... Jones!

Marius: Les Misérables gyda/with Linzi Hately, (Eponine) Stig Rossen, (Jean Valjean) Grainne Renihan, (Fontaine) Lisa Hull (Cossette).

Panto! Me as Prince Charming with my two wicked Queens, Anita Dobson and Marty Caine, and as Abanazar opposite John Inman, and as King Rat duelling with Dick Whittington. Pob 'Dolig, a'r sêr yn disgleirio.

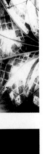

Dau gynhyrchiad yn Theatr
Clwyd: Three Sisters, Chekhov /
A Child's Christmas in Wales,
Dylan Thomas. Cydweithio
efo ffrindie a gyferbyn
Meredith Edwards
(a Hollywood actor also from
Rhosllannerchrugog!)

Brookside: Gordon Collins (Mark Burgess) Christopher Duncan (Stifyn Parri).

John Travolta Parry.

Wyddfa Wen – Clwb yr Hafod, Rhos – Me on guitar, Ian Wobbler on drums, Lynda Evans safely on tambourine, Siân Roberts and Lynne Alice also on guitar.

Styling out school uniforms with my friends Rhian, Carys, Dylan and Dwynwen. Cystadleuaeth pwy oedd â'r tei tewa rhwng ffrindie Ysgol Morgan Llwyd.

Anthony a finne yn cael tynnu llun gan Uncle John.
Anthony and I posing for Uncle John.

Mrs Brenda Jones yn dathlu efô MR PRODUCER. A proud headmistress, Mrs Brenda Jones, at MR PRODUCER's 5th birthday.

Dosbarth Mrs Lyth; fy ffrind gore Lynda Evans, ail res, ail o'r dde, a finne ar y pen pella ar y dde. Happy in the back row on the end (right) and Lynda Evans, second row, second from the right.

Building sandcastles on Prestatyn Beach with Mam, Dad, my brother Anthony and Aunty Gwenda. Y teulu ar ein gwylie blynyddol ym Mhrestatyn.

STIFYN PARRI
Allan â Fo!

Casgliad doniol a drygionus o hanesion mwya
lliwgar y diddanwr a'r entrepreneur Stifyn Parri yn
yr hunangofiant dwyieithog, Cymraeg a Saesneg,
gefn wrth gefn, cyntaf o'i fath. Mae e wedi serennu
ar deledu a llwyfannau Cymru a Lloegr, ac wedi
gweithio efo enwau mwya'r diwydiant, ac mae ganddo
straeon hilariws am glecs cefn llwyfan, y *tantrums* a
chyfrinachau'r sêr byd enwog, y teulu brenhinol a hyd
yn oed ei fam druan – felly Allan â Fo!

STIFYN PARRI
Allan â Fo!

Gomer

Cyhoeddwyd gyntaf yn 2019 gan
Wasg Gomer, Llandysul, Ceredigion SA44 4JL

ISBN 978 1 78562 286 1

Cyhoeddwyd gyda chymorth ariannol
Cyngor Llyfrau Cymru.

Argraffwyd a rhwymwyd yng Nghymru gan
Wasg Gomer, Llandysul, Ceredigion.
www.gomer.co.uk

Cydnabydddiaethau

Hoffwn ddiolch i'r canlynol am y defnydd o'r delweddau sydd yn y llyfr:

Uncle John (John Parry)

Rahim Mastafa Photography

Mike Hall Photography

Canolfan Mileniwm Cymru

Michael le Poer Trench (llun Les Misérables – ©Cameron Mackintosh Limited)

Cameron Mackintosh (delwedd Les Misérables – ©Cameron Mackintosh Limited)

Getty Images (Rali 'No Clause 28')

BAFTA Cymru

Phil Redmond

Prifysgol Glyndŵr Wrecsam

Huw John Photography

Steve Bright Photography

Iolo Penri Photography

BBC Cymru Wales

David Manton

Sarah Roberts

Dewynters

Gair bach ...

Mam, mae'r llyfr 'ma yn deyrnged i ti, am dy fod ti wedi bod y fam orau y byswn i wedi gallu'i chael, heblaw am ambell i ddigwyddiad, ac mae'r rheini yn y llyfr! Fyswn i ddim wedi teimlo mor gyfforddus yn cyhoeddi hwn heb help fy mrawd chwaith, felly diolch i ti, Anthony. Byswn i hefyd yn hoffi diolch i bawb sydd wedi fy nghefnogi ar hyd y ffordd, ond diolch yn arbennig i ambell un sydd wedi ceisio lladd fy mrwdfrydedd neu geisio newid fy mryd, gan mai nhw sydd wedi helpu i grisialu fy ngreddf i ddilyn fy nhrwyn.

Gyda llaw, mae 'na ambell ddywediad yma sy yn nhafodiaith Rhos, ac i chi sydd ddim wedi arfer ei chlywed, rydym yn galw ein gilydd yn 'ffŵl' gydag anwylder, coeliwch neu beidio, ac mae 'dwi 'di gneidi' yn golygu 'dwi wrth fy modd'. A does dim siop pysgod a sglodion yn y Rhos, dim ond siop *ffîsh* a *chîps*, gyda'r i dot yn y ddau air cyn hired a'r i dot yn y gair mis. Dyna ni! Dach chi'n 'locals' rŵan, uffe'n! Ie, heb yr 'r'!

Ni fydd pawb yn hapus 'mod i wedi sgwennu llyfr. Falle fydd ambell un yn crynu yn ei sgidiau am 'mod i am agor fy ngheg yn gyhoeddus, ond mae angen ei deud hi fel dwi'n ei gweld hi – wedi'r cwbl, fy llyfr i ydy o, felly 'Allan â Fo'!

Stifyn x.

PENNOD 1

Bod yn Fi

Steddwch! Mae hi'n anodd deud yn union beth sydd yn eich siapio mewn bywyd, a faint o'ch cymeriad sydd yn eich gwaed cyn cychwyn ar y ddaear yma, a faint dach chi'n addasu wrth ddygymod â bywyd wrth ymlwybro drwyddo. Er 'mod i wastad wedi teimlo yn hollol normal i fi fy hun, dwi wedi dod i ddeall nad ydw i, o bell ffordd, ac mae 'na ddigwyddiadau a phrofiadau sydd yn siŵr o fod wedi effeithio ar fy nghymeriad ac wedi creu y person ydw i heddiw. Fel y diwrnod wnaeth Mam fy nghymryd am dro yn y pram i lawr y ffordd fawr yn y pentre; dwi'n ei galw yn 'ffordd fawr', cofiwch, ond roedd hi'n bell o fod yn Oxford Street, neu'n 5th Avenue. Mam mor falch o'i hail blentyn, a oedd yn gorwedd ar ei gefn yn mymblo wrth geisio ynganu ambell air.

'Sut ma'r bychan, Marilyn?' medde'r gwnidog newydd wrth nesáu at y pram.

'O, maw'n angel o'r nefoedd, Mr Griffiths,' medde hithe 'di dotio.

1

Mi blygodd y gwnidog i mewn i 'mhram, gan wenu'n braf, a gofyn wrth orynganu, fel mae oedolion, neu famau steddfod, 'A be ydy enw'r angel bychan yma felly?'

A chyn i Mam gael amser i ateb … allan â fo! 'Rhechen!' medde fi'n glir o'r pram. Chwarddodd y ddau yn uchel, cyn i Mam gamu ymlaen ar ei thaith, a gwingo'n dawel y tu mewn. Ymateb cychwynnol da! A dyna sut mae hi wedi bod i Mam ers i mi fod ar y ddaear 'ma. Byth yn gwbod be dwi am ei ddeud, na'i wneud, nesa. Ond er ei bod hi yn dueddol o wingo tu mewn, mae hi, diolch i Dduw, yn chwerthin ar y tu allan. Wrth i mi ddygymod â *potty training*, trodd Mam ei chefn am eiliad i wneud rhywbeth, a dyma hi'n clywed ei mab annwyl yn deud, 'Mam, dwi wedi pw-ach a dwi 'di'i daflu o ar y tân,' a dyna lle roedd 'na lwmpyn tew yn *sizzlo* rhwng y fflame, a finne yn wên i gyd, yn sicr 'mod i wedi gwneud y peth iawn, sef taflu'r rybish, fel pawb arall, yn y tân.

Fues i 'rioed yn un i boeni am ddisgwyliade pobl eraill ohona i, rhywbeth dwi'n gwbod sy'n llenwi'r mwyafrif efo arswyd a'u stopio'n stond. 'Be os wnân nhw ddim leicio fi? Be os wna i ddeud y peth anghywir? Sut ydw i i fod i fihafio?' Mae'r rhain yn gwestiyne dwi wedi delio â nhw dros yr hanner canrif neu fwy ddwytha, elfennau bywyd yr ydw i wedi gorfod eu goresgyn, eu derbyn a dod o hyd i dechnegau gwahanol i'm rhyddhau o grafangau ofn mentro. Mae 'ofn mentro' yn bechod, ac yn epidemig y dyddie hyn, a dwi'n cael y pleser mwya o ddadrwymo pobl a'u gadael yn rhydd wrth fentora eraill.

Arf sydd wedi fy nghadw'n saff erioed ydy'r penderfyniad i fod ar fy ngorau, ac i gyflwyno'r fersiwn gorau ohona i fy hun. Does 'na ddim gobaith mul y gall unrhyw un fod yn fersiwn gwell ohona i, ac felly does dim gymaint o bwyse wrth gymharu fy hun efo neb arall, na neb arall efo fi chwaith. Y fi yw y fi yw y fi. Dydw i ddim yn meddwl 'mod i'n arbennig, ond dydw i ddim yn meddwl 'mod i'n eilradd chwaith. Nid cystadleuaeth ydy bywyd, er bod sawl un yn ceisio lladd arna i o bryd i'w gilydd, a gwneud i mi deimlo'n

eilradd neu'n ddibwys – adlewyrchiad clir o sut maen nhw'n teimlo amdanyn nhw eu hunain.

Fel cyflwynydd dwi 'di cael ambell sylw fel, 'Elli di fod yn fwy fatha Graham Norton?' Na 'lla, *actually*, gan nad y fo ydw i! Oes 'na rywun yn gofyn i Graham fod yn fwy fatha Rhechen? NAC OES. Stopiwch hyn, bobl! Yn ifanc iawn, sylweddolais nad oeddwn i fatha pawb arall, na byth isio bod. Roeddwn i'n dewach na'r rhan fwya, roeddwn i'n dlotach na llawer, doeddwn i ddim yn athrylith yn y dosbarth, doeddwn i ddim mor *butch* â'r bechgyn o 'nghwmpas, roeddwn i'n siarad Cymraeg, ac yn leicio gwisgo'n unigryw. Mi alla i restru a rhestru a rhestru. Un peth dwi wastad wedi bod yn ddedwydd amdano yw y ffaith fy mod i'n hapus efo pwy a be ydw i ac yn hapus yn fy nghroen, ac er 'mod i'n sylweddoli nad ydw i'n ffenomenon, dwi'n hapus yn bod yn fi ac yn derbyn ac yn cofleidio fy ngwendidau yn ogystal â'm cryfderau.

Wna i fyth anghofio dringo i lawr o'r pulpud yng Nghapel Bethlehem ar ôl canu, nerth fy mhen, gân yr oeddwn i wedi'i sgrifennu yn arbennig ar gyfer y gyngerdd, a chyfeilio i fi'n hun ar y gitâr. Wrth imi gyrraedd y llawr, dyma un o aelodau'r capel, oedd wastad yn edrych i lawr ei thrwyn ar bawb, â phluen fwy nag oedd angen yn ei het, yn dod yn syth ata i a deud, 'Piti nad oeddet ti wedi gwisgo tei, Stephen Parry.' Twll 'ych tin chi, medde fi wrtha i fy hun. Tua deg mlynedd ar hugain yn ddiweddarach, ffeindies fy hun yn canu ar lwyfan yn Llangollen o flaen cannoedd o bobl. Wrth i'r gynulleidfa gymeradwyo, mi weles i'r wraig anghynnes yma yn codi llaw arna i, ac yn ymfalchïo yn y ffaith ei bod hi'n fy nabod. Allan â fo! 'Helô Mrs Pritchard,' medde finne o'r llwyfan. 'Dach chi'n cofio fy marnu yn y capel pan oeddwn i'n ifanc am beidio gwisgo tei? Dydy o ddim 'di gwneud niwed imi, naddo? A fyddwch chi'n falch o weld 'mod i'n gwisgo un mawr pinc heno!' Chwarddodd pawb a chymeradwyo eto, a hithe mor browd 'mod i wedi siarad efo hi o'r llwyfan, heb sylweddoli 'mod i'n rhoi slap ar draws ei choesau yn gyhoeddus.

Roedd Rhosllannerchrugog yn gallu bod yn *landmine* weithiau. Yn bymtheg oed, a finne wedi lliwio fy ngwallt yn *blond* fatha honno

3

o ABBA, wrth i mi gerdded lawr Hall Street yn y pentre mi ddaeth rhyw wraig nad oeddwn i'n ei nabod yn iawn, efo *blue rinse*, tuag ata i a deud,

'O, be sy, ffŵl? Be uffern ti 'di gwneud i dy wallt?'

'Dwi 'di'i liwio fo'n *blond*,' medde fi'n syml.

'Wel, i be, ffŵl?'

Edrychais arni a deud, 'O'n i'n ffansïo *change*, fatha chi.'

'O, be ti'n feddwl, "fatha fi"?' Allan â fo!

'Wel,' atebais yn syth, 'dach chi 'di lliwio'ch gwallt chi'n biws.'

Roedd hi'n anghywir, yng ngolwg rhai, i fechgyn ifanc liwio eu gwalltie yn *blond*, ond yn iawn i wragedd mewn oed ddynwared blydi parot.

Tua'r adeg yma yn fy mywyd roeddwn i wedi hen benderfynu nad oeddwn am flendio i mewn efo gweddill y dorf; roedd hi'n amhosib beth bynnag, felly be oedd y pwynt? Yn un peth, doeddwn i ddim yn hoff iawn o fy enw. Pwy fydde'n *dewis* yr enw Stephen? Fy mrawd oedd y cylprit. Fo oedd wedi cael y fraint o feddwl am enw i'w frawd bach, ac yn amlwg heb feddwl yn ddigon caled! O be gofia i, roedd gan Anthony ffrindiau oedd yn efeilliaid o'r enw Stephen a Susan. Fydde Susan 'di bod yn well, falle. Felly dyma fi'n cymryd yr awenau a dechre ei sillafu gan ddefnyddio ffonetics Cymraeg: S. T. I. F. Y. N. … Stifyn. A tra 'mod i wrthi, medde fi wrtha i fy hun, waeth i mi newid y Parry yn Parri. Stifyn Parri. *Voilà*.

O'r diwrnod hwnnw, cofiwch, mae'r enw yma wedi codi sawl cwestiwn, sawl jôc a sawl problem. Y Cymry Cymraeg ydy'r gwaetha o bell ffordd, bron 'run ohonynt yn sylweddoli fod un 'f' yr un fath â'r 'v' Saesneg, ac yn gweiddi ar faes yr Eisteddfod, 'Shwd y'ch chi, Stiffyn?' Am *innuendo*! Pwy ffwc fydde'n galw ei hunan yn Stiffyn? Ac nid Steffan, na Stiff-one, na Stuffing, na Stephanie chwaith. Cofiwch, wnaeth un *drag queen* ofyn i mi unwaith, 'What's ya name again, darling? Chiffon?' Eitha leicio honno. Iep, sylw oeddwn i angen, ond sylw ar fy nhelerau i.

Roeddwn i yn amlwg isio sefyll allan ymhell cyn hyn, a'r awch yma i deimlo'n sbesial yn gryf. Wnaeth Mam fy ffeindio i un diwrnod yn crio ar y grisie.

'O, be sy, 'nghariad i?'

'Pam wnes i ddim cael fy adoptio?' medde fi, yn snot i gyd.

'Wel,' medde Mam yn graff, 'roedd dy fam a dy dad isio dy gadw di ar ôl i ti gael dy eni, cocls ...'

Ar ôl bloedd arall o sobio fel babi, dyma fi'n deud, 'Ond dwi isio cael fy newis, nid jyst fy nerbyn. Pam wnest ti ddim adoptio fi? Waaaaaahhhh!!' *Drama Queen* o'r cychwyn cynta!

Un peth dwi wedi stryglo efo fo ydy fy mhwyse. Dwi'n dathlu popeth efo bwyd a diod, hyd yn oed methiant! Dwi wedi bod ar bob deiet dan haul, a'r lloer. Roedd Mam yn rhedeg siop *chîps* ar y groesffordd ar ganol y pentre, ac felly bob gwylie haf roedd bron pob pryd yn *ffîsh* a *chîps*, a finne wrth fy modd efo nhw. Roedd safon y bwyd yn y siop yn uchel iawn, a Mam yn gwrthod ffrio unrhyw beth arall yn y saim heblaw pysgod ar ochr dde y ffreiar a thatws ar y chwith. 'Dwi ddim isio'n *ffîsh* i flasu fel sosej, na'n *chîps* i flasu fel byrgar, *thank you!*' Dwi'n ei chlywed hi rŵan. Felly, erbyn diwedd pob gwylie haf, roeddwn i efo *chips hips*, ac mae'r *hips* 'na wedi bod efo fi ers hynny. Dwi'n dal i'w chael hi'n anodd pasio siop *chîps*.

Dwi'n cofio dilyn un deiet efo'n hen ffrind Judith, sef cymryd *beta blockers* tra oedden ni'n ymddangos yn y gyfres *Coleg* yn nyddiau cynnar S4C. Roedd hyn yn ffordd eithriadol o golli pwyse, lle roedd chwant bwyd yn diflannu'n llwyr, a dyna lle roedd Judith a finne yn ciniawa bob nos mewn bwytai crand, yn chwarae efo salad ac yn parablu fatha ieir ar sbid! Deiet arall dries i oedd The Pineapple and Wine Diet, ac roedd hwnnw wedi ei argymell gan yr actores Myfanwy Talog, oedd wedi dod yn ffrind agos imi tra oedden ni'n gweithio ar *Coleg*. Es i ymlaen i brynu ei fflat fel fy nghartre cynta i, yn Fairwater, tua'r adeg yma, a wnewch chi byth ddyfalu pwy oedd 'di gwneud yr electrics i gyd yn y fflat fechan 'ma: David Jason – Del Boy! – ei chariad ar y pryd, a fynte'n gweithio ar lawr y stiwdio yn y BBC fel trydanwr. Ta waeth, 'nôl at y deiet. Roedd Myfanwy wedi egluro 'mod i'n gallu bwyta gymaint o binafal, ac yfed gymaint o win gwyn ag oeddwn i isio, ond dim byd arall. 'Brilliant,' medde fi, gan gychwyn y bore wedyn efo dwy *pineapple ring* a *spritzer*, tun o binafal a glasied mawr o win amser cinio, a thwll tin i'r pinafal yn

yr hwyr er mwyn canolbwyntio ar y gwin. Colles i bwyse o fewn wythnos, ond hefyd leining fy stumog, a phob gronyn o faeth yn fy nghorff, nes bod ochrau fy ngheg wedi cracio fatha pot blodau. Nid y *look* gorau i'r teledu!

Dwi'n cofio'r Cambridge Diet hefyd, pan drodd fy myd yn fyd o *sachets* llawn powdwr – fatha *cuppa soups*, ond heb y gwpan, ac i fod yn onest, heb y *soup*. Fydde cawl wedi bod yn neisiach: roedd pob un yn blasu fatha Polyfilla, er bod rhyw ddieithryn *delusional* wedi eu henwi yn Vanilla Cream neu Mushroom Delight a Chicken Surprise. Yr unig syrpréis oedd bod bod 'na'r un *chicken* wedi bod yn agos iddo. Eto, roeddwn i'n colli pwyse'n gyflym, ond yn edrych ac yn teimlo fel Marty Feldman.

The Jane Fonda Workout oedd y ffad nesa i mi a finne'n bownsio i mewn i Tesco i brynu'r fideo, er mwyn mynd adre i chwysu yn breifat. Neidiais i'n syth at yr Advanced Workout, a'i ailadrodd o gan 'mod i wedi'i fwynhau o gymaint. Deffro y bore canlynol a cherdded lawr y grisie i fynd i 'ngwaith, fatha *constipated penguin*.

Mae 'mhwyse wedi mynd i fyny ac i lawr fatha reiden ffair erioed. Dwi ar ddeiet eto'r funud hon, yn aelod o Slimming World, ac yn falch 'mod i wedi cyrraedd fy nharged. Dwi wrth fy modd yno yn clywed y gwragedd yn malu ac yn creu esgusodion am roi pwys neu ddau ymlaen bob wythnos yn lle eu colli. 'Oh, it was my daughter's christening yesterday. That's why I've put on this half stone,' medde un, a finne'n deud wrtha i fy hun, 'Be ffwc? Wnaeth hi lyncu ei merch tybed?' Tydi'r wraig sy'n eich pwyso ddim yn cael deud gair, cofiwch, llongyfarch na chydymdeimlo, ac mae hynny'n beth da, gan ei bod hi'n fwy na *double decker bus*!

Ta waeth, weithiau dwi'n dew a weithiau dwi ddim, a dwi'n leicio fy hun yn fawr neu'n fach, jyst 'mod i'n teimlo'n well yn llai, ac mi fydda i, gobeithio, yn mwynhau bod ar y blaned hon yn hirach wrth fod yn iachach. Byw bywyd yw'r tric, yntê? Dwi wedi cael fy nghanmol i'r cymylau gan rai, tra bod eraill yn ceisio lladd arna i, ond y peth pwysica yw cadw fy nesgil yn wastad a gwneud yn siŵr fod y ddesgil honno yn union lle dwi isio iddi fod, ac mai fy nesgil i yw hi. Ni sy'n sgrifennu ein stori, neb arall. Ni sydd yn

llywio'r llong ac yn trefnu'n ffawd ein hunain, felly rhaid i ni afael yn yr olwyn, newid gêr a gyrru yn graff. Mi ddudodd un athro drama wrtha i unwaith, 'Oh, how is it you always seem to land on yer arse in the marmalade?' gan gyfeirio at y ffaith fod pethau yn fy mywyd wastad yn ymddangos mor ffortunus. Lwc fydde rhai pobl yn ei alw, ond dydw i ddim yn credu mewn lwc, dim ond gwaith caled, a *karma*. Siwr o fod, dyma pam ges i fy ngwobrwyo â chymrodoriaeth er anrhydedd gan Brifysgol Glyndŵr am fy nghyfraniad i'r celfyddydau perfformio. Fyswn i erioed wedi cael cymrodoriaeth yn y dull academaidd arferol ond mi wnes i ddilyn fy nghalon a chael fy ngwobrwyo beth bynnag!

Wrth ddilyn fy nghalon mae fy chwaeth mewn dillad wedi newid llawer dros y blynyddoedd. Erbyn hyn dwi'n byw a bod mewn crys-T du yn fy mywyd bob dydd, neu grys liwgar os dwi ar y teli, a throwsus wrth gwrs! Pan o'n i'n iau, roeddwn i wrth fy modd yn arbrofi, a byth, byth yn dilyn y drefn. Dwi'n cofio'n glir prynu dyngarîs oren llachar, y rhai cownsil 'na, efo siaced i fatsio. Dene lle'r oeddwn yn mynd am benwythnos i Lundain, a meddwl 'mod i'n edrych fatha'r *dog's bollocks*. Dro arall yn mynd i Lundain mewn *legwarmers* bendigedig i aros efo fy ffrind yn Brixton a hithe wedi cael ei galw i ffwrdd am ryw reswm, felly dyma benderfynu bwcio mewn i'r Ritz, *as you do*. Ar ôl cyrraedd, dyma fi'n ffansïo ciniawa yno cyn cysgu, a gofyn i'r *concierge* am fwrdd. Edrychodd hwnnw ar fy *legwarmers* bendigedig a deud,

'Terribly sorry, sir, but we have a strict dress code.' Allan â fo eto!

'I beg your pardon,' a medde fi'n glwyddog, 'but I've just had an operation on my ankles.'

'This way, sir,' medde fynte'n chwim, a'm tywys i'r bwrdd gorau yn y gwesty. Hyder.

Bydde llawer, sydd ddim falle yn fy nabod i'n dda, yn dueddol o feddwl 'mod i wedi cael bywyd bendigedig o hawdd, ond y gwir ydy, dydw i heb, jyst 'mod i'n sicrhau 'mod i'n ei fwynhau i'r eitha. Tydan ni ddim yma yn hir, ac mae 'na waith i'w wneud a hwyl i'w gael. Tydan ni ddim yn gwbod beth sydd rownd y gornel, ond does dim pwynt stopio'r car rhag ofn; ymlaen â ni, ac os nad oes unrhyw

beth da yno, mi fydd o rownd y gornel nesa falle. Fe welwch chi fi yn wên o glust i glust ar ambell raglen, neu'n chwerthin yn braf mewn parti neu mewn llun, neu'n adrodd stori ddoniol mewn sioe, a falle fyddwch chi'n camddeall, ac yn taeru nad ydw i wedi cael unrhyw broblem yn fy myw. Anghywir, ac mi wnaiff y penodau canlynol, falle, daro goleuni ar ambell un.

Cefais fy magu mewn tŷ a oedd yn llawn dop o gariad a chefnogaeth; chefais i fyth fy mherswadio i gymryd llwybr nad oeddwn i isio ei gymryd, ac yn hynny o beth, dwi mor ddiolchgar i Mam a Dad. Dros y blynyddoedd dwi wedi gorfod cydweithio efo ystod eang iawn o wahanol bobl o wahanol statws, a dwi'n amau falle mai iste ar gownter siop *chîps* Mam a ddysgodd fi i drin pawb yr un fath. Roedd siop Mam yn denu pob math o bobl, a Mam yn rhoi'r un croeso a pharch yn union i bob un. A falle mai fan hyn hefyd wnes i ddechre ymddiddori mewn pobl. Dwi wrth fy modd yn eu gwylio, yn gwrando arnyn nhw, ac yn agos iawn at lu o bobl o bob math: ffrindiau ysgol, ysgolheigion, sêr mwya'r byd, y bobl drws nesa a phawb arall rhyngddyn nhw. Mae bywyd erbyn hyn yn gasgliad o *to-do lists* di-ri, gyda dyddiadur gorlawn o gyfarfodydd, posibiliadau a phrofiadau bendigedig.

*   *   *

Dwi wedi bod yn lwcus iawn i gael dwy berthynas bwysig iawn yn fy mywyd, ac un ohonynt yn parhau hyd heddiw. Mae David a finne wedi bod mewn perthynas ers y diwrnod wnaethon ni gyfarfod ugain mlynedd yn ôl. Roedd ein cyfarfod yn ymddangos fel cyd-ddigwyddiad llwyr, neu efallai mai ffawd oedd o, pwy a ŵyr? Mae'n gas gen i wisg ffansi, ac roeddwn i wedi cael fy mherswadio i fynd i barti gwisg ffansi efo Siân Lloyd y Tywydd. Yr unig reswm roedd hi isio mynd oedd am ei bod hi wedi prynu *catsuit* ledar ac yn ffansïo ei hun fel Purdey o'r *New Avengers*, a gan nad oedd Siân byth yn mynd i unman ar ei phen ei hun, roedd rhaid i mi fynd fel Steed, gyda *bowler hat*, siwt a ffon gerdded. Un arall o fy nghas bethau yw canu yn gyhoeddus, er 'mod i wrth fy modd efo sylw. Roedd

Siân yn tynnu fy nghoes wrth ddatgan wrth bawb yn y parti 'mod i ar fin canu. *As if!* Mi ddihengais heb ddeud gair wrth neb. Yn sydyn iawn wnes i daro i mewn i rywun wnaeth fy nabod i o sioe yr oeddwn wedi bod ynddi yn y West End, ac mi ofynnodd am fy rhif, ac er 'mod i'n ymddangos yn orhyderus ar adegau i rai, rhois y rhif anghywir iddo gan 'mod i mor *flustered*. Er gwaetha hynny wnaeth David ddarganfod lle roeddwn i'n byw, curo ar y drws, a dan ni'n dal efo'n gilydd ers hynny. Dan ni'n hollol wahanol i'n gilydd, sydd weithiau yn wych a weithiau yn wael, ond dwi'n falch iawn o be dan ni wedi ei greu rhyngom. Mae David wedi dod â rhywbeth i 'mywyd i nad oeddwn i byth wedi'i ddisgwyl – mab. Cafodd Ashley ei eni ymhell cyn i mi fod yn rhan o fywyd David, ond wnes i ddod i'w nabod o pan oedd o'n fachgen ifanc. Erbyn hyn, mae Ashley yn ei ugeinie, ac yn un o'r bobl orau a mwya call yn fy mywyd. Dwi'n ystyried Ashley yn un o'm ffrindiau gorau. Dydy cael plentyn erioed wedi bod ar fy agenda, ond alla i ddim meddwl am fywyd heb y bachgen yma. Felly mae bywyd, hyd yn hyn, wedi bod yn antur, yn bleser ac yn uffern o hwyl, fel y gwnewch chi glywed yn y man!

Plentyndod

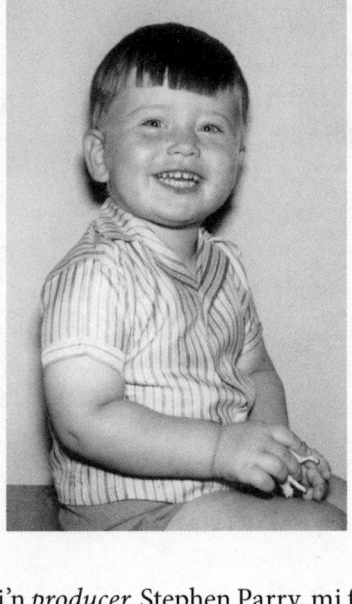

'Os na fyddi di'n *producer*, Stephen Parry, mi fyta i'n het!' medde Mrs Brenda Jones, prifathrawes Ysgol Fabanod y Rhos, ar ddiwedd fy wythnos gynta yn yr ysgol, a finne'n dair oed. Dwi'n falch o ddeud y gwnaeth Mrs Jones fyw yn ddigon hir i 'ngweld i'n gwireddu ei gweledigaeth, ond roedd canfod gwreiddyn fy nghreadigrwydd mor fuan, ar fy niwrnod cynta yn yr ysgol, yn arbennig. Wedi deud hynny, roedd y ffaith mai'r frawddeg gynta ddaeth allan o 'ngheg i ar y diwrnod hwnnw oedd, 'Miss, ga i drefnu drama dydd Gwener?' yn profi fod y belen fechan o egni yma â'i fryd ar ddiddanu, heb unrhyw amheuaeth. Yn lwcus i mi, yr ateb ges i ganddi oedd, 'Cei, 'y nghariad i'. A dyna ni, y cyfle cynta, y tu allan i waliau fy nghartre, i mi gael y *thumbs up* i ddilyn fy ngreddf a chreu cynhyrchiad i'r ysgol gyfa.

Doedd neb yn disgwyl llawer, wrth gwrs, gan fod y bychan hapus tair oed yn gwbod dim am greu sioe, ond roeddwn i'n barod wedi creu syrcas tu ôl i'r tŷ, *zoo* malwod yn yr ardd a *murder mystery* yn y

bwlch rhwng y bathrwm a'r cwt glo, felly roeddwn i ar dân. O'r eiliad ges i'r *green light* gan Mrs Jones, trodd fy wythnos gynta yn yr ysgol yn nefoedd ar y ddaear.

'Bydd angen y llenni 'ma am 'chydig,' medde finne, mor *nonchalant* dros fachdan jam, gan bwyntio at lenni newydd sbon Mam yn y rŵm ffrynt.

'Uffern! I be, ffŵl?' medde Mam yn hollol ddryslyd, o dop cadair yn y gegin, at 'i chlustie mewn paent a phapur wal.

'Wel, ar gyfer fy sioe i ddydd Gwener, *actually*,' medde finne gan fflownsio allan i'r ardd i chwilio am gleddyf a banjo. Roedd angen gymaint arna i: props, dodrefn a dillad. Yn lwcus i mi, ond yn anlwcus i'm rhieni, doedd yr ysgol 'mond i fyny'r ffordd – tua deg drws ffrynt i ffwrdd. Felly bob amser chwarae a phob amser cinio mi redes i'n ôl ac ymlaen fatha wiwer ar sbid, yn graddol wagu'n *two-up two-down*.

Roedd Dad yn gasglwr rhent i'r cownsil, ac yn helpu Mam yn ein siop *chîps* ar ei ddyddie off. Blinedig oedd Dad felly ar ddiwedd pob dydd, ac yn cyrraedd adre i roi ei draed i fyny.

'O uffern!' medde fo un noson. 'Lle ddiawl ma'r *pouffe*?'

'Ma' fo 'di'i fenthyg o i'r ysgol, Ted,' medde Mam.

'O Arglwydd, Marilyn, be maw'n neud rŵan?'

'Ysbryd Bryn y Brain,' medde fi'n waltsio i lawr y grisie yn gwisgo ffedog a het briodas. 'Drama gynta fi, dydd Gwener yma, ond dydy rhieni ddim yn ca'l dŵad.'

Rowliodd Anthony, fy mrawd, ei lygaid wrth edrych ar Dad, yna aeth yn ôl at ei glarinét. Bryn y Brain oedd enw'r stad cownsil agosa at ein tŷ ni, ardal ryff ar y pryd lle nad oeddwn yn ffitio i mewn.

Erbyn y bore Gwener roedd 21, School Street bron yn wag, ac Ysgol Fabanod y Rhos fatha *bring 'n buy*. Daeth yr awr, daeth y dorf a daeth fy mreuddwyd yn fyw. Finne gefn llwyfan yn bosio fy ffrindiau, oedd wedi cael eu perswadio i fod yn rhan o'r ddrama arswyd – Lynda Evans, Dwynwen a Bethan, Rhian a Nia Gilpin i gyd yn crynu yn y cefn a finne wrth y llyw:

'Lynda Evans, wnei di gofio dy leins plis, a Dwynwen, paid â giglo pan ma'r ysbryd yn dod i mewn. Ti fod yn crio fel y lleill.'

I fod yn berffaith deg, doedd ganddyn nhw ddim lot i boeni yn ei gylch, gan fy mod i wedi rhoi'r rhan fwya o'r leins a'r *action* i neb llai na Bachgen Marilyn Siop Chîps. Pwy arall? Dyma oedd fy *debut* ym myd mawr *showbiz*. *West End, here I come!*

*   *   *

Doeddwn i ddim fel unrhyw un arall yn fy ysgol, y bechgyn na'r merched, ac roedd hi'n amlwg yn ifanc iawn 'mod i'n 'wahanol' ... Roedd gen i fwy o ddiddordeb mewn chwarae efo'r merched na'r bechgyn, *big time*, a Lynda Evans oedd fy ffrind gorau, y ferch dlysa yn yr ysgol gyda'i gwallt hir, *blonde* at ei thin.

'O be sy, 'nghariad i?' medde Mrs Brenda Jones un bore wrth iddi ddarganfod 'y cynhyrchydd ifanc' yn beichio crio yn ymyl y pwll tywod, efo brwsh gwallt yn ei law. Mi drois i at y brifathrawes yn ddagre mawr, ei chofleidio, a sobio yn erbyn ei botwm bol nes ei bod hi'n wlyb.

'Ma' Lynda Evans 'di torri'i gwallt hir yn fyr, a 'sgynna i ddim byd i frwsio.'

'O, druan, hidia befo,' medde'r athrawes, oedd yn deall yn iawn.

Roedd Rhosllannerchrugog yn ardal gerddorol a chelfyddydol tu hwnt – cymuned glòs, falch, yn llawn gwragedd dramatig a dynion mud. Drwy fy llygaid i, roedd bron pob mam fatha *pantomime dame*, yn uchel ei chloch ac yn golur a gwallt i gyd, tra oedd y dynion yn cuddio y tu ôl iddyn nhw. Fyw i neb ifanc sefyll allan acw. O uffern, bydde'r blynyddoedd i ddod yn hwyl!

Fel ambell bentre a thre arall, roedd hi'n orfodol yn Rhos i gael y *nick names* rhyfedda. Roedd Dic Bol Haearn yn ddyn cnawdol, caled, yn hen focsiwr, mae'n debyg. Nam ar un llaw oedd gan Sera Llaw Fechan, druan. Y pwysica i mi oedd Marilyn Siop Chîps, sef Mam wrth gwrs. Yn fuan wedi i Mam ddechre rhedeg y siop *chips* yng nghanol y pentre, wnes i ddechre magu pwyse, a chyn pen dim cael fy enwi'n Fatty gan rai o blant yr ardal. Wrth i mi ddatblygu, ges i enw arall, gwaeth, sef Poof, er bod 'run ohonom yn deall ei ystyr. Yna, cafodd rhyw *genius* yr ysbrydoliaeth i roi'r ddau enw at ei

gilydd a fy medyddio'n Fatty-Poof! Ond doedd gan Fatty-Poof ddim affliw o ots beth oedd ei deitl. Cafodd y plentyndod hapusa erioed.

Er cymaint y gefnogaeth gan rai athrawon fel Mrs Jones, a oedd erbyn hyn wedi cytuno i adael i mi greu digwyddiad a serennu ynddo bob pnawn Gwener, wnes i ddysgu'n gyflym nad oedd pawb mor gefnogol, hyd yn oed rhai oedolion. Roedd Anthony, fy mrawd, yn dechre dangos ei fod yn 'chydig o athrylith ifanc, a Mam yn dechre ecseitio. Wrth edrych yn ôl, fyse rhywun yn meddwl ei bod wedi rhoi genedigaeth i Bamber Gascoigne, uffern! Ond doedd Fatty-Poof ddim yn mynd i guddio yng nghysgod yr athrylith – roedd o wedi ffeindio ei *spotlight* ei hun, yn llythrennol, ar y llwyfan. Wna i fyth anghofio un athrawes yn mynd allan o'i ffordd yn ddyddiol i 'mrifo: 'Stephen Parry, dwyt ti ddim cystal â dy frawd!' a 'Fyse dy frawd wedi cael marcie llawer gwell!' neu 'Fydde dy frawd yn ymddwyn fel hyn?' Roedd hyn fatha cyllell yn fy nghalon, ac yn gwneud i mi deimlo cywilydd o flaen fy nosbarth. Ar ôl ychydig wythnosau o wynebu'r fath fwlio, ges i syniad am sut i roi taw ar yr athrawes. Yn hwyr un noson dyluniais fathodyn mawr, crwn, gwyn efo llythrennau bras, coch wedi eu cerfio i mewn i gardfwrdd yn datgan, 'FY ENW I YW STEPHEN AC NID ANTHONY'. Wnaeth hi erioed ein cymharu wedi hynny. Oedd, mi oedd fy mrawd yn sgolar cydwybodol, ond roeddwn i wedi darganfod rhywbeth pwerus a phersonol i mi oedd yn mynd i fod yn help yn y dyfodol – y gallu i adlonni a'r gallu i fagu'r hyder i fod yn fi fy hun a chymryd DIM sylw o'r barnu. Doedd neb yn mynd i newid hynny.

Mi barhaodd fy sioeau pnawn Gwener a chymerais fantais o bob cyfle arall ddaeth heibio. Roedd Dolig yn berffaith i mi yn yr ysgol: cael chwarae Siôn Corn *a* Joseff ar yr un diwrnod. *Double whammy! Showbiz! Big time, baby!* Wnes i ddod i nabod y gymuned a'i holl gymeriade bob yn un, wrth iste ar gownter siop *chîps* Mam am chwech wythnos bob gwylie ha'. Roedd Mam yn bwydo pawb: yr hen a'r ifanc, y crachach a'r comon, yr hardd a'r hyll, ac roedd digon o bob un o'r rheini yn Rhos.

* * *

Anghofia i byth glywed bod 'na *amateur dramatic society* yn yr ardal o'r enw Aelwyd y Rhos, oedd yn cynhyrchu sioeau cerdd. Bron i mi wlychu fy hun wrth glywed eu bod yn ymarfer bob nos Fawrth a nos Iau yn y Cross Foxes. Bron i mi *hyperventiletio* wedyn wrth sylweddoli bod y Cross Foxes jyst ar gornel ein stryd ni, mor agos â'r ysgol ond i'r cyfeiriad arall. Pa mor lwcus oedd Fatty-Poof o gael byw slap-bang ar ganol stryd lle roedd ei ysgol berfformio bersonol ganllath i'r chwith a rŵan Broadway ganllath i'r dde!

'Ma-am, os wna i ofyn rhywbeth, wnei di gytuno?' medde fi'n wyth oed wrth geisio perswadio *caterpillar* i gerdded y high-wire yn fy syrcas fechan.

'O, gyndiar 'i hun, be tisio rŵan, dwi'n brysur,' medde Mam, yn trio darllen y cyfarwyddiadau hirwyntog ar focs *pressure cooker* newydd roedd hi a Dad wedi penderfynu ei gael i 'arbed amser'.

'Ga i fynd i weld Aelwyd y Rhos yn ymarfer heno? Ma' nhw'n gwneud *Camelot*.'

''Beithio, ond bod ti'n d'ôl yn syth wedi iddyn nhw orffen, cocls,' medde hithe, yn stryglo ar draws y gegin efo'r sosban fwya ar wyneb y ddaear, a Dad y tu ôl iddi efo caead trwm a *pressure valve* mwy fyth yn ei ganol. 'Dwi'n mynd i neud ribs a *sloppy peas* i swper. Wna i gadw peth yn gynnes i ti, cariad.'

Am bum munud i saith y nos Fawrth honno dringodd Fatty-Poof i fyny grisie blêr y Cross Foxes a chlywed band pres yn ymarfer ac yn chwythu fel ffylied yn yr ystafell ar y dde, a chwerthin a chlonc hapus yn dŵad o'r drws ar y chwith. Es i erioed i mewn at y band, ond yn rhyfedd iawn, flynyddoedd lawer yn ddiweddarach, ar ôl fy noson gynta yn *Les Misérables*, wnes i ddigwydd sôn am y Cross Foxes wrth arweinydd y sioe.

'Oh, I used to be in there every Tuesday and Thursday playing the trumpet in the brass band,' medde fo.

Byd bach, yntê! Beth bynnag, mi gerddes i mewn drwy'r drws ar y chwith, heb i neb gymryd fawr o sylw, ac wrth i'r dyn oedd yn edrych fel mai fo oedd y bòs dawelu'r hwyl, aeth pawb i'w cornel fach nhw eu hunain yn ddiffwdan ac mi gychwynnodd yr ymarfer. Eisteddais yn y gadair freichiau gyfforddus o'u blaenau, a'm gên yn

pwyso ar fy ngliniau, wrth i'r bobl roeddwn i'n arfer eu gweld o ben arall cownter y siop *chîps*, ac ambell i fam neu dad i ffrind ysgol, droi yn gymeriadau lliwgar, efo lleisie canu bendigedig. Yn sydyn, cododd pawb fel corws i ganu ac aeth yr ias ryfedda i lawr pob asgwrn yn fy nghorff bach crwn. Dyma OEDD nefoedd ar y ddaear, ac mi sgipiais i adre fatha aelod o'r Young Generation, yn canu pob gair o gytgan ola *Camelot*.

Wedi cyrraedd y tŷ, roedd hi'n amlwg fod 'na broblemau mawr wedi bod. O'r drws ffrynt, roedd hi'n ymddangos i mi fod y gegin wedi cael ei hailddecoretio, ond mewn *lime green* y tro hwn. Roedd Dad ar ei linie yn sgrwbio'r llawr, a 'mrawd yn ei fyd bach ei hun ar y soffa, yn chwythu'i glarinét fel eliffant ar dân gydag Acker Bilk yn bloeddio drwy ei *headphones*.

'Wel,' medde fi, yn ploncio fy hun ar fraich y soffa, 'o'dd nene'n *amazing*, Mam.'

Ac wrth i mi ddechre ailadrodd pob eiliad o'r noson fythgofiadwy, torrodd Mam ar draws efo, 'Does 'ne'm ribs a *sloppy peas*, cariad, sori,' cyn iddi ddod rownd y gornel efo tost ar blât, a hithe yr un lliw â Kermit the Frog o'i chorun i'w sowdl, ac yn blendio efo'r walie.

'Dwi 'di ca'l problem efo'r *pressure cooker*, cocls.'

'Gormod o bys, a lot gormod o *bressure*,' medde Dad, dan 'i wynt.

Doedd dim byd o gwbl, heblaw ein gwylie blynyddol, yn tarfu ar ymarferion nos Fawrth a nos Iau i mi yn yr Aelwyd, ond er i mi iste yn y gadair gyfforddus yn wynebu'r ymarferion yn hollol fud am bedair awr yr wythnos am flynyddoedd maith, wnaeth y Main Man erioed gymryd unrhyw sylw ohona i, a finne jyst â marw isio deud, 'Helô, Mr Producer, ga i *audition* plis?' Doedd Meirion Powell yn dangos dim owns o ddiddordeb yn y bychan cîn, hyderus yma, nac yn hoff o'r ffaith fod y plentyn yma wedi dwyn ei gadair freichie. Roedd Fatty-Poof yn iste'n hapus braf yn y *director's chair* yn hollol ddiymwybod, fatha King Farouk. Ac er 'mod i'n gwbod pob gair, o bob cân, gan bob cymeriad, ym mhob cynhyrchiad, doedd gen i ddim siawns mul o gael hyd yn oed *walk on part* yn *West Side Story*, *The King and I*, *My Fair Lady*, nac *Oliver* hyd yn oed, a hwnnw'n LLAWN plant! Cafodd pob plentyn yn yr ardal, hyd yn oed fy

mrawd oedd â dim diddordeb, ran yn y sioe, ond doedd dim cynnig o gwbl i mi. Dwi'n cofio meddwl, 'Watch this space, Mr blincin Meirion Powell!'

Wedi 'chydig o flynyddoedd, a finne'n dal i iste yn y gadair yn promptio pawb heb lyfr o 'mlaen, ac yn rhedeg i'r siop *chîps* i nôl pedwar deg saith bagied o *chips* a *scratchings* yn y brêc, cafodd un o'r *leading ladies*, Anti Eleanor, air efo Meirion Powell:

'O, hei ffŵl, ti'n syched â thwll tin iâr, rho rwbeth i fachgen Marilyn Siop Chîps 'ma, druan. Maw jest â bostio isio bod ar y llwyfan.'

Wedi sawl cais tebyg gan ambell un arall cafodd Fatty-Poof *walk on part* yn *Iolanthe* gan Gilbert and Sullivan. Yr unig beth oedd angen i mi neud oedd cerdded 'on stage left', efo cwshin melfaréd piws a choron y Brenin arno, a sefyll nesa at y Brenin, sef Yncl Brian, tad Geraint a Leri Dodd, ac aros yno nes bod Yncl Brian yn cymryd ei goron; yna, yn sydyn, a falle'n rhy sydyn, roedd rhaid i mi gerdded 'off stage right'. Wel, am gyfrifoldeb!

'Maaaaaaaaaaaaaam! Dwi'n mynd i fod yn Gilbert O'Sullivan,' medde fi, wrth redeg i mewn i siop *chîps* lawn. Wnaeth y rhes o bobl yr ochr arall i'r cownter i gyd chwerthin yn uchel ar fy mhen, heb i mi ddeall na sylwi.

'Rarglwydd mawr,' medde Mam, gan ollwng dau *ffîsh*, un *chîps* a *scratchings* ar y llawr. 'Diolch i'r nefoedd am nene, dwi 'di gneidi, cariad!'

Ar y noson agoriadol, a finne yn gallu adrodd yr holl sioe *backwards*, roedd Marilyn gefn llwyfan yn banics i gyd. 'Wyt ti'n cofio pryd i ddŵad ymlaen?', 'Lle ma' dy gwshin di, ffŵl?' a 'Paid â gwneud nene, neu gei di ladyr yn y teits gwyn 'ne'. Ac yna, daeth y foment i gamu i'r llwyfan efo 'nghwshin a 'nghoron, a chael fy nharo gan y goleuadau lliwgar, llachar o'r diwedd, a gweld Stiwt y Rhos o ongl lawer gwell, am y tro cynta. 'Gwena, uffern!' medde'r prompt ucha glywes i erioed o'r wings. Ie, Mam.-

Wrth imi dyfu, mi ehangodd fy niddordeb yn y llwyfan, ac mewn creu digwyddiadau a datblygu i fod yn *entrepreneur* go iawn. Dysgais fy hun i chwarae'r gitâr, ac ar ôl meistroli tri chord, C, D a G,

roeddwn i wedi dechre rhoi gwersi i ffrindiau a chodi 30c ar y rhieni am y fraint o ddysgu'r tri chord yma i'w plant! Wedyn, roedd hi'n amser rhuthro adre i ddysgu mwy o gordie i fi'n hun, er mwyn codi mwy o gash yr wythnos wedyn. Gan fy mod i erbyn hyn yn gitarydd ac yn mwynhau canu, daeth yr awydd i greu grŵp pop.

Gofynnais i Lynda Evans fod yn y grŵp, ond roedd rhaid rhoi cyfweliad i bawb arall. Wedi i mi ddewis tri arall, yn cynnwys gitarydd a drymiwr, roedd hi'n bryd i mi gyflwyno – *cue drum roll* – Wyddfa Wen, grŵp harmoni newydd o Rhos Uffern. Pam yr enw 'Wyddfa Wen'? Duw a ŵyr, doeddwn i ddim yn gwbod lle roedd yr Wyddfa ar y pryd, hyd yn oed. O fewn dim, cawson ni *bookings* o bob man, gan 'mod i yn barod wedi perfformio ym mhob neuadd, cartre hen bobl, ac ar bob llwyfan posib, ac felly roedd gen i'r cysylltiadau i gyd. Mynnais fod pob aelod o'r grŵp yn talu 10c bob ymarfer, a chyn pen dim roedd digon yn y *kitty* i brynu *stage outfits*: tops pinc i'r gnethod a rhai brown i ni'r bechgyn.

Weles i hysbyseb yn y papur lleol fod y BBC yn chwilio am grŵp newydd ifanc i ymddangos mewn rhaglen ar gyfres newydd ar y teledu. Felly, ar ôl galw mwy o ymarferion, ar ben y ddau roeddwn i'n eu cynnal bob wythnos yn barod, daeth yr amser i ni gael clyweliad. Fel pob clyweliad, roedd rhaid aros am y canlyniadau, ac erbyn i'r llythyr gyrraedd y tŷ wythnosau'n ddiweddarach, roedd gweddill y grŵp wedi dechre colli diddordeb. A dydw i ddim yn eu beio, efo finne fatha *bossy-boots* yn eu canol. 'Lynda Evans, paid â gwneud y *sway* i'r chwith, gwna fo i'r dde efo pawb arall!' a 'Pam ti'n hwyr, Lynda, mae'r ymarfer yn cychwyn am bump o'r gloch, ON THE DOT, nid *ten past!*'

'Deffra, cariad, ma' 'ne amlen yma, 'di dŵad o'r BBC i ti, cocls,' medde Mam. Agorais y llythyr …

Annwyl Stephen ac aelodau Wyddfa Wen,
Diolch am ddod i'r clyweliadau. Rydym yn falch o ddweud ein bod wedi mwynhau eich perfformiad yn fawr iawn. Yn hytrach na'ch gwahodd i ganu mewn un rhaglen, rydym am eich gwahodd i ymddangos yn y gyfres i gyd …

Mi oedd Mam yn chuffed. 'O, dwi 'di gneidi i chi i gyd. *Brilliant!*'
Yn hwyrach y noson honno, 'Hei, well i ti ateb y llythyr 'ne fory,'
medde Mam a hithe at 'i chlustie, y tro hwn mewn picls.

'Dwi 'di troi nhw lawr,' medde finne yn hanner lladd fy hun yn
trio ymestyn fy mysedd i wneud yr *F chord* ar y gitâr.

'Be gyndiar yn y byd? Pam?' medde hi'n tywallt sur ar ben ei
phicls.

'Dwi 'di deud diolch, ond dim diolch, gan fod gweddill y grŵp
ddim yn ddigon *dedicated*, so dwi 'di gorfod 'u troi nhw lawr.'
Clywais i jar mawr yn syrthio ar y bwrdd ac am y tro cynta erioed
roedd Mam yn hollol fud. Ceisiodd pawb fy mherswadio i newid fy
meddwl, ond roedd y penderfyniad wedi'i wneud. Roedd Fatty-Poof
angen cant y cant, neu ddim o gwbl.

Roedd fy amserlen wythnosol yn boncyrs, yn enwedig o feddwl
'mod i ddim ond yn fy arddegau cynnar erbyn hyn. Hyd yn oed heb
ymarferion Wyddfa Wen, roedd yna ymarferion Cwmni Drama
Capel Bethlehem, yr Aelwyd, gigs yng Nghlwb yr Hafod, Theatr
Ieuenctid Clwyd a chynyrchiadau ysgol, a oedd yn golygu 'mod i'n
ymarfer rhywbeth bob nos ar ôl ysgol a phob penwythnos. Roedd
cyfnod pob steddfod hyd yn oed yn fwy prysur, a'r awch i gystadlu
mewn cymaint â phosib o gystadlaethau gwahanol fel tân yn fy mol.

Mae un steddfod yn sefyll allan yn y meddwl. Wel, un diwrnod o
steddfod o leia, ond 'Pa steddfod?' sy'n gwestiwn arall, gan fod pob
un wedi cymysgu'n un yn fy mhen. Dwi ddim hyd yn oed yn gallu
gwahaniaethu rhwng yr Urdd a'r Genedlaethol! Maen nhw fatha un
llond cae mawr o bobl yn troelli rownd pabell wag, yn gofyn yr un
hen gwestiyne i'w gilydd mewn acenion gwirion.

'Shwt y'ch chi 'de? Chi miwn carafán? Chi 'ma am yr wythnos?
O, ma' hon weti tyfu, on'd yw 'i? Hwyl am y tro!' Mae hi fatha
merry-go-round di-baid, cyn cychwyn eto efo'r rownd nesa.

'Shwt y'ch chi 'de? Chi miwn carafán?' Eniwe, un bore yn ystod
yr eisteddfod 'gofiadwy' yma, a minne'n bymtheg oed, cofiwch,
wnes i ddeffro efo uffern o *hangover*, ddim yn gallu cofio lle oeddwn
i. Agor un llygad a gweld dim ond tywyllwch. Yn sydyn, sylweddoli
'mod i mewn gwely dwbwl efo rhywun arall. Rhywun mawr, blewog.

Clywed crec anferth wedyn, fel rhywbeth yn torri, a finne a'r rhywun blewog 'ma yn crasio tua throedfedd i'r llawr a glanio ar ein heistedd.

Edrychon ni ar ein gilydd, yn rhythu drwy'r tywyllwch, ac yn araf iawn dyma fi'n sylweddoli pwy oedd o: neb llai na'r actor Ieuan Rhys. Ieu a fi mewn carafán diarth ar un o'r gwlâu pathetig oedd wedi torri dan y pwyse! Ar ôl meddwi y noson cynt roedden ni wedi blagio gwely yng ngharafán haid o ferched, a'r rheini'n fodlon cysgu ar lawr eu carafán eu hunain!

O'r eiliad lanion ni ar ein tinau, dyma ni'n dau'n sylweddoli ein bod wedi deffro'n hwyr, a bod gan y ddau ohonom ragbrofion o fewn yr awr nesa, a ninne filltiroedd o'r maes. Mi daflon ni ddillad amdanon ni mor gyflym, mae'n syndod bod 'run ohonon ni heb wisgo iwnifform ysgol y llall, ac off â ni yn erbyn y gwynt a'r glaw, gan daflu i fyny mewn ambell wrych ar y ffordd, a chyrraedd y maes efo eiliade i fynd. Aeth Ieu i'w ragbrawf o, a rhedes i o un rhagbrawf i'r llall, fatha iâr heb ben. Serch hynny, cafodd yr iâr chwyslyd lwyfan yn y pedair cystadleuaeth gynta, sef y Grŵp Roc, Grŵp Gwerin a dwy na alla i gofio'u henwau!

Un rhagbrawf oedd ar ôl ar fy *hit list*, sef yr unawd glasurol i fechgyn o dan ddeunaw oed, a finne'n bymtheg, a heb gael gwers ganu yn fy myw, heb sôn am wers glasurol. Eisteddodd Mam a finne i lawr i wrando ar y 'gystadleuaeth'. Y darn gosod oedd 'Fy Ngwlad'. Roedd cant a mil o fechgyn llawer hŷn na fi yn y rhagbrawf, un ribedi-blydi-res hir o fechgyn llipa, hormonaidd, gwelw a digalon, pawb yn ynganu'n ffug-glasurol, 'Fy Ngwlôd', a finne'n meddwl, 'Uffern, alla i neud yn well na nene.'

'Nesa – o Ysgol Morgan Llwyd, Wrecsam – Stephen Parry!' Cychwynnodd y cyfeilydd. Roeddwn wedi penderfynu mai'r unig ffordd o lwyddo oedd drwy ddynwared canwr opera clasurol, canwr a oedd (1) yn swnio'n ddiolchgar ei fod yn fyw a (2) a oedd yn gallu ynganu'r gair 'gwlad' heb swnio fel tase ganddo sbaner i fyny'i din o. Rhoddais gymaint o angerdd yn y geiriau 'Fy Ngwlaaaaaaaaaaaaaaad!' nes i mi bron â llewygu, ond roedd y beirniaid yn hapus i mi fynd drwodd i'r llwyfan unwaith eto.

'O, dwi'n *chuffed* i ti,' medde Mam. 'Well inni ffonio dy dad.'

Mae Mam yn iawn yn ei chynefin, ond o fewn maes steddfod roedd hi dros ben llestri, a'i chalon yn ei gwddw. Bob tro roedd rhaid i mi fynd i gystadlu ar y llwyfan fawr roedd hi'n fflapio.

'Arglwydd mawr, dyma ni eto,' fel tasen ni ar ryw *rollercoaster*. 'Rhaid mi fynd i'r Ladies cyn ti ganu.'

Aeth y prynhawn hwnnw fel watsh: pedair cystadleuaeth ar y llwyfan fawr, efo jyst digon o amser rhwng pob un i Mam neud mwy o ffỳs a rhedeg i'r Ladies eto.

'O! Ti on a rôl, cariad,' medde hi wrth i'r canlyniade ddod i'r golwg a finne wedi bachu pedwar 1af, un ar ôl y llall! Bingo!

Cefais fy ngalw gefn llwyfan am y tro ola'r diwrnod hwnnw i gystadlu yn erbyn dau arall ('digalon a diffyg ynganu') yn y gystadleuaeth Unawd Glasurol i Fechgyn dan Ddeunaw. Roedd Mam wedi weindio erbyn hyn ac yn barod i chwythu efo'r holl ecseitment. Daeth hithe efo fi, yn adrenalin i gyd, i gefn y babell, oherwydd fod 'na 'Ladies gymaint glanach ene'n does?' Mi gerddais yn dawel ar ochr y llwyfan fawr, yn y wings, i aros fy nhro, gan glywed pabell lawn o bobl yn cymeradwyo un o'r 'digalons'.

'A'r ola i gystadlu ydy Stephen Parry o Ysgol Morgan Llwyd.'

'O uffern, dwi'n mynd i ga'l blydi *heart attack*,' medde Mam yn fy nghlust, gan ei bod hi wedi 'nilyn i i ochr y llwyfan fatha cysgod. Cerddes i 'mlaen i ganol y llwyfan enfawr i weld pabell orlawn a chamerâu teledu ym mhob cornel.

'Caewch y drysau yn y cefn, a rhowch bob chware teg.'

Cychwynnodd y cyfeilydd, ac fel yn y rhagbrawf, mi benderfynais i ynganu 'Gwlaaaaaad!' mor angerddol ag o'r blaen *a* gwenu yr un pryd. Wrth i mi gymryd anadl i gychwyn y pennill cynta, be glywais i o'r wings, mor *subtle* â rhech mewn lifft, oedd ... 'Stephen, cana nes bod twll dy din di'n crynu.' Wel, mi wnaeth o, ac mi wnes i!

'A'r enillydd yw ... Stephen Parry!' *Phew!* PUMP cynta mewn UN diwrnod, a hynny ar ôl torri gwely efo Ieuan Rhys. Diwrnod da! Be oedd nesa tybed?

PENNOD 3
Colled

Ypeth mwya sicr mewn bywyd yw'r ffaith ein bod yn marw. O'r eiliad yr ydym yn deud 'helô' wrth y byd rydym yn nesáu at y 'ta-ta', a'r peth anodda i'r rhan fwya ohonom yw derbyn hyn a dygymod â cholled. Yn anffodus, dwi wedi cael sawl gwers galed mewn bywyd, ac wedi colli llawer o bobl, a hynny wedi fy llorio bob tro, ond y golled fawr gynta un, yn fy mhlentyndod, a siapiodd fy nghymeriad, fy ngreddf, fy mhopeth ...

Roedd hi'n fore Gwener, a finne fel arfer yn deffro yn y cwt glo. Doedd y cwt glo yma ddim byd tebyg i unrhyw gwt glo arall ar wyneb y ddaear. *Man-cave* fydde rhai yn ei alw'r dyddie yma, neu falle yn yr achos yma, *boy-cave*. Roedd ein *two-up two-down* fechan ni yn School Street yn hurt o fach i Mam, Dad, Anthony a finne, ac er i ni gael estyniad ar y cefn doedd hynny fawr o help i neb. Roedd llofft fy mrawd a fi fatha *lean-to* cul, ac roedd rhaid crepian drwy lofft ein rhieni i'w chyrraedd. I lawr y grisie crwn roedd yna gegin

21

gul o dan ein llofft, a stafell fyw oedd, yn gyflym iawn, diolch i mi, wedi ei throi yn stiwdio, llwyfan, swyddfa a chanolfan gymunedol i fy nghynyrchiade! Er cymaint yr estyniad, hyd heddiw dwi ddim cweit yn deall sut oedd cael bathrwm, un a oedd gymaint â gweddill yr adeilad, yn mynd i helpu bywyd bob dydd, pan oedd gweddill y tŷ mor boenus o fach, yn enwedig i Dad, Anthony a fi, a oedd dros chwe throedfedd, a'r nenfwd yn is na'n penne. Ta waeth, roedden ni'n hapus ein byd, er y cleisie ar dalcen ambell waith.

I leihau ar y traffig yn yr ystafell fyw, mi benderfynodd Mam a Dad drawsnewid ein cwt glo i fod yn *den* i Anthony a fi. Dwi'n cofio cynhyrfu'n lân ein bod am gael drws fel un stabal ceffyl arno, oherwydd mai stabal ceffyl oedd o ar un adeg. Roedd Dad yn arfer adrodd stori 'wir' bod eliffant wedi aros yno pan ddaeth y syrcas i'r Rhos rywbryd tua dechre'r ugeinfed ganrif. Wel, roedd 'na eliffant arall yn eiddgar i symud i mewn, ac ar hast hefyd. Doedd gan fy mrawd ddim siawns mul o gymryd cydberchnogaeth o'n cwt glo newydd, a chyn iddo gael amser i feddwl pa steil fydde'r stafell 'ma, roedd fy ngwely sengl yno a phob wal wedi ei phlastro efo posteri ABBA a Kate Bush.

Yn wythnosol, bydde'r cymdogion yn clywed Wyddfa Wen yn ymarfer 'Helô Dymbo' neu 'Llongau Caernarfon', neu'n gallu gweld Fatty-Poof yn ymarfer rwtîns 'Dancing Queen' neu 'Wuthering Heights' dros dop y drws. Ond, yn ddiarwybod i mi, roedd bywyd yn fy nefoedd-ar-y-ddaear newydd, fy nihangfa o fywyd di-liw y pentre, ar fin cael ei chwalu am byth. Bydde'r lle delfrydol i greu ac i ganu yn troi yn lle i grio.

Ar fore'r dydd Gwener tyngedfennol hwnnw mi ddeffres i, fel arfer, yn y cwt glo, neidio i'm fersiwn i o wisg Ysgol Morgan Llwyd, addasiad creadigol iawn o'r rheolau a'r lliwiau swyddogol, gan swopio crys gwyn am grys marŵn, a chlymu fy nhei gyda chwlwm ehangach na 'ngheg, bron. Camais dros waelod drws fy stabal, yn *hair gel* a *hairspray* i gyd, gan dynnu top y drws ynghau a strytio fatha Travolta tuag at y bws ysgol, gyda'r *centre parting* mwya annaturiol yng Nghlwyd. Roedd dydd Gwener yn baradwys i mi, ers i amserlen yr ysgol newid o *double* Ymarfer Corff i fod yn *double* Cerdd. Roedd

double Ymarfer Corff wedi gwasgu pob mymryn o hapusrwydd allan ohona i. Finne fatha ochr tŷ, efo *chips hips* a chorff cawr oedd angen help y cownsil i'w lusgo ar draws gwlad. Fydde gorfod tynnu fy nillad i gael cawod efo gweddill y blydi pentre ddim yn helpu chwaith, a finne'n aeddfedu fel gorila ym mhob twll a chornel. Dwi'n cofio'n glir bod yn hollol *gutted* bod y merched yn cael *periods*, esgus perffaith i beidio â chymryd rhan mewn unrhyw beth corfforol. Annheg. Ond un diwrnod dalies i glamp o ferwca wrth geisio sleifio allan o gawod y gampfa, heb i neb weld fy mhethe. Fatha mellten wen mewn düwch llwyr, cyrhaeddodd yr esgus perffaith i beidio â gorfod chwysu byth eto ar fore Gwener, ac er i Mam brynu popeth posib i ladd y ferwca, mi wnes i smalio ceisio ei drin, ond yn glyfar iawn, doeddwn i ddim hyd yn oed wedi tynnu top y tiwb Bazuka. Y canlyniad? Wel, mi fagais i ffasiwn ferwca nes bod gwreiddie'r blydi peth bron â chyrraedd fy nhin. Ond dim ymarfer corff! *Result!*

Felly *double* Cerdd amdani! 'Bring it on,' medde finne wrtha i fy hun yn wên o glust i glust, gan ganu, 'D'ya wanna be in my gang, my gang, my gang?' ar sêt gefn y bws efo'r merched. Prawf clust oedd fy nghyfle i ddisgleirio yn y dosbarth. Dydw i hyd heddiw ddim yn darllen nodyn o gerddoriaeth, er i mi ganu mewn sioeau cerdd yn y West End a hyd yn oed basio Lefel A Cerdd, ond roedd y prawf clust yn profi i mi fod clust gerddorol dda iawn gen i, a chlust well na gweddill y dosbarth. *Oh, happy days!* Roeddwn i o'r diwedd wedi darganfod rhywbeth oedd yn fy ngalluogi i ddisgleirio yn y dosbarth, heblaw am siarad a gwneud i bobl chwerthin.

Daeth y bws i flaen yr ysgol, ac fel soldiwrs bach hormonaidd daethom oddi arno yn ribidi-res, a'n penne i lawr yn mymblo, 'Bore da, Syr,' wrth Ben, ein prifathro, sef Mr Davies. Roedd Ben, bob bore, yn ein cyfarch fel *sergeant major* ar waelod grisie'r bws a'n henwi bob un wrth i ni lanio ar y pafin. Dwi'n cofio'n glir, hyd heddiw, sylwi fod trowsus siwt Ben yn ddu yn lle'r nefi neu'r llwyd arferol. Pam sylwi ar hyn tybed? Roedd Ben yn mynd i angladd y diwrnod hwnnw, ond pam oeddwn i wedi sylwi ar hyn?

O fewn dim, roeddwn i'n glyfoerio am glywed 'Bach Chorale' yn fy mhen, yn rhes flaen *double* Cerdd. Roeddwn i'n gallu dibynnu

gymaint ar fy nghlust gerddorol wrth greu *chorale* yn fy mhen, fel fy mod yn garantîd o gael o leia 28/30, os nad marcie llawn, bob bore Gwener. Gosododd Mr John Daniel, yr athro, ein tasg, ac off â fi yn fy mhen i weu harmoni pedwar llais. O fewn dim roedd Mr Daniel wedi marcio'r cyfan, a finne yn iste'n smyg yn aros am y canlyniade efo *drum roll* dychmygol yn seinio yn fy nghlust.

'Be ddiawl sy'n bod arnat ti, Stephen Parry?' medde Mr Daniel yn swrth.

'Pam? Be sy?' medde fi'n gwenu, yn disgwyl cael cweir am beidio â chael marcie llawn.

'Un marc allan o dri deg? Be wyt ti'n meddwl ti'n neud?' medde'r athro'n gas, fel slap ar draws fy ngwep. Edrychais rownd mewn sioc a digwydd gweld wynebe Dyfed a Dylan, efeilliaid yn fy nosbarth, oedd mor *shocked* â fi. Yna digwyddodd y fathemateg fwya *bizarre* yn fy mhen. Anodd deud ai clywed neu weld y peth a wnes i ond dyma beth ddaeth ata i ... **Mae tad Dyfed a Dylan wedi cael** *heart attack* **yn ddiweddar** = **MAE 'NHAD WEDI MARW.** Roedd na ddistawrwydd annioddefol o uchel rhywsut yn fy nghlustie, ac mi gamodd Ben y prifathro i mewn a deud, 'Stephen Parry, tyrd allan am funud.' Roedd y distawrwydd yn fy nghlustie erbyn hyn yn fyddarol a dydw i ddim yn cofio'r digwyddiad nesa. Dysgais wedyn fod Ben wedi rhoi ei fraich o 'nghwmpas i gan ddeud fod Dad yn sâl iawn, er mwyn fy mharatoi am newyddion gwaeth i ddod, ond fy mod i wedi ei daro'n galed ar draws ei gefn gan ei gyhuddo o ddeud celwydd. Drwy dderbyn y neges fathemategol hon yn fy mhen roeddwn i'n gwbod yn bendant rhywsut ei fod wedi mynd.

Roedd y daith drwy'r coridorau tuag at y stafell athrawon, lle roedd aelodau o'r teulu ac ambell athro yn fy aros, mor hir, mor boenus ac mor echrydus o ddistaw. O fewn dim dysgais fod Dad wedi marw o 'rupture of the abdominal aorta', gwendid mewn gwythïen fawr a fydde wedi gallu digwydd unrhyw bryd yn ei fywyd, ond roedd o wedi digwydd a fynte 'mond yn 49 mlwydd oed. Yr unig beth oeddwn i isio oedd gweld Mam, ac wrth i mi ruthro ati yn yr ysbyty, cafodd hi ei thynnu i mewn i stafell allan o 'ngolwg i gael ei chyfweld gan yr heddlu. Erbyn hyn dwi'n deall mai *procedure*

oedd hwn, ond dwi'n cofio panicio ar y pryd. Oedd yr heddlu yn ei chyhuddo hi o'i ladd o? *Hold on!* Oedd hi *wedi* ei ladd o?

O'r bore dydd Gwener hwnnw, roeddwn i'n teimlo 'mod i wedi ennill rhywbeth wrth golli Dad. Roeddwn i hefyd yn teimlo ei fod wedi rhoi rhywbeth amhrisiadwy i mi. Dwi'n parhau i ymfalchïo yn y ffaith ei fod, y diwrnod hwnnw, wedi dod i ddeud ffarwél wrtha i yn bersonol yn y dosbarth, drwy ryw neges oedd yn cynnwys symbol mathemategol! Roedd hyn yn gymaint o help drwy'r cyfnod galaru, pan oedd pob eiliad yn teimlo fel oes. Cyrraedd 'nôl o'r ysbyty, a gadael Dad yno ar ei ben ei hun, ac yna clywed cnoc ar y drws cefn, a'r wraig drws nesa'n gofyn, cyn i mi gael siawns i dynnu fy nghôt hyd yn oed, 'Hi, is your dad in?'

Finne yn gorfod deud y geirie diarth am y tro cynta, 'No, my dad's dead,' a'i dal yn dynn wrth iddi wichio crio nes bod fy anorac i'n socian. Ddyddie yn ddiweddarach, Mam yn gosod y bwrdd cinio i bedwar, a'r tri ohonom yn rhewi'n fud wrth iddi, druan, orfod rhoi ei blât yn ôl yn y cwpwrdd. Roedd pob dydd yn dod â sialens newydd ond roedd y doethineb a ddaeth drwy ddrws ochr, wrth i'r ddrws o 'mlaen i gau yn glep, yn gysur ac yn gryfder – hyd yn oed yn gadael i mi weld yr ochr gomic yn y tywyllwch o 'nghwmpas.

Mae'r ffordd mae rhai oedolion yn ymateb i golled rhywun yn hynod, a dysgais i hyn yn gyflym iawn. Roedd y dyddie yn dilyn marwolaeth Dad yn anodd tu hwnt, yn enwedig y cyfnod cyn yr angladd. Cysgu, crio, blino crio a chysgu eto, a deffro bob hyn a hyn ar y soffa a'r stafell ffrynt yn llawn o bobl wahanol i'r tro dwytha agorais i fy llygaid. Rhai wynebau'n gyfarwydd, rhai ddim. Roedd y gegin wedi troi yn gaffi llawn-amser efo gwragedd yn berwi'r tecell yn ddi-baid ac yn sibrwd dan eu gwynt wrth iddyn nhw roi menyn ar gant a mil o ddarne bara brith. Roedd Mam jyst yn ailadrodd y digwyddiade hyd at ei farwolaeth am orie, drosodd a throsodd. Dyna pam aeth fy mrawd i helpu i wneud y paneidie o de i gannoedd o bobl dros y penwythnos, ei ffordd o o ddygymod, mae'n siŵr. Roedd y stafell ffrynt yn llawn marwolaeth Dad: cardie a blode, a phawb yn ceisio llenwi'r distawrwydd gan falu yn gwrtais-nerfus-wirion, neb yn meiddio edrych i fyw llygaid neb arall, a phawb yn

cystadlu gymaint efo'i gilydd mewn dwy brif gystadleuaeth – gan
bwy oedd y rysáit orau am fara brith, a phwy oedd yn deall orau sut
roeddwn i'n teimlo.

'O, dwi'n gwbod be 'di colled. Pan na'th y wraig dros y ffordd
farw, a' mi ga'l gymaint o sioc, a hithe 'mond yn *sixty two!*'

'Ma' Beti ni yn gwneud un hi efo syltanas wedi'u socio mewn te
oer.'

'Wel, pan a' mi glywed am *manageress* y Cwop yn syrthio'n farw
yn ymyl y *fruit and veg*, gais i mi ga'l *breakdown.*'

'Ma' 'mara brith i mor moist, 'sdim angen menyn, ffŵl.'

'Wna i fyth anghofio sut deimlad oedd colli Molly ni, a hithe
'mond newydd ddychwelyd o'r fets.'

Ond y gwir oedd nad oedd neb yn deall sut oeddwn i'n teimlo,
a doeddwn i ddim yn gwbod sut oedd fy mrawd yn teimlo, a 'run
ohonom yn deall sut oedd Mam yn teimlo. A doedd yr un ohonom
yn hidio'r un cic am fara-ffycin-brith.

Wna i fyth anghofio trafaelio yn y car mawr du i'r angladd: Mam
yn y canol a fi a 'mrawd bob ochr iddi fatha *boy-bouncers*. Wrth i ni
droi cornel mi wnaeth rhywbeth dynnu fy sylw. Roeddwn i'n taeru
'mod i wedi gweld rhywbeth yn popio allan, fatha *fish finger* du, efo
bylb oren ar ei ddiwedd yn fflachio, ond wrth i mi droi fy mhen i
edrych yn iawn, mi ddiflannodd 'nôl i mewn i gorff y car. Od, medde
fi wrtha i fy hun, gan iste 'nôl yn y pydew du o realiti angladd fy
nhad. Daethom at gornel arall, ac mi weles i'n glir y tro hyn, y *fish
finger* du yn saethu allan fatha codiad ci, ac yn fflachio. Mi wnes
i chwerthin yn uchel wrth sylweddoli fod gan ein car yr *indicato*r
mwya camp ar wyneb y ddaear. Bydde Dad wedi chwerthin hefyd.

'A nawr mae disgyblion Ysgol Morgan Llwyd am ganu teyrnged
i'r diweddar Ted Parry, cân sydd wedi cael ei sgwennu yn arbennig
ar gyfer ei angladd gan ei fab Stephen,' medde'r gwnidog rhan-amser,
un o gyd-weithwyr Dad. Be ffwc? Bron i mi syrthio oddi ar sêt y
capel. Doeddwn i ddim wedi sgwennu unrhyw beth at yr angladd,
na neb wedi gofyn chwaith o dan y fath amgylchiade. Dyma gôr yr
ysgol yn dechre cerdded yn araf i flaen y capel, a finne bron â chachu
fy nghlos, yn dredio be oedd y gân. Oedd hi'n un addas? Oedd hi'n

un dda? A phwy ffwc oedd wedi *actually* ei sgwennu hi? *Phew*! Wrth lwc, cân addas iawn o'r sioe gerdd *Y Mab Afradlon* oedd hi, sioe ysgol yr oeddwn i wedi sgwennu caneuon ar ei chyfer, ac mi wnaeth fy nghyd-ddisgyblion ei hoelio, chwarae teg iddyn nhw.

Bob tro roedd Elwyn y gwnidog yn cyhoeddi emyn yn ystod yr angladd, yn naturiol roedd y dorf enfawr yn codi ar ei thraed, ond roedd y sioc o golli Dad wedi mynd i goesau Mam, ac felly bob tro roedd hi'n trio codi roedd ei choesau'n gwanhau odani. Yn naturiol, roeddwn i ac Anthony wedyn yn iste yn ôl i lawr bob ochr iddi ar ôl eiliad neu ddwy i fod efo hi, wedyn ambell aelod arall o'r teulu hefyd yn iste i lawr ar ganol yr emyn i ddangos cefnogaeth i ni i gyd. Ar ôl y trydydd emyn, a'r trydydd tro i ni i gyd bobio i fyny ac i lawr, wnes i ddechre gwenu, wrth feddwl sut fydde'r olygfa yn edrych i bwy bynnag oedd yn sbio i lawr arnom o'r galeri, neu Dad hyd yn oed. Mae'n siŵr ei bod yn edrych fel tasen ni ar ganol gwneud y blydi Hokey Cokey. Wnaeth y ddawns hurt yma ddim cyrraedd cefn yr ystafell, wrth lwc, neu fydde'r Hokey Cokey wedi treiddio i'r tu allan, lle roedd hyd yn oed mwy o bobl a oedd wedi methu cael sêt.

Y peth mwya doniol yn y sefyllfa boenus yma oedd fod Elwyn yn canu gymaint yn uwch nag unrhyw un arall ar y blaned, ac felly pan oedd o'n gofyn i ni gydganu, be oedd o wir yn ei ofyn oedd a fydden ni i gyd yn *backing singers* iddo fo er mwyn rhoi'r cyfle iddo floeddio fatha Brian Blessed, nes bod ei dwll din o'n crynu mwy na'n un i yn y steddfod gynt. Ond mi fyse'r angerdd a'r pŵer a roddodd i bob nodyn o bob llinell o bob pennill wedi gwneud i Tarzan swnio fel *lightweight*. Mae Elwyn wedi cyflwyno llawer o angladdau'r teulu ers hynny, a byth yn ein gadael i lawr wrth iddo udo fatha buwch yn rhoi genedigaeth i dractor. Mae hyn wedi fy atgoffa i roi cais yn fy ewyllys i beidio â bwcio Elwyn druan i'n angladd i, neu fydda i'n cnocio caead fy arch ac yn gweiddi, 'Calm down, dear!'

Yn anffodus, mi ydw i wedi colli llawer o bobl ers colli Dad, ac er nad yw colled yn rhywbeth sy'n dod yn haws efo profiad, gwn nad ydy pobl yn ein gadael yn gyfan gwbl, dim ond yn gorfforol. Mae Dad yn rhan annatod o fy mywyd hyd heddiw, ac yn medru dylanwadu ar fy mhenderfyniade, fy meddylie a 'mhrofiade. Mae

Dad rhywsut yn teimlo'n agos ata i mewn sefyllfaoedd eithriadol. Er enghraifft, pan dwi'n mynd â sioe ar daith ar ben fy hun, ac yn iste yn yr ystafell wisgo yn y cefn, yn aros i gamu i'r llwyfan, mae pawb dwi wedi'u colli fel tasen nhw'n ymddangos yn fwy clir ac amlwg i mi rhywsut, yn enwedig Dad. Mi alla i deimlo rhywbeth, ond mae'n rhy gymhleth i'w ddisgrifio. Efallai mai fy nychymyg yw hyn, neu finne yn chwilio am gysur, ond does dim ots beth yw'r esboniad, ond i mi gael y boddhad o'i deimlo. Weithiau mae'n fy nharo'n drwm fod gymaint o fy hoff bobl wedi marw, ond yr ochr arall i'r geiniog ydy 'mod i'n falch 'mod i'n gwerthfawrogi'r rhai sy'n dal efo fi gymaint yn fwy, falle yn fwy nag mae rhai ohonynt yn ei wybod. Mi ddudodd rhywun call unwaith, 'Dan ni 'mond yma ar y ddaear 'ma am y cyfnod y dylen ni fod', ac er bod hyn yn anodd ei dderbyn weithiau, mae 'na gysur ynddo hefyd.

*   *   *

Wrth gwrs, roedd colli Dad yn un ar bymtheg oed yn golygu nad oeddwn i wedi cael y siawns i ddod i'w nabod o fel oedolyn, a'i gymryd am beint, neu bryd o fwyd, fel ydw i'n gyson efo Mam. Dim ond wrth heneiddio yr ydym yn dŵad i nabod ein rhieni fel pobl go iawn, ac nid jyst rhywun sy'n rhoi bwyd ar y bwrdd, penderfynu pryd y dylen ni fynd i'r gwely, a thalu bilie; ond eto, dwi erioed wedi gorfod diodde gweld Dad yn heneiddio, neu'n mynd yn sâl, neu'n colli gafael.

Roedd Dad yn cael ei nabod fel 'dyn da' yn ei ddydd, ac yn glust i lawer, ac yn dda efo pobl. Roedd o hefyd yn un doniol, efo hiwmor bendigedig o hurt. Dwi'n cofio dod adre o'r ysgol un prynhawn, a fynte yn sefyll yng nghornel y stafell ffrynt efo *lampshade* anferth dros ei ben. Wrth i mi agor y drws a'i weld, bu distawrwydd llwyr tra oeddwn i'n ceisio dyfalu be ar wyneb y ddaear oedd yn digwydd. 'Dwi ddim yma,' medde fo'n fflat, a dyna i gyd. Jôc fach boncyrs i godi gwên ar fy wyneb, heb unrhyw resymeg o gwbl. Un o hoff bethau Dad oedd ein hembarasio ni'r plant pan oedd ein ffrindiau'n dod i'r tŷ, ac wrth iddyn nhw ddod i mewn drwy'r drws

mi oedd o'n neidio i mewn i senario dychmygol o *family showdown* wrth iddo floeddio nerth ei ben, 'Paid ti â bod mor *cheeky* efo dy dad, neu gei di hws din,' a chocsio'n slapio ni ar draws ein coesau. Bydde'r ffrindiau wedyn yn gwingo ac yn bacio allan yn ôl drwy ddrws y ffrynt. Bydde Dad wrth ei fodd, fi a 'mrawd â chywilydd, a Mam yn chwerthin fel iâr.

Pièce de résistance Dad oedd chwarae'r ffŵl efo fy ffrind bychan, Wayne. Roedd Wayne yn ddistaw, yn annwyl ac yn stryglo efo atal deud. Fo hefyd oedd yn dŵad â'r *Evening Leader* i ni bob amser te. A bob amser te, yn ddi-ffael, roedd Dad yn perfformio'r rwtîn mwya bendigedig o hurt. Roedd Mam wedi cael adeiladu portsh, llai na stamp, o flaen ein drws ffrynt, portsh oedd ddim ond yn ddigon mawr i fat croeso a *geranium*. Roedd y portsh wedi ei wneud o frics hyd at dair troedfedd o uchder, a'r gweddill yn wydr, efo drws ffrynt allanol gwydr hefyd. Roedd chwarter i chwech yn agosáu, a Dad yn cymryd ei le ar ei benglinie yn y portsh, a ni'n tri yn iste a disgwyl i Wayne straffaglu i lawr yr ardd efo'i fag mawr yn llawn papurau newydd. Wrth i Wayne druan chwithio'r *Evening Leader* drwy'r blwch llythyrau, roedd Dad yn neidio at y papur newydd fatha ci rheibus yn ceisio dwyn y papur o'i law, ac yn cyfarth fel blaidd gwallgo. Bydde Wayne yn gwichio ac yn rhedeg mor gyflym â phosib gan ollwng hanner cynnwys ei fag ar hyd yr ardd ffrynt. Yna roedd Dad yn cerdded 'nôl i mewn i'r stafell ffrynt, yn dawel braf, fel tase dim byd wedi digwydd o gwbl, ac yn iste i ddarllen ei bapur. Eto, bydden ni'n tri yn ein dyble. Roedd Wayne yn gwbod yn iawn nad oedd 'na gi yn tŷ ni, ac yn waeth fyth, roedd o'n gallu gweld Dad drwy'r gwydr, mor glir â'r grisial, yn aros i bownsio arno. 'Sdim rhyfedd fod atal deud arno. Dyma'r pethe dwi'n eu colli.

Un broblem sy'n deillio o golled heb rybudd yw sylweddoli fod 'na bosibilrwydd i hyn ddigwydd eto, ac mae hi'n anodd iawn arna i weithiau pan dwi'n ffonio Mam, fel ydw i'n ddyddiol, a hithe ddim yn ateb. Wrth gwrs, fydde hi 'mond wedi picio i'r siop, neu heb glywed y ffôn, ond i mi mae'r gwaetha mor bosib. Sawl gwaith dwi wedi gofyn i berthynas fynd draw i'r tŷ, gan 'mod i dros dair awr i ffwrdd, i sicrhau ei bod hi'n iawn? Un tro, aeth fy nghyfnither i

mewn i'r tŷ, a'n ffonio i'n ôl i ddeud nad oedd sôn amdani; doedd hi ddim yn yr ardd, y gegin na'r bathrwm. Roedd hi hyd yn oed wedi edrych dan y gwely. Mi wnes i gredu am tua hanner awr fod rhywun wedi ei herwgipio, a'i ffrogmartsio at y twll yn y wal, ond na: roedd Mam yn cael ei hail lasied o Sauvignon Blanc a phlatied o *ffîsh* a *chîps* yn Llangollen. Ffiw! Ond dyna beth sy'n dŵad yn sgil colled.

* * *

Newidiodd popeth yn fy mywyd o'r diwrnod y bu Dad farw, a newid am byth. Ond efo'r golled annisgwyl, enfawr yma, fel dwi wedi sôn yn barod, mi wnes i ennill rhyw fath o ddoethineb; dwi'n hynod ddiolchgar bod gen i'r arf allweddol bwysig yma yn fy llaw, yn fy nghalon ac yn fy enaid. Mae'r fraint o fod wedi dysgu un o wersi pwysica bywyd mor ifanc wedi fy ngalluogi i ddilyn fy ngreddf a symud ymlaen. Dwi'n ddigon hyderus i fedru anwybyddu'r lleisiau sy'n ein rhwystro rhag concro'r hyn sy'n ein cynhyrfu, y rhai sy'n gofyn, 'Be fydd pobl yn feddwl? Be os wnei di ffŵl ohonot ti dy hun? Be os wnei di fethu?'

Hyd heddiw – ac mae'n siŵr o barhau hyd ddiwedd fy amser yn y byd yma – dwi wedi gallu deud *a* gwneud. Yn dilyn fy mhrofiad o golled, dwi wedi cyflawni pethau na fyddwn i byth wedi eu cyflawni fel arall. Does gen i ddim ofn, dim amheuaeth a dim affliw o 'if onlys' yn fy nghysgodi. Mi wn yn iawn fod hyn yn ddweud mawr, ond ers y profiad o suddo a llithro a dygymod â newyddion tu hwnt o ddrwg, erbyn heddiw dwi'n aml yn teimlo rhyw fath o rym anferth yn fy mol ac o dan fy nhraed, fel y teimlad o fod mewn hofrenydd am y tro cynta erioed, wedi 'nghyffroi a 'nghynnal gan injan anferth, gyffrous.

Mae'r wers bywyd yma yn amlochrog a deud y lleia. Mi ydw i'n byw bywyd i'r eitha, yn mwynhau pob eiliad a phob person sy'n rhan ohono, gan 'mod i'n gwbod o brofiad nad ydy popeth yn para am byth. Mae'r wers yma wedi rhoi taw ar y lleisie 'ma, a 'ngollwng i'n berffaith rydd. Dwi'n deall yn iawn mai mater o bersbectif yw hyn, ond dwi yn credu, wrth i ddrws gau mewn bywyd, fod drws

arall am agor yn rhywle, rhywbryd, a heb y gred yma mi fyddwch chi'n ddall i agoriad y drws nesa. *Simples.*

*   *   *

Ers colli Dad dwi wedi profi galar sawl gwaith. Dwi wedi colli ffrindiau gorau yn dilyn salwch neu ddamwain – un cyn-gariad, yn wir, drwy hunanladdiad – a phob un ohonynt wedi mynd yn llawer rhy fuan. Cefais amser efo rhai, gan wybod fod eu hamser yma ar fin dod i ben. Mae hyn yn medru rhoi'r cyfle gwerthfawr i rywun i gael siarad â phobl yn gwbl ddi-flewyn-ar-dafod a gallu edrych i fyw eu llygaid a'u cysuro a'u caru. Cefais y sioc o weld eraill yn ein gadael cyn cael siawns i ddeud ffarwél, hyd yn oed. Ond mae ymadawiad pob un ohonynt yn tanlinellu'r ffaith y dylen ni fyw ein bywydau fel y mynnwn ni. Mae 'na ddwy ochr i bob ceiniog, ac i bob colled mae 'na ennill. Mae hi'n ddyletswydd arnom i fwynhau, i ddathlu ac i fyw bywyd. Gwnewch yn siŵr eich bod yn byw eich bywyd *chi*, nid trio byw bywyd rhywun arall, a gadewch i bobl eraill fyw eu bywydau nhw hefyd. Fyddwn ni ddim yma'n hir, ond mi allwn ni fod yma yn hapusach o lawer o wir dderbyn fod popeth da a drwg yn dŵad i ben.

PENNOD 4
Marilyn Siop Chîps

Mae unrhyw un sydd yn cyfarfod Mam a fi am y tro cynta yn rhyfeddu at y *banter* rhyngon ni. Mae ein perthynas yn un unigryw. Mae pobl yn fy nghyhuddo o siarad efo hi fel chwaer, neu blentyn i mi hyd yn oed, ac mae hi'n gallu bod yn hyn i gyd weithiau. Ers i Dad farw mae Mam wedi bod yn bopeth i mi: yn ffrind gorau, yn fam, ac yn dad hyd yn oed. Doedd cymeriad Mam ddim wastad mor hyderus. Yn ystod fy mhlentyndod roedd hi'n fwy o *stooge* i Dad, yn berson llai amlwg, ac yn gadael i Dad gymryd y *limelight*. Erbyn hyn mae hi a fi yn debycach i *double act*, a'r ddau ohonon ni'n reslo am fod ar ganol y llwyfan.

Flynyddoedd yn ôl, ei llwyfan hi oedd y siop *chîps*. Hi oedd y *ringmaster*, yn gwahodd pawb i mewn, yn gwneud i bob un cwsmer deimlo'n gartrefol, ac yn eu gyrru nhw o 'na yn wên o glust i glust ac yn llawn eu bolie. Roedd ganddi wên i bawb, a dydy hynny erioed wedi newid. Mae fy ffrindiau i gyd yn meddwl y byd ohoni,

a hithe ohonyn nhw. Mae ganddi galon anferth, a digon o amser i bawb. Dydw i erioed wedi cyfarfod rhywun sydd yn mwynhau pobl gymaint yn fy nydd, ac mae hi wastad mor falch o weld pobl yn mwynhau eu hunain. Hyd yn oed heddiw, a hithe yn ei hwythdegau, mae Mam wrth ei bodd wrth glywed fod pobl yn mwynhau, a does ganddi ddim gronyn o genfigen, na chwerwedd, tuag at neb sy'n cael gwell amser na hi. Mae hi wedi bod yn weddw ddwywaith, mewn ffordd; roedd ganddi gariad o'r enw Malcolm, flynyddoedd wedi i Dad farw, ond yn drist iawn buodd ynte farw hefyd. Ond, er iddi gael ei gadael ar ei phen ei hun ddwywaith yn ei bywyd, dydy hi erioed wedi cwyno dim.

Mae fy atgofion o Mam, pan oeddwn i'n blentyn, braidd yn niwlog, gan ei bod hi, y rhan fwya o'r amser, y tu ôl i'r cownter yn bwydo'r pentre. Ond doeddwn i byth yn cael fy ngadael yn rhy hir, tra oedd y siop ar agor. Roedd hi'n rhuthro i wneud yn sicr nad oedd fy mrawd a finne'n cweryla, neu hyd yn oed yn taflu pethau at ein gilydd, fel mae plant. Bydde Anthony a finne yn gallu ffeindio unrhyw reswm i gychwyn ffrae yn fechgyn, gydag Anthony yn llawn hormonau a finne'n llawn drama. Hoff bethau Mam oedd ei *figurines*, sef creadigaethau mwya erchyll y catalog, ffigyrau dynol mewn crochenwaith a oedd yn ffasiynol ar y pryd, medde hi. Bydde Mam yn casglu'r erchyllterau yma. Dwi'n eu cofio nhw i gyd, yn fanwl. Ar y silff ffenest yn y stafell ffrynt, roedd 'na ferch gyda pharasôl, a chi bach twt o dan ei chesail, a nesa ati, crwydryn mewn *top hat and tails* yn chwarae'r piano, efo titw tomos ar ei ysgwydd. Roedd Mam yn meddwl eu bod nhw mor chwaethus. Wrth lwc, bydde 'mrawd a fi yn clywed drws y portsh yn agor ac yn stopio ymladd jyst mewn pryd i osgoi cael ein dal, ac erbyn iddi gyrraedd y stafell fyw bydde Anthony 'nôl ar ei glarinét, a finne yn gorwedd ar y soffa, efo 'mreichie y tu ôl i 'mhen yn syllu'n angylaidd tua'r gorwel pell. Bydde hi weithiau'n sylwi, ar ôl wythnosau lu, fod newid bychan wedi dod i'r *figurines*, a bod y ferch wedi colli ei pharasôl, ei phen a'i chi, a'r crwydryn bellach yn chwarae'r piano efo un llaw, yn gwisgo hanner het a'i ditw tomos yn *tatters*. 'O, 'dych chi'n fechgyn da,' fydde hi'n deud, mewn rhyddhad, mor falch ein bod ni'n bihafio,

heb sylwi dim, a ninne newydd fod drwy'r Trydydd Rhyfel Byd gan ddefnyddio'r *figurines* fel *ammunition* wrth i ni gweryla ynglŷn â phwy oedd y gorau: ABBA neu Santana.

Doedd byth ffrae gyda'r nos. Bydde Anthony yn diflannu i'r llofft i astudio, o be dwi'n gofio, ac roeddwn i fel arfer yn canu yn rhywle, tra oedd Mam a Dad yn y siop *chîps*. Byswn i'n cael fy ngwadd yn aml i ganu mewn cartrefi hen bobl, cartrefi i bobl ag anghenion arbennig, a chyngherddau elusennol yng Nghlwb yr Hafod, neu'r Stiwt, a phan nad oeddwn i'n cael fy ngwadd i ganu, mi oeddwn i'n trefnu cyngherddau fy hun. Roedd hyn yn rhoi 'chydig o bres poced i mi, ond roedd gitârs, llinynne i'r gitârs a llyfre caneuon yn ddrud, ac fel pob mam, roedd hi isio'r gorau i'w phlant, a bydde Marilyn druan yn rhoi pob ceiniog o'i chyflog tuag at fy 'ngyrfa fechan' a 'mywyd cymdeithasol prysur. 'Gei di fy 'nghyflog cynta, dwi'n addo,' byswn i'n deud, a Mam yn chwerthin yn braf, ddim yn credu gair.

Mi fyswn i ar y ffôn byth a beunydd yn cysylltu ac yn trefnu, neu'n datblygu perthynas efo ffrindiau newydd oedd, erbyn hyn, yn byw dros Gymru gyfan. 'Tyd o'r ffôn 'ne, uffern, maw'n costio ffortiwn,' fydde Mam yn gweiddi o'r gegin, a finne'n cymryd dim sylw, ac yn clebran am hanner awr arall. Roedd gen i rwydwaith eitha eang o ffrindiau, a finne'n dal yn fy arddegau. Roedd llawer ohonynt wedi bod ar gwrs drama'r Urdd yn Llangrannog efo fi, lle roedd *wanabees* Cymru i gyd yn ymgynnull i ymarfer sioe gerdd newydd bob Pasg, cyn mynd â hi ar daith o gwmpas theatrau mwya Cymru. Mi ges i'r profiad bythgofiadwy o fod yn aelod o'r cwmni theatr yma, a dod yn ffrinde oes efo pobl sydd, erbyn hyn, yn allweddol yn y celfyddyde heddiw: Rhys Ifans, Sioned Wiliam, Angharad Mair, Ieuan Rhys, Huw Eurig, Rhian Morgan a llawer mwy. Ar ôl colli Dad roedd Mam yn gweithio'n galed i sicrhau fod pob ceiniog bosib yn mynd tuag at y gost o fynychu'r cwrs yma bob blwyddyn, ac yn talu'r bil ffôn wrth gwrs.

Pan fu farw Dad, mi gafodd fy mrawd a Mam a fi y golled enfawr i gyd ar yr un pryd, ond wrth gwrs, roedd ein perthynas efo fo yn wahanol, a ninnau'n wahanol fel pobl hefyd. Roedd fy mrawd yn y brifysgol am y blynyddoedd cynta, felly Mam a finne oedd adre

efo'n gilydd bob dydd, a dyna pryd wnaeth ein perthynas dyfu a datblygu. Dwi'n cofio ei pherswadio i fynd i gael profiade gwahanol fel penwythnose i ffwrdd ac yn y blaen, ond roedd y dyddie cynnar o alaru yn anodd, yn enwedig Dolig a phenblwyddi. Roedd hi'n gwneud gymaint o ymdrech, a hithe mor unig, ac mae'n siŵr ei bod hi wedi bod yn eithriadol o boenus iddi ar adegau. Anghofia i byth fore fy neunawfed pen-blwydd, a hithe wedi cuddio can punt mewn papurau decpunt, ffortiwn bryd hynny, dros y tŷ i gyd. Rhedais rownd y tŷ fatha corwynt ar fy helfa drysor bersonol, gan wybod falle y bydde Mam wedi bod yn ei dagre wrth guddio'r arian yn y ffrij, dan y mat ac ar y nenfwd!

Doedd Mam erioed wedi bod yn *pushy*, yn un o'r *monster-mothers* 'ma sy'n llusgo'u plant o un rhagbrawf i'r llall, ac yn ceisio byw eu breuddwydion coll drwy eu plant. Roedd Mam jyst yn gadael i mi fod yn fi, ac mae hynny wedi bod yn fraint. Dydw i erioed wedi clywed, 'Piti nad wyt ti cystal â fo', neu 'Pam na elli di ddim bod yn fwy fel hyn neu fel arall?' ganddi. Tydy hi chwaith erioed wedi gwneud i mi feddwl fy mod i wedi ei gadael hi, na'r teulu, i lawr. Doedd ganddi hithe, na neb arall, unrhyw fodd o fy stopio i rhag dilyn fy ngreddf. Roeddwn yn hollol sicr erioed fod gen i'r gallu i ddilyn y llwybr cywir, a hynny heb unrhyw ymyrraeth gan Mam, ond dwi mor ddiolchgar iddi am roi'r rhyddid gwerthfawr hwnnw i mi.

Rhywsut neu'i gilydd, yn ifanc iawn, ffeindies i fy hun yn cael fy ngwahodd i siarad ar Radio Cymru ar foreau Sadwrn, a chael fy nghyfweld gan ddyn hynod o glên a chyfeillgar o'r enw Hywel Gwynfryn. Teimlais o'r cychwyn fod y dyn yma isio i mi ddisgleirio, yn union fel oedd Mam, a fyddai'n gwenu fel giât arna i drwy ffenest y stiwdio yn Wrecsam, yn aros amdana i fatha gwasanaeth tacsi pum seren. Heb Mam fel tacsi, a *number one fan* i mi, fyswn i ddim wedi cael y profiad cyfryngol yma mor ifanc, a chael y siawns i gydweithio efo un o arwyr y byd radio yng Nghymru. Roedd rhywbeth tadol iawn am yr Hywel Gwynfryn 'ma, ac mae ein perthynas arbennig wedi parhau hyd heddiw. Byddwn yn cydweithio ac yn ciniawa

yn aml. Cawr o ddyn annwyl ydy Hywel, gyda chalon enfawr a chymaint o ddiddordeb mewn pobl.

Mae'n siŵr fod codi llaw arna i, wrth i mi ddal y trên pan oeddwn yn symud i Lundain, yn ergyd arall i galon Mam, gan y bydde hi'n dychwelyd i nyth gwag llawer tawelach. Roeddwn yn ymwybodol o hyn, ac roedd yn gymaint o dynfa ar fy nghalon i: y gwrthdaro rhwng y balchder a'r cynnwrf o dderbyn gwahoddiad i'r Guildhall School of Music and Drama, a'r tristwch o orfod gadael fy *nghomedy partner* ar ei phen ei hun. Er i Mam gynilo gymaint ag y gallai, doedd dim siawns i mi allu fforddio rhentu fflat yn Llundain, a bu'n rhaid i mi fyw efo fy ewythr yn Epsom, oedd yn golygu dwy awr o daith i'r coleg yn ystod y *rush hour*. Roedd 'na fap o Gymru ar wal y lolfa, a dwi'n cofio'r boen yn fy nghalon wrth i mi syllu arno a beichio crio ar fy noson gynta.

Bu 'nghyfnod yn y Guildhall yn euraidd: dim 'cymdeithas' i fy marnu, y rhyddid i wisgo be leiciwn, a'r pleser o deimlo nad oeddwn i'n gorfod blendio mewn efo ffasiwn pentre Rhosllannerchrugog. Roeddwn i'n ffonio Mam bob dydd, rhywbeth sy wedi parhau, ac roedd Mam wrth ei bodd yn clywed am fy ffrindie newydd, y cynyrchiade coleg a 'mhrofiade di-ri.

Tra oeddwn i yn y Guildhall, clywais fod fy ffrind Ieuan Rhys yn cael clyweliad ar gyfer cyfres ddrama ar sianel newydd sbon o'r enw Sianel 4 Cymru. Roedd gen i frith gof am y posibilrwydd o lansio sianel newydd, oherwydd roedd gen i sticeri yn deud 'Mynnwn Sianel yr Addewid', un ar gês fy ngitâr, ac un roeddwn wedi'i sticio ar *Calor gas heater* Mam, er iddi fy rhybuddio i beidio 'â meiddio'. Ffoniais i'r cwmni oedd yn cynhyrchu'r gyfres, sef yr hen HTV, a gofyn am glyweliad.

'Mae'r clyweliade wedi bod,' medde'r wraig ar y ffôn yn swta, ond doeddwn i ddim yn mynd i dderbyn hynny, a chlywais fy hun yn fflyrtio i lawr y ffôn.

'Plis, chi'n gweld, dwi'n dŵad lawr i Gaerdydd, ac mi fydde fo'n hurt i ni beidio â chwrdd.'

Heb fawr o obaith am wahoddiad, trois i fyny yr wythnos ganlynol a chyfarfod dyn oedd yn ymddangos yn eitha nerfus i mi.

Wnes i gydymdeimlo efo fo, gan ei sicrhau y bydde popeth yn iawn, a gofyn iddo wedyn pa ran roedd o'n gobeithio'i chael yn y gyfres. 'Fi ydy'r cynhyrchydd,' medde Mr Graham Jones. Wps! Wrth lwc, mi weithiodd hyn i mi, a 'chydig ddyddie yn ddiweddarach ges i lythyr yn cynnig rhan Owen Hughes i mi, cymeriad oedd yn "chydig o ffŵl'! Glanio reit yn y marmaled! Perffaith. 'O! Dwi 'di gneidi,' medde Mam, mor gyffrous drosta i. Fydde rhywun yn meddwl 'mod i wedi ennill y loteri, ac mewn ffordd mi oeddwn i. Roedd y cytundeb yn un da, pan oedd arian teledu yng Nghymru ar ei orau, a'r peth cynta wnes i oedd rhoi 'nghyflog cynta i Mam.

'Paid â bod yn hurt,' medde hi, ond roeddwn i wedi addo, ac mi oedd cadw'r addewid yna yn llenwi 'nghalon. Yn fuan, mi drodd y gyfres yn opera sebon, ac roedd rhaid i mi benderfynu un ai aros efo'r gyfres, neu fynd yn ôl i'r Guildhall, a oedd wedi fy rhyddhau am gyfnod. Wnaeth Mam ddim amharu ar y penderfyniad, ond wedi i mi ddewis aros efo'r gyfres, roedd hi wrth ei bodd. Enillais tua deugain mil yn fy mlwyddyn gynta, ac yn yr wythdegau roedd hyn yn ffortiwn a hanner. Yn ystod y cyfnod yma, dwi'n siŵr fod Mam a finne wedi cael *slap-up meal* ym mhob bwyty yng Nghaerdydd, drosodd a throsodd – cyfle i mi dalu'n ôl am y liffts, y pres poced, y gofal a'r cariad.

Roedd symud i Gaerdydd yn well i Mam a fi. Roedden ni yn yr un wlad, er bod Rhos ym mhen draw'r lloer, ond roedd Mam yn gallu dod i lawr i aros yn aml. Byddem yn partïa ac y mwynhau cael arian i'w wario, ond erbyn i mi benderfynu prynu fflat, am y tro cynta erioed, roeddwn i wedi gwario bron bob ceiniog. Roedd yr actores Myfanwy Talog yn y gyfres *Coleg* hefyd, ac mi ddaeth y ddau ohonom yn ffrindiau mawr. Roedd ganddi fflat ar werth yn Fairwater, ac mi benderfynais ei phrynu ganddi. Ges i flynyddoedd hapus iawn yn y fflat. Roedd Mam wrth ei bodd yn deud wrth bobl pwy oedd wedi gwneud y gwaith trydanol yno, sef cariad Myfanwy Talog ar y pryd, a oedd yn arfer bod yn drydanwr efo'r BBC ond sydd erbyn hyn yn adnabyddus.

'O hei, ffŵl, pwy ti'n meddwl sy 'di gwneud y lectrics yn fflat Stephen ni? Neb llai na David Jason! Ie, Del Boy, uffe'n.'

Unwaith i mi gychwyn fy ngyrfa yn iawn, mi ddaeth Mam yn gyfarwydd efo'r ffaith 'mod i'n cymryd mantais o bob cyfle posib, o ran gwaith ac o ran profiade, a doedd hi byth yn synnu nac yn poeni. Byswn i wedi gallu ffonio Mam o'r lleuad, a bydde hi'n gorffen y sgwrs efo, 'O, ti'n cael amser lyfli! Cymer ofal, cariad.'

Dydy hi erioed wedi barnu unrhyw benderfyniad, nac unrhyw berthynas. I fod yn onest, byswn i'n gallu cymryd Jack the Ripper, Hitler, neu Herod adre a fydde Mam yn rhoi paned bob un iddyn nhw. Mae unrhyw ffrind i mi yn ffrind i Mam, ac mae pob cariad dwi wedi'i gael dros y blynyddoedd wedi cael ei dderbyn gyda breichiau agored. Alla i ddim cofio un alwad ffôn pan fydde hi'n anghofio deud, 'Sut ma' David?', neu 'Cofia fi ato'. Mae gen i lunie o'n priodas, ac un llun bendigedig o Mam yn codi ei gwydryn i'r ddau ohonom i ddymuno iechyd da. Roedd hi mor falch.

Yr unig dro roedd unrhyw wrthdaro oedd pan wnes i gychwyn gwneud dramâu yn Theatr Clwyd, ac wrth gwrs, roeddwn i isio aros adre. Roedd Mam wrth ei bodd hefyd, ond yn naturiol, roedd pethau wedi newid, ac roedd fy mywyd, fy amserlen waith a fy mywyd cymdeithasol wedi newid. 'Tua pryd fyddi di adre, cariad? Wna i gael bwyd yn barod i ti ar y bwrdd,' fydde hi'n deud, a finne ddim wedi arfer gorfod caethiwo fy hun i ofynion rhywun arall, nac wedi arfer cael fy 'rheoli'. Hefyd, bydde gorfod cripian drwy lofft Mam i gyrraedd fy stafell, a wedyn plygu fy hun fel blydi origami er mwyn ffitio yn fy hen wely sengl, yn ormod imi. Mi gymerais i fflat yn agos i'r theatr – gymaint haws, a llai o densiwn. Y dyddie hyn, mae Mam yn mynnu 'mod i'n cael ei gwely dwbwl hi pan dwi adre, gan fod dim rhaid iddi hi boeni am faint y gwely sengl a hithe mor fechan ei hun. Dyna be ydy cariad!

Yn ystod y nawdegau cynnar, ges i fy ngwahodd i noson gynta *Some Like It Hot* gyda Tommy Steel yn y Prince Edward Theatre, yn y West End.

'Tisio dod efo fi?' medde fi ar y ffôn.

'Arglwydd yndw! Dwi 'di ecseitio gymint. Dan ni'n mynd i gael

amser lyfli,' medde hithe gan redeg i bacio cês, cyn neidio ar y trên i Euston. Wedi imi ei chyfarfod yn y stesion, aethon ni'n syth i mewn i'r West End a chael coctel neu ddau cyn mynd draw i'r theatr. Fel roedd y ddau ohonon ni'n cyrraedd blaen y Prince Edward, dyna lle roedd crwydryn digartre, mewn dillad carpiog ac yn gadachau i gyd. Pan edrychon ni'n agosach, dynes oedd hon tu ôl i'r wyneb budur, creithiog. Yn sydyn, mi wnaeth y ddynes 'ma biso ei hun, reit ar ganol Old Compton Street.

'Wel, dwi 'di gweld popeth rŵan,' medde Mam. 'Sgin hon ddim cywilydd?'

Triais fy ngorau i gau ceg Mam. 'Shysh, ti ddim yn gwbod be 'di'i chefndir hi. Falle bod hi 'di colli ei thŷ, ei phlant neu 'i gyrfa. Paid â'i barnu hi.'

'Hy,' medde Mam yn syth, ''di hi'm yn costio dim i fod yn lân.'

Gafaelais ym mraich Mam, a'i thynnu'n gyflym i mewn i'r swyddfa docynnau. Wedi'r sioe, cawsom ein gwahodd i'r *first night party*, ac roedd Mam wrth ei bodd yn cyfarfod â'r sêr, ac yn mwynhau'r *complimentary champagne*. Mi ddaeth dwy hen wraig ddiarth atom i sgwrsio, efeilliaid yn eu saithdegau hwyr, ond wedi eu gwisgo fel dwy ferch ddeunaw oed.

'Paid â deud gair,' medde fi dan 'y ngwynt. Ar ôl rhyw fân siarad, tra oedd Mam yn ymestyn at lasied arall o bybls, mi drodd hi at un o'r hen efeilliaid a deud,

'So is this your daughter?' gan gyfeirio at y llall. Roedd y wraig yn *gobsmacked*, a'i chwaer wrth ei bodd.

'We have to leave now,' medde fi, a thynnu Mam wrth ei gwar allan i'r awyr iach a'i chwithio ar yr *underground* i fynd adre. Roedd Mam yn gwbod ei bod hi wedi pechu; wnes i ddim deud gair wrthi yn ystod y daith hanner awr i'r East End lle roeddwn yn byw. Wedi cyrraedd ein stop, wrth i ni gerdded i lawr y ffordd lle roedd fy nhŷ, mi wnes i hollti'r distawrwydd rhyngom.

'Dyna'r tro ola i mi dy gymyd di allan,' medde fi, fatha tad blin.

'Ond be dwi 'di gwneud rŵan?' medde hithe fel plentyn diniwed. Allan â fo!

'Wel, i gychwyn, doedd gen ti ddim tosturi dros y wraig druan

oedd mewn gymaint o stad yn pi-pi ar ganol y ffordd, ac wedyn mi wyt ti'n gofyn i ddwy efaill yn eu saithdegau oedd un yn fam i'r llall.' Dyma Mam yn gwichio chwerthin, ac mi bisodd ei hun reit ar ganol fy stryd. 'Mae 'na Dduw,' medde fi wrtha i fy hun, wrth i Mam ruthro tu ôl i wrych cyfagos i orffen be roedd hi wedi'i gychwyn yn gyhoeddus. O fewn dim, mi ddaeth hi allan o'r tu ôl i'r gwrych, efo'i theits mewn un llaw a'i sgidie *patent leather* yn y llall, gan ddeud, 'Paid ti â deud wrth neb.' A dydw i heb, wrth gwrs.

Mae'n perthynas ni'n *brilliant*, a lle bynnag ydw i, a beth bynnag dwi'n ei wneud, mae hi mor falch drosta i 'mod i'n cael 'amser lyfli'. Mi alla i ei ffonio hi mewn unrhyw sefyllfa, a'r unig beth sy'n bwysig iddi yw fy mod i'n cael amser da. Wna i fyth anghofio ei ffonio hi ar ddiwedd noson pan oedd Siân Lloyd a finne wedi cael ein gwahodd i *An Audience with Shirley Bassey*, a oedd yn cael ei recordio yn stiwdios London Weekend Television, ar gyfer ei darlledu ar ITV ryw nos Sadwrn. Roedd y nosweithiau hyn yn rhai glam iawn, lle roedd pawb yn 'rhywun', ac roedd Siân a fi wedi bod i ambell un debyg efo Cliff Richard a Diana Ross, er enghraifft, ac yn gwbod y bydde'r *champagne* yn llifo. Mi oedd y ddau ohonom mor gyffrous i fod yn rhan o'r noson efo Bassey, roedden ni wedi cyrraedd bar y stiwdios cyn i Bassey gyrraedd, hyd yn oed. 'Ladies and gentlemen,' medde llais mawr dros y tanoi yn y bar, 'please take your seats. *An Audience with Shirley Bassey* is about to begin.' Ac wrth i ni frysio i lawr y coridorau hir, mi weles i dŷ bach y dynion. 'Fydda i ddim chwinc,' medde fi, gan gamu tuag at y *urinals*. Mi ddaeth rhywun arall i sefyll nesa ata i, a phan drois i ato, i roi nòd bychan iddo, pwy oedd y person oedd yn pi-pi ... neb llai na Tom Jones! Wel, mi alla i ddeu'thach chi, mi fydde bron pawb yn y byd yn llai na fo, o be weles i, ac mi ruthrais allan o'r Gents i adrodd pwy a 'be' oeddwn i wedi'i weld yn y tŷ bach. Aethom i'n seti, ac mi gychwynnodd y band yn uchel eu cloch: 'Ladies and gentlemen, please welcome to the stage Miss Shirley Bassey!' Cododd pawb i gymeradwyo Bassey, a oedd yn gwisgo ffrog hir grand efo slit reit i fyny at dop ei choes. Cychwynnodd hi efo *medley* hyderus o'i hen ffefrynnau, ac wrth iddi gyrraedd y gân 'Hey Big Spender', dyma hi'n cicio'i choes reit i'r

awyr, ac fe welson ni nad oedd Miss Bassey yn gwisgo nicar! Cafodd rhai ohonom weld y cwbl lot.

Wrth i Siân a finne adael y stiwdios roedden ni mewn histerics, gan fy mod i wedi gweld *genitals* Brenin a Brenhines Cymru i gyd o fewn hanner awr!

'Mae'n rhaid i mi ffonio Mam a deu'thi,' medde fi'n tynnu'n ffôn symudol a'i galw. 'Geshia be dwi 'di gweld heno, Mam,' medde fi, wedi weindio.

'Be?' medde hi yn syth.

'Wel, dwi 'di gweld dwdlanden Tom Jones a gwdihŵ Shirley Bassey!' Fydde mame rhai pobl yn *shocked*, ond be ddudodd Mam?

'O, ti'n cael amser lyfli!

Brookside

A r ôl cychwyn difyr yn y cyfryngau Cymraeg efo'r gyfres *Coleg* a chyflwyno *Yr Awr Fawr* yn fyw i'r BBC, mi ddechreuais ysu am wneud gwaith yn Saesneg hefyd. Fel pob tro arall yn fy mywyd, unwaith yr oeddwn i'n meddwl am rywbeth, roedd yn rhaid mynd ati'n syth i'w wireddu. Dechreuais i sylwi fod 'na ddau fath o gydweithiwr o 'nghwmpas: rhai oedd â gorwelion pell a chysylltiadau rhwydweithiol eang, a rhai eraill mwy cul eu byd, oedd yn ddedwydd yn gweithio yn eu milltir sgwâr. Mi oeddwn i'n sicr efo pa grŵp yr oeddwn i am ymuno, ac yn syth mi ges i ymateb negyddol gan ambell un o'r grŵp arall, sef ymateb beirniadol a chwerw iawn tuag at y rheini ohonom oedd yn meiddio camu dros y ffin. Pa blydi ffin eniwe – doedd 'na ddim ffens o gwmpas Cymru, nac oedd?

Ces i fy nenu fwyfwy gan y rhai oedd â'r gorwelion pellach, a dechre symud o fewn cylchoedd iachach i mi, a theimlo 'mod i'n ysu am ledaenu fy ffiniau personol, yn lle chwarae'n saff. Roedd

hi bron yn rheol, bryd hynny, fod actorion Cymraeg eu hiaith yn gorfod gweithio yn y Gymraeg yng Nghymru yn unig, a dim ond y rhai di-Gymraeg oedd yn cael 'yr hawl' i gamu allan i'r byd mawr. *Bollocks* i hynny. Felly es i weithio ar gynyrchiadau Saesneg yn Theatr Clwyd, dan gyfarwyddyd y diweddar Annie Castledine, a hithe yn rhoi'r siawns i mi gael datblygu fy nhechneg actio wrth ddygymod â chwarae prif rannau yn *A Child's Christmas in Wales*, *Three Sisters*, *The Corn is Green* a *Murder in the Red Barn*. Dwi'n cofio rhannu *green room* efo Timothy Dalton a Vanessa Redgrave yn y cyfnod yma, a Vanessa yn ceisio fy mherswadio, rhwng golygfeydd, i ymuno efo hi ar ryw rali wleidyddol byth a beunydd.

Mi ges i asiant yn Llundain, a fydde'n cael ei thalu i agor drysau 'chydig mwy i mi. Ges i'r cyfle i ailadrodd fy amser yn *The Corn is Green*, ond y tro hwn efo Deborah Kerr, y seren Hollywood a oedd wedi disgleirio mewn sawl *blockbuster* fel *The King and I, Casino Royale* a *From Here to Eternity*. Roedd y cynhyrchiad newydd yma yn teithio o gwmpas theatrau mwya Lloegr, gan orffen efo chwe wythnos yn yr Old Vic yn Llundain. Wel! Roedd hyn yn fwy na digon i ambell berson adre fy nghyhuddo o droi fy nghefn ar fy ngwlad a'r iaith Gymraeg! Twll eu tine! Roedd y profiad o deithio o gwmpas y wlad yn mynd i fod yn orfoledd pur, wrth i mi rannu *digs*, a llwyfan, efo'r cast bendigedig yma.

Dwi'n cofio mynd o gwmpas y siopau yng Nghaerfaddon, rhwng y *matinee* a'r sioe nos pan oeddwn i'n perfformio yn y Theatre Royal, a phenderfynu, yn llawer rhy chwim, y byswn i'n prynu dwy lygoden, un ddu ac un wen, fel anifeiliaid anwes. Ar y ffordd 'nôl, mi benderfynais mai Dick a Fanny oedd enwau fy ffrindiau newydd, ac yn ôl â fi i'r theatr, gan sleifio'r ddau yn eu caej, heibio *stage door* ac i mewn i'm stafell newid. Ges i sylw pawb wrth gwrs, gan gynnwys Deborah Kerr, wrth iddyn nhw alw i mewn i'w mwytho nhw. Rhaid cyfadde i mi hyd yn oed eu cymryd ar y llwyfan efo fi sawl gwaith, ym mhoced fy ngwisg.

Bob wythnos yn ystod y daith, byddwn i a chriw o fechgyn ifanc o'r cast yn creu *cabaret* o'r enw 'Capers' i ddiddanu ein hunain a'i berfformio i weddill y cast, gan gynnwys yr actor annwyl William

Thomas. Roedd Deborah Kerr yn dŵad hefyd ac yn gwisgo i fyny ar gyfer yr achlysur fel tase hi'n mynd i'r Oscars.

Ar ôl rhai wythnosau, roedd y daith yn dechre'n blino ni i gyd, gan fod Deborah Kerr yn cael trafferth cofio'i sgript, a doedd cael Dick a Fanny yn ei *upstagio* ddim yn helpu rhyw lawer, yn enwedig gan fod Fanny wedi chwyddo'n feichiog erbyn hyn. Roedd gan Deborah druan, mae'n debyg, broblemau adref, a gwell perthynas efo *vodka* nag efo'i gŵr. Roedd rhaid cael promptar iddi ar frys, gan fod pethe'n mynd mor ddrwg; roedd rhaid iddi gael ei gwthio ymlaen i'r llwyfan, mewn ofn weithiau, ar gychwyn y ddrama, a hithe'n anghofio lle i sefyll, heb sôn am be i'w ddeud. Mwya o linellau roedd Deborah yn eu hanghofio, mwya o fabis roedd Dick a Fanny yn eu cael, ac erbyn i'r daith gyrraedd yr Old Vic, roedd Dick a Fanny, a'u plant, wedi cael bron gymaint o fabis ag yr oedd Deborah wedi'u cael ar y llwyfan. Cafodd Deborah bum deg tri o brompts ar y noson agoriadol, a'r rheini gan bromptar a oedd, yn anffodus, yn drwm ei glyw, ac felly'n gweiddi ei leins yn uchel iawn o'r wings. Roedd pawb yn y gynulleidfa, yn cynnwys y critics, a hyd yn oed staff y *box office*, yn clywed – 'Move over to the table, dear, bow, dear, and smile, dear!' Dyna oedd diwedd y *run* yn yr Old Vic, a dyna oedd diwedd Deborah druan. Daeth diwedd ar Dick a Fanny hefyd, wrth i mi gael llond bol arnyn nhw, a cherdded i mewn i siop anifeiliaid anwes yn Llundain efo llond caej o lygod, a'u gadael wrth y til gan ddeud yn uchel, 'Here, have these theatrical mice for free,' a rhedeg allan.

Yn fuan wedi hynny, ges i alwad gan yr asiant yn deud, 'You have an audition for *Brookside*; it's to be considered for the part of Gordon Collins' 'friend'. Roeddwn i'n deall yn iawn pa rywioldeb oedd y rhan yma, o'r ffordd y dudodd hi 'friend', jyst fel oedd Mam yn sibrwd ac yn llyncu'r gair 'hysterectomy' ers talwm. 'They want you in jeans and a leather jacket,' medde hi, gan roi gweddill y manylion i mi. Roedd *Brookside* yn opera sebon boblogaidd dros ben yn ei dydd, ac wedi torri tir newydd yn yn y *genre*. Ar y ffordd i'r trên i fynd i Lerpwl am y clyweliad, dyma fi'n cael panic yn syth – '*Fuck,*

alla i ddim gwneud acen Lerpwl' – ac yn penderfynu ffonio ffrind oedd yn athrylith yn y maes yma.

'Write this sentence down,' medde fo, 'it's got all the Liverpudlian sounds you'll need.' Estynnais bapur a phen gan ei glywed o'n deud mewn acen Sgowsar drom, lle roedd pob C a CK yn swnio fel rhywun yn clirio fflem o'i wddw, 'Get yer friggin' stochhhhhns off, will ya? And let me fuchhhhh ya, ya chichhhhn.'

O fewn chhhhhhhhhhhwinc, roeddwn i wedi cloi fy hun yn nhŷ bach y trên, a dyma fi'n iste yno am daith o bum awr a hanner i orsaf Lime Street, yn ymarfer y frawddeg fudur drosodd a throsodd mewn ffyrdd hollol wahanol yn y drych gyferbyn: 'Get yer friggin' stochhhhhns off, will ya? Get YER friggin' stochhhhhns off ...' ac ymlaen ac ymlaen ac ymlaen fatha cân gron ddigywilydd.

Wedi cyrraedd Brookside Close, a hwnnw gymaint llai nag roedd o'n ymddangos ar fy nheledu yn Fairwater, mi es i i mewn i un o'r tai, a oedd yn fangre aros i'r *hopefuls* i gyd iste cyn eu clyweliadau. Eisteddais yno efo llond gwlad o fechgyn pump ar hugain oed, efo gwallt cwta, jîns tyn a siacedi lledar.

'Stiff-one Parri next,' medde llais y cyfarwyddwr castio, Dorothy Andrew, ac roedd cyfarfod hon, yn y cyfnod yma, fatha cyfarfod â'r Cwîn; hi oedd yn castio popeth. Felly, wnes i ddim ei chywiro, jyst chwerthin ar fy enw fy hun, a mewn â fi efo hi.

'Come on in, darlin',' medde hi, gan wincio arna i. Pwy oedd yn aros amdana i tu mewn ond Phil Redmond. Y fo oedd Duw Teledu ar y pryd. Fo oedd wedi creu *Grange Hill* a *Brookside*. Roedd y dyn yma yn athrylith yn ei fyd, ac yn denu dros ddeunaw miliwn o wylwyr i bob rhaglen yn ystod y cyfnod hwn. Cofiwch, dim ond pedair sianel oedd bryd hynny. Wps! Na: pump. Sori, S4C!

'Take a seat on the sofa,' medde Phil Redmond. 'We're recording all the auditions on camera, if that's ok?'

'Not a problem,' medde fi, gan redeg y llinell 'Get yer friggin' stockings off ...' yn fy mhen unwaith eto, yn barod i'w syfrdanu efo fy acen newydd, wych.

'By the way,' medde Phil Redmond, 'your character's from Wrexham.'

'What?' medde fi, ac allan â fo … 'I've been locked in a toilet, on a train, for five and a half hours, repeating the same filthy sentence over and over again, to practice the accent; and now you're telling me my character lives four miles from my mother!!'

'Go on then,' medde Dorothy Andrew. 'Let's hear this sentence.'

'Oh my God, NO!' medde finne. 'It's so obscene, I'd never get the job.'

'Try us,' medde Phil Redmond gan wenu.

Wrth i mi gymryd fy ngwynt i gychwyn y frawddeg fudur, syrthiodd y camera oedd yn recordio oddi ar y treipod, a glanio ar y llawr o 'mlaen i. Heb feddwl dim, neidiais yn fflat ar lawr, edrych reit lawr y lens, a deud, 'Get yer friggin' stochhhhhns off, will ya? And let me fuchhhhhhhh ya, ya chichhhhn!' A ges i'r job, ddim oherwydd yr acen, mae'n siŵr, ond falle oherwydd yr amseru, a'r hyder. Na, *cheek*!

*　　　*　　　*

O fewn dim, dyna lle roeddwn i, yn cydweithio efo wynebe hollol gyfarwydd i mi ar ôl gwylio'r rhaglen omnibws ar S4C bob bore Sadwrn efo *hangover*. Beth oedd yn fwy *bizarre* fyth oedd 'mod i'n chwarae rhan Christopher Duncan. Roedd Christopher wedi cael ei grybwyll sawl tro ar y sgrin fel *ski instructor* ac *antiques dealer* hoyw, ac fel cariad i Gordon Collins. Dwi'n cofio'n glir iste ar y *shagpile* brown yn hen fflat Myfanwy Talog yng Nghaerdydd, pan oeddwn i'n gweithio ar *Coleg*, yn 'sidro pwy fydde'n chwarae'r rhan yma; a flynyddoedd yn ddiweddarach dyma lle roedd Bachgen Marilyn Siop Chîps, *aka* Fatty-Poof, reit yn eu canol nhw, efo marmaled ar ei din!

Ar ôl ambell bennod, mi wnaeth y sgwenwyr g'nesu at fy nghymeriad ac mi ddois i'n fwy a mwy amlwg yn y *storylines*. Roedd jyglo *Brookside* efo 'ngwaith theatr yn rhywbeth roeddwn i'n ymfalchïo yn fawr ynddo. Er nad oedd *Brookside* yn talu chwarter be oedd cast *Pobol y Cwm* yn ei gael ar y pryd, roedd yr *exposure* yn rhoi mwy o wmff i'm statws, ac mi oedd y cynigion theatr yn cynyddu,

a'r cyflog theatr hefyd. Doeddwn i byth yn gorfod prynu rownd o ddrincs chwaith – o'r eiliad imi gerdded i mewn i unrhyw pyb, roedd rhywun yn nabod fy wyneb ac yn mynnu prynu drinc, neu'r landlord yn gyrru *champagne* draw. Boncyrs! Byth wedi hynny, cofiwch! Mi oedd y cast yn ffantastig hefyd ar y cyfan, ac mi ddois i'n ffrindiau mawr efo sawl un, a dwi'n dal yn ffrindiau efo nhw hyd heddiw.

Roedd *Brookside* ar flaen y gad yn ei hamser, nid yn unig yn torri tir newydd o ran cynnwys, ond yn dechnegol hefyd. Mi oedd y sgwenwyr, yn graff iawn, yn gwrthod unrhyw demtasiwn i roi hyd yn oed awgrym o *storyline* hoyw i ni; roedden nhw'n benderfynol bod y gynulleidfa yn dod i nabod Christopher a Gordon gynta, er mwyn ennill eu parch. Roedd cymeriadau hoyw yn rhywbeth newydd mewn operâu sebon, ac roedd angen i'r gynulleidfa ddod i hoffi'r cymeriadau ac ymddiried ynddynt, cyn gofyn am eu cydymdeimlad a'u dealltwriaeth maes o law, gyda *storylines* trymach. Roedd llawer ohonom yn aros dros nos yn yr Adelphi Hotel, yng nghanol Lerpwl, gwesty a oedd yn wledd Art Deco i'r llygad yn ei amser, ond yn yr wythdegau yn *shabby* heb y *chic*! Oherwydd fod gymaint o'r cast yn byw yn bell ac yn aros yn gyson, gawson ni ddêl o bymtheg punt y noson, ond roedd y gwesty yn gwneud digon o bres y tu ôl i'r bar, ac ambell aelod o'r staff yn gwneud ffortiwn yn gwerthu ambell i stori i'r papurau newydd, gan eu bod yn gwbod yn union pwy oedd yn cysgu ym mha stafell, ac efo pwy.

Wedi blwyddyn gron, weles i mewn sgript fy mod i'n rhoi sws ar foch Gordon, heb feddwl llawer mwy amdano, ond roedd y sgwenwyr gymaint clyfrach na fi. Roedd 'na drwbwl ar y trothwy, ac ymgyrch i ymladd yn erbyn Clause 28, cymal homoffobaidd oedd yn rhan o ddogfen gyfreithiol a oedd, yn gryno, yn datgan nad oedd gan hoywon na lesbiaid yr un hawliau â gweddill y gymuned. Mi fydde hynny yn effeithio'n enbyd ar y lleiafrifoedd yma, ac yn effeithio ar bethau elfennol fel morgeisi neu yswiriant pobl heb sôn am y mater o barch a chydraddoldeb.

Ar yr un pryd yn union ag y cafodd y gusan ei darlledu ar Channel 4, roedd miloedd o bobl wedi ymgasglu i orymdeithio drwy

Fanceinion mewn protest yn erbyn y ddeddf hurt ac annheg yma. Mi ges i fy ngwahodd gan Ian McKellen i gerdded efo fo ar flaen y brotest, gyda Michael Cashman, oedd yn chwarae cymeriad hoyw hefyd ar *EastEnders*.

'As you are playing Christopher Duncan, you have a duty to young gay men to represent them, and to speak on their behalf as they have no voice,' meddai. Roedd Ian yn llygad ei le, ond doedd o ddim yn gwybod 'mod i heb gyfadde wrth neb yng Nghymru 'mod i'n hoyw. Neb: na chyd-weithwyr, ffrindiau na theulu, nac, yn bwysicaf oll, Mam. 'Think of all those gay men that haven't come out, and don't have the courage to. Actors like yourself have a responsibility, and I would encourage you to join me and speak at the rally.' 'Fucketty fucketty fuck fuck,' medde fi tu mewn, 'ond, os ydy Ian McKellen yn mynnu, pwy ydw i i wrthwynebu?'

Fel y trefnodd y sgwenwyr, mi aeth y bennod allan yn cynnwys y gusan, ac yna, y noson honno ar y *Nine O'Clock News* … 'And finally, two men have kissed for the first time ever in British television history on *Brookside*,' cyn dangos clip.

Y bore canlynol roedd 'na gynnwrf mwy na'r arfer yn Albert Square, Manceinion, a chyn pen dim roedd dros ddeunaw mil o bobl wedi cyfarfod i brotestio. Wedi'r orymdaith, mi ddringais i ben y grisiau i siarad â'r dorf ac i holl gamerâu y wasg ryngwladol. Roedd yn ddiwrnod hanesyddol, a'r awyrgylch yn drydanol. 'Don't worry, ladies and gentlemen,' medde fi, yn teimlo fatha *Evita*, ar ddiwedd fy araith, 'who the hell is gonna find a closet big enough for all of us?' Mi waeddodd y dorf yn wyllt mewn cytundeb. Roeddwn yn orfoleddus wrth gamu i lawr o'r stand, er i lais uwch fy myddaru tu mewn: 'MAE'N HEN BRYD I TI FYND ADRE A CHYFADDE WRTH DY FAM DY FOD TI'N HOYW.'

Bydde'r rhan fwya o bobl sy'n fy nabod i heddiw yn synnu nad oeddwn i wedi cyfadde yn gyhoeddus 'mod i'n hoyw, yn enwedig o feddwl 'mod i'n chwech ar hugain ar y pryd, ond roedd hi'n wahanol bryd hynny. Roeddwn i'n credu bod gen i ormod, os nad popeth, i'w golli, a finne wedi dechre cael proffeil iach fel actor, yn enwedig yng Nghymru, ac yn teimlo y bydde fy mhentre, a fy nheulu, i gyd yn troi

yn fy erbyn. Wrth gwrs, roedd pobl fatha Ian McKellen, ac ambell un arall yn *Brookside*, yn gwbod, ond roedd y ffaith nad oeddwn i'n gallu cyfadde i fy mam yn fy ngwneud i'n sâl. Rydw i'n defnyddio'r gair 'cyfadde' gan mai cyfadde yr oedd pobl yn ôl yn yr wythdegau, fatha celwyddgwn euog. Roedd y ffaith nad oeddwn i'n gallu bod yn gwbl onest efo Mam yn cnoi fy nghydwybod. Bues i mor onest am bob dim arall, ond roedd deud, 'Mam, dwi'n *gay*' yn teimlo'n hollol amhosib.

Wna i fyth anghofio'r daith o Gaerdydd i'r Rhos, i roi'r newydd i Mam: pob munud yn awr, a phob awr fatha dedfryd oes. Mi gymerais i ffrind yn gefnogaeth imi.

'Helô cariad,' medde Mam, gan godi i roi sws i mi. 'Hei, drycha ar yr holl *cuttings* o'r papure newydd ers i ti wneud y *march* 'ne yn Manchester ... y *Wrexham Leader*, yr *Herald* a'r *Daily Post*. Mae pawb yn Rhos yn meddwl bod ti'n *gay*,' medde hi'n ddi-lol, gan droi i fynd i'r gegin i wneud paned.

Dyma ni, dyma'r cyfle, a falle mai dyma 'niwedd i. Allan â fo. Ffrwydrodd tri gair allan o 'ngheg: 'Mi ydw i,' a bu distawrwydd, fel tase bom newydd lanio reit yng nghanol ein cartre. Dwi 'mond yn cofio'r ymateb ganddi mewn *slo-mo*, wrth iddi droi ata i â gwarth llwyr dros ei hwyneb. Yna, yn sydyn eto, mi aeth am y tecell. 'Paid â mynd, Mam, maw 'di cymyd blynyddoedd i mi ddod yma heddiw i ddeu'that ti.'

Dwi ddim yn cofio'r munudau nesa yn dda; roedd adrenalin, gymaint ag afon Dyfrdwy, yn llifo yn fy ngwythiennau; ond o fewn dim roedd Mam yn synhwyrol, yn derbyn, ac yn Mam eto. Unwaith iddi sylweddoli 'mod i'n ddigon cryf i wynebu ymateb negyddol posib pobl eraill, roedd hi'n ddedwydd; ymateb iach unrhyw fam oedd amddiffyn ei phlentyn, wrth gwrs, ac o fewn dim, roedd yr hen Marilyn yn ôl ar ei thraed yn mwynhau'r berthynas newydd arbennig oedd rhyngom. Sut oedd pobl Rhos, a'r cyfryngau Cymraeg, yn mynd i ymateb? Twll eu tine nhw; roedd y gwaetha drosodd, a finne'n teimlo'r fath ryddhad, sy'n amhosib ei ddisgrifio mewn geiriau. Yr unig gam arall roedd angen i mi ei gymryd oedd sgwennu llythyr at Anthony, a deud wrtho fod ei frawd yn hoyw.

Arhosais i am wythnos a hanner hira fy mywyd, yn disgwyl am ymateb ganddo. Canodd y ffôn a chlywais fy mrawd yn deud, 'Diolch am dy lythyr, ond paid â phoeni, doeddwn i ddim yn dy leicio di beth bynnag!' *Wow*, hiwmor ynglŷn â bod yn hoyw! *Happy days!* Mae sgwennu 'hoyw' yn dal yn anodd i mi; dwi byth yn gallu'i sillafu fo! Lot well gen i 'gay', ond mae 'hoyw' gymaint gwell na'r hen derm 'gwrywgydiwr'! Mae'n swnio fel *man-grabber*! Pa dwat feddyliodd am hynny?

Arhosais yn *Brookside* am flwyddyn arall, a chael hwyl y diawl. Roedd bywyd gymaint yn haws rŵan, nid jyst cael bod yn fi fy hun, ond teimlo'r rhyddhad fod pobl wir yn fy nerbyn. Datblygodd *storylines Brookside*, a chyn pen dim, roedd fy nghymeriad i yn troi'n arwr, gan hosbitaleiddio bwli oedd wedi ymosod arna i a Gordon jyst am fod yn hoyw. I fod yn berffaith onest, roedd chwarae cymeriad hyderus-hoyw wir yn help anferth i mi yn bersonol, ac mi ddysgais gymaint gan y sgwenwyr am senarios byw bywyd hoyw y byddwn i'n gorfod eu hwynebu yn hwyrach yn fy mywyd. Mi wnes i barhau hefyd i helpu Ian McKellen efo'r ymgyrch ddiddiwedd i godi ymwybyddiaeth, a chael fy ngwahodd i ddigwyddiadau rhyfeddol a pherfformio mewn cyngherddau ffan-blydi-tastic gan ymddangos efo pobl fatha Bronski Beat, Erasure a'r *piggin'* Pet Shop Boys!

Roedd un o'r cyngherddau hyn yn y Piccadilly Theatre yn Llundain, a dyna lle roedd bachgen Marilyn Siop Chîps yn rhannu llwyfan efo Timothy West, Celia Imrie, Harold Pinter, Maureen Lipman, Gary Oldman ac Anthony Sher, dan gyfarwyddyd neb llai na blincin Richard Eyre. Anghofia i fyth iste yng nghefn y *stalls* y prynhawn hwnnw, a throi at Ian McKellen a deud, 'Thanks, Ian, for this amazing experience. I'll never forget it,' wrth i'r Pet Shop Boys *soundcheckio* 'West End Girls', a finne wedi penderfynu 'mod i am fod yn West End Girl fy hun, yn fuan iawn.

'Nôl yn *Brookside*, roedd fy nghymeriad, a oedd yn achosi lot fawr o broblemau i rieni Gordon, yn cael ei daflu allan o'r tŷ dro ar ôl tro. Roedd y stori'n dechre ailadrodd ei hun, ac felly ar ôl fy negfed *chuck-out* mi benderfynais i ei bod hi'n hen bryd i mi symud ymlaen. Dwi'n cofio'n glir iste yn *green room*, sef stafell fyw un o'r

tai ar y Close oedd ddim yn dŷ i unrhyw gymeriad penodol, yn smocio efo llond llaw o'r cast wrth aros i wneud golygfa.

'What ya gonna do next, Stiff?' medde Kate Fitzgerald, actores oedd yn chwarae rhan Doreen Corkhill.

Allan â fo. 'I'm gonna sing in a musical in the West End,' medde fi'n reit *nonchalant*.

'Oh?' medde hithe. 'Which one?'

'I don't know yet,' medde fi'n stybio'n ffag allan a chamu i'r set.

Y West End

'You have an audition for a new musical that's going to be staged at the Piccadilly Theatre in the West End,' medde fy asiant. 'They want you to sing a Billy Joel song.'

Fatha iâr heb ben, mi es i o gwmpas yn chwilio am gân addas, a gan 'mod i wedi cael fy ngeni cyn Crist, doedd dim laptop na Google na dim i fy helpu, ond wedi digon o redeg o gwmpas mi ddois o hyd i'r gân 'My Life', a oedd yn addas i mi, a gobeithio yn addas iddyn nhw. Enw'r sioe gerdd newydd sbon yma oedd *Metropolis*, a oedd yn seiliedig ar y ffilm adnabyddus gan Fritz Lang. Mae adegau fel hyn fatha grisial yn fy ngho'; fedra i ddal i weld yr union fan yn llofft fy fflat yn Fairwater lle roeddwn i'n sefyll i ymarfer y gân. Mae hynny, falle, oherwydd imi ganu'r gân yn ddi-baid am ddyddie di-ri, nes 'mod i'n berffaith hapus 'mod i'n gallu ei chofio, ei chanu a'i pherfformio yn hollol *bomb-proof*. Mi oedd Mam yn aros efo fi ar y

pryd, a dwi'n ei chofio hi'n disgwyl i mi orffen ymarfer er mwyn i ni fynd allan am ginio a hithe'n gweiddi, 'O uffe'n, dwi 'di dysgu'r gân 'yn hun, jyst yn aros amdanat ti. Dwi jyst â marw isio bwyd, ffŵl, a bydd y bobl yn y fflat uwch dy ben di yn barod i dy ladd di hefyd.' Ond cario 'mlaen wnes i, nes 'mod i'n berffaith hapus.

'Good choice,' medde llais Jérôme Savary, cyfarwyddwr enwog o Ffrainc, o ddüwch y *stalls* yn y Piccadilly. 'We are going to give you a copy of "The Sun", one of the solos in the show. Come back next week, having learnt it. Goodbye.'

'Nôl â fi ar y trên i Gaerdydd efo copi o'r gân yn fy llaw, gan ddechre dysgu'r geirie. Doeddwn i ddim yn gallu darllen y gerddoriaeth, dim ond sol-ffa, ond nid Capel Bethlehem y Rhos oedd hwn, ond y Piccadilly Theatre, WEST END, darling!!!! Gofynnais i rywun gyfeilio i mi, a'i dapio ar gasét, a 'nôl â fi eto i fy llofft gan droi fy nghymdogion yn wallgo wrth ymarfer, ymarfer, ac ymarfer ychydig mwy. O fewn dim, roedd hi'n bryd i mi deithio 'nôl i Lundain, ac i'r theatr enwog yma, a'r tro hwn, mi ddaeth Jérôme Savary allan o'r tywyllwch gan ysgwyd fy llaw, a gofyn i mi ganu'r faled anthemig iddo. Mi ganais, wrth gwrs, nes bod twll fy nhin i'n crynu eto, gan deimlo pob emosiwn oedd yn y geiriau, a hynny yn fy helpu i hoelio pob un nodyn. Mae'n rhaid bod fy mherfformiad wedi effeithio ar dwll tin Jérôme Savary hefyd, achos ges i alwad ffôn yn fuan wedi'r clyweliad gan fy asiant yn deud, 'How would you like to play the part of George in your first West End musical?'

Ffoniais Mam yn syth a deud, 'Paid byth â chwyno eto amdana i'n ymarfer; dwi newydd gael un o'r prif rannau mewn *musical*, heb orfod cychwyn yn y corws!'

O fewn dim, roeddwn i wedi cymryd fflat yn Chiswick, ar ôl gwrthod cynnig hael iawn gan Ian McKellen, a oedd wedi gosod allweddi ei dŷ yn fy llaw, ond doeddwn i ddim am fynd i lawr y lôn honno. Mi ddadbaciais yno yn hwyr un nos Sul, a'r bore canlynol roeddwn yn cerdded i fyny'r grisiau o *underground* Piccadilly Circus ar ddiwrnod cyntaf yr ymarfer, a 'marmalade moment' arall. Wrth i mi gerdded rownd y gornel tuag at flaen y theatr, mi stopiais yn sydyn a gweld y poster mwya erioed efo ambell enw cyfarwydd arno fatha

Brian Blessed, Judy Kuhn, seren Broadway, a bachgen Marilyn Shop Chîps! Arglwydd, medde fi wrtha i fy hun, mae'n rhaid i mi brofi 'mod i'n dda rŵan! – ac i mewn â fi i'r ymarfer. Roedd bod yn aelod o gast sioe gerdd yn y West End yn brofiad cyffrous a newydd sbon i mi. Roeddwn i rŵan yn ymarfer, yn bwyta ac yn cymdeithasu efo unigolion oedd â thalent leisiol ryfeddol, cymeriadau mawr lliwgar o bob rhan o'r byd: *drag queens* dros ben llestri, dawnswyr di-ri, a hyd yn oedd yr unigryw Brian Blessed, i gyd yn un teulu hapus. Wel, mi oedd pawb arall yn hapus, ond falle nid Brian. Dwi'n ei gofio yn stompio allan o'r ymarfer un diwrnod, gan fod Jérôme wedi ei feirniadu am swnio fel petai o'n chwerthin pan ddylai ei gymeriad fod yn crio. Roedd y tantrym yma yn fwy nag unrhyw dantrym dwi wedi'i weld erioed. Mi anelodd un rheg, gwta, at y cyfarwyddwr yn y fath lais hirwyntog mi fydde wedi plesio Tarzan ei hun. Wedi i'r rheg yma ddod i ben, mi drodd ar ei sowdl a cherdded allan i ganol Soho, a diflannu am ddyddie. Wedi'r penwythnos, mi fyrstiodd yn ôl i mewn drwy ddrws yr ymarfer yn wên o glust i glust, a gweiddi, 'MORNING!' fel petai dim byd wedi digwydd.

Mae'n rhaid cyfadde, er fy mod i wedi mwynhau'r profiad o ymarfer *Metropolis* yn fawr, roedd 'na wendidau yn dechre ymddangos yng ngwead y cynhyrchiad. Roedd wedi costio miliynau o bunnoedd, y sioe fwya costus yn y West End yn ystod y nawdegau, ac roedd 'na broblemau technegol gan y cwmni cynhyrchu o'r cychwyn cynta: roedd y set yn pwyso dros dair tunnell, a honno'n arnofio uwchben y llwyfan fel hovercraft! Erbyn i ni orffen yr ymarferion technegol, a gymerodd wythnosau hirfaith, mi gychwynnodd y *previews*, a'r rheini yn cael eu canslo yn aml gan fod yr *hovercraft* ddim yn hofran! Erbyn y noson gynta roedd pawb ar bigau'r drain, a Brian mewn gwrych drain. Roedd rhywbeth wedi ei ypsetio, a dwi'n cofio tantrym rhif dau, pan weles i decell yn cael ei daflu allan o ffenest ei ystafell newid, yna lamp fwrdd yn fuan wedyn, ac yn ola, fel *encore*, cadair freichiau. Do, mi ddarllenoch chi'n gywir.

Mi gafodd y sioe ei slatio gan y wasg, ond wrth lwc, ges i ganmoliaeth. Wedi tipyn o fuddsoddiad Americanaidd i gadw'r sioe ar agor, wnaeth hi 'mond para naw mis. Er deud hynny, roedd y naw

mis yna yn rhai euraidd, cofiadwy ac addysgiadol i mi fel rhywun newydd i Lundain, i sioeau cerdd ac i'r West End. Mi ddaeth lot o bethe da allan o'r profiad yna i mi. Wnes i syrthio mewn cariad efo Charles Shirvell a oedd hefyd yn y sioe, a chael perthynas am dros ddegawd efo fo. Yn ogystal, dysges i am fecanics y West End, gwneud ffrindiau oes, ac mi wnaethon ni recordio albwm o'r cast yn perfformio'r sioe gyfan. Trodd yr unawd yr oeddwn i wedi'i recordio'n wreiddiol yn unawd boblogaidd yng ngwrandawiadau'r West End am flynyddoedd, ac mi wnaeth Elaine Paige ei chwarae hi ar ei rhaglen ar Radio 2.

Roedd mynd o berfformio yn nosweithiol yn y West End i beidio perfformio o gwbl yn rhywbeth anodd ei lyncu, ac roedd angen i mi neidio'n ôl ar gefn y ceffyl yn fuan, fel petai. Roeddwn yn eiddgar i geisio am fwy o rannau mewn sioeau gwahanol, ond roedd cymaint ohonom yn cystadlu am gyn lleied o rannau nes ei bod hi bron yn amhosib. Mi gefais i sawl cynnig i fod yn *understudy* i Michael Ball, ond doeddwn i byth yn mynd i wneud hynny, a finne wedi bod yn ffrindiau efo fo ers i ni gydweithio yn *Godspell* yn Theatr y Werin, Aberystwyth cynt, a hefyd wedi rhannu fflat efo fo yn Llundain am 'chydig. Mi arhosais yn amyneddgar nes i rywbeth gwerth chweil ddod i'm llwybr. Ges i gynnig clyweliad ar gyfer *Phantom of the Opera*, ac wedi i mi ganu, mi ges i wahoddiad i fynd 'nôl i ganu iddyn nhw eto. O fewn dim amser roeddwn i wedi cael fy ngwahodd am *recall* un ar ddeg o weithiau, nes bod y cannoedd a oedd yn ceisio am ran Raoul bellach yn ddau: Robert Meadmore, enw cyfarwydd iawn yn y West End, a finne. Roedd rhaid i ni'n dau berfformio'r sioe yn ei chyfanrwydd ar bnawn Gwener crasboeth, o flaen Howard Prince, cyfarwyddwr mwya enwog Broadway, a neb llai – a does 'na neb lot llai, gan ei fod o dan bum troedfedd – na Sir Cameron Mackintosh, cynhyrchydd mwya llwyddiannus y byd. *No pressure!* Mi ganodd y ddau ohonom bob golygfa o'r sioe, am yn ail, efo gweddill y cast, nad oedd chwarter mor gynhyrfus i fod yno â ni, gan y bydde'n rhaid iddyn nhw ei pherfformio eto y noson honno ar gyfer y cyhoedd. Erbyn hyn, roedd Bachgen Marilyn Siop Chîps â'i olwg ar y wobr, yn hoelio pob nodyn, a chofio pob

cyfarwyddyd. A bod yn onest, roeddwn i'n mwynhau'r ffaith fod y 'gystadleuaeth' efo gymaint o *vibrato* fel bod ei lais yn debyg i Larry the Lamb yn cyrraedd y lladd-dy.

Fel pob perfformiwr, wedi'r clyweliad es i adre i aros i'r ffôn ganu, ac aros i'r ffôn ganu, ac aros i'r ffôn ganu. Tridie yn ddiweddarach, daeth cnoc ar fy nrws ffrynt, a dyna lle roedd dyn cyhyrog ar gefn beic, yn *lycra* o'i bengliniau i fyny, efo tusw anferth o flodau mewn un llaw a jeroboam o *champagne* yn y llall. Mi ddiolchais i'r gŵr bonheddig a symud i'r gegin i agor y cerdyn oedd efo'r blodau, a sylwi yn syth ar lofnod crand Cameron ar y gwaelod. Dyma ni, medde fi wrtha i fy hun, gan gymryd anadl ddofn i dderbyn y newyddion bendigedig. Ond na. Mi ddarllenais: 'Unfortunately it didn't work out this time, but I hope something better will turn up for you soon. Love, Cameron x.' Mi syrthiodd gwaelod fy mol i'r llawr, a 'ngwên hefyd, a finne'n clywed dim ond distawrwydd pur yn seinio'n uchel yn fy nghlustie.

'Not to worry,' medde fy asiant, yn broffesiynol, 'Theatre Royal Plymouth have offered you Eric in *An Inspector Calls*,' ac er 'mod i isio gweiddi nerth fy mhen, 'I don't care! I want to be back in the West End!', es i bacio fy nghês a derbyn y gwahoddiad yn drwm fy nghalon. Ychydig ddyddie ar ôl cychwyn ymarfer, a finne wedi dechre mwynhau, mi ges i alwad gan fy asiant: 'Cameron's office has been on the phone. He's only gone and offered you Marius in *Les Misérables* at the Palace Theatre, West End.' OMB, mi gadwodd Cameron at ei air. Cafodd Larry the Lamb ei wobr, ond roedd hon yn wobr gymaint gwell, gymaint mwy. 'However,' medde'r asiant, 'they want you to start rehearsals while you are still in Plymouth.' Sut ddiawl oedd hynny'n mynd i weithio? Wedi cant a mil o alwadau ffôn, mi ddaeth fy asiant yn ôl ata i a datgan, 'You're going to have to commute from Plymouth to London for the last fortnight of your play.'

Doedd y gair 'commute' ddim yn un diarth i mi, fel rhywun oedd yn trafaelio i mewn ac allan o'r West End yn aml, ond roedd Plymouth yn rhywle ar ben draw'r map! Talodd cynhyrchiad *Les Mis* i mi hedfan bob bore am chwech i Lundain, a chael tacsi o'r maes

awyr i'r theatr, a oedd yn deirgwaith hyd y ffleit, cyn ymarfer am dair awr. Ond roedd cynhyrchiad Plymouth yn gwrthod gadael i mi hedfan yn ôl. Roedd niwl yn disgyn yn aml, ac yn achosi problemau glanio, felly roedd rhaid i mi ddal y trên yn ôl, siwrne oedd yn cymryd drwy'r prynhawn i gyrraedd Plymouth, jyst mewn pryd i mi gamu ar y llwyfan. Wedyn, yn syth adre i 'ngwely, a chodi cyn y wawr i gychwyn eto.

'Can you cope with this schedule?' medde'r asiant, cyn i mi arwyddo'r contract.

'Does the Pope wear a dress?' medde finne, wrth arwyddo, a gwenu fel giât.

Bu'n gyfnod anodd, a finne'n cario'r sgôr anferth yn ôl a 'mlaen i Lundain heb ei hagor, gan nad oedd hi mewn sol-ffa, ond mi oeddwn i ar ben fy nigon, ac wedi cael fy ngwobrwyo am weithio mor galed. O fewn dim, roedd fy noson gynta yn *Les Mis* wedi cyrraedd, a finne yn syllu arna i fy hun yn y drych gefn llwyfan, yn casglu fy holl nerth, ffocws a hyder wrth i Mam a fy asiant fynd i 'w seti yn yr *auditorium*. 'Tonight, the part of Jean Valjean will be played by the first cover,' medde'r llais *y stage management* dros y tanoi gefn llwyfan. Roedd Peter Carrie a oedd yn chwarae rhan Jean Valjean, canwr adnabyddus o Gymru, wedi gorfod tynnu allan o'r noson bwysig hon oherwydd problemau lleisiol. Doeddwn i ddim yn synnu mewn gwirionedd, gan ei fod wedi bod yn ymarfer bob dydd efo fi, a pherfformio'r sioe wyth gwaith yr wythnos. Mi gychwynnodd y gerddorfa yn hyderus wrth i mi gychwyn fy nhaith i lawr i'r llwyfan, gyda hanner fy nghalon yn fy ngwddw a'r hanner arall rywle yn fy nhrôns. Dechreuodd y chwys redeg i lawr fy nghefn wrth i mi sylweddoli 'mod i ar fin perfformio gyferbyn â'r *understudy*, rhywun newydd nad oeddwn wedi'i gyfarfod o'r blaen. Wrth i mi sefyll yn y tywyllwch yn y wings, clywais un o'r corws yn deud, 'It's a big night for the understudy, he's only just back in work after open heart surgery.' Roedd clywed hyn, eiliadau cyn i mi gamu i'r goleuni, fatha rhywun yn fy syfrdanu efo dau symbal bob ochr i 'mhen. I chi sy'n nabod y sioe, fyddech chi'n gwbod fod Jean Valjean yn gorfod achub Marius o *sewers* Paris ar gychwyn yr ail act, a fi

oedd y Marius tryma mewn hanes hyd yn hyn. Roedd hyd yn oed Peter Carrie yn cael trafferth hympio'r lwmpyn mawr, llawn *ffish* a *chîps*, o gwmpas yr ymarfer, a cheisio canu, felly sut oedd y truan yma yn mynd i ymdopi, a'i galon 'mond newydd setlo 'nôl yn ei frest? Rhywsut neu'i gilydd, mi gododd yr *understudy* fi, a bydde rhywun yn taeru mai Darcey Bussell oeddwn i, wrth i mi gael fy nghario o gwmpas y llwyfan fatha doli glwt. Roedd y gwaetha drosodd, am wn i. Mi gadwais yn cŵl, anadlu'n ddwfn a chanolbwyntio ar weddill y sioe, gan sylweddoli fod y gân ola ar y gorwel. Dechreuais wenu tu mewn, gan ddechre mwynhau'r ffaith fod popeth wedi mynd fel watsh, ac yn edrych ymlaen at y gân ola, lle roedd y cast i gyd yn ailadrodd ac yn cydganu cân oedd wedi ymddangos yn yr act gynta. Oherwydd cyfyngiadau'r amserlen ymarfer, doeddwn i ddim wedi cael y siawns i ymarfer hon. 'All you do,' medde'r cyfarwyddwr, 'is kneel next to your new bride, Cosette, centre stage, with all the cast standing around you, face front and sing out.' Dyma ni, medde fi wrtha i fy hun, y *big finish*, wrth i mi benlinio ganol llwyfan, efo merch mewn clamp o *meringue* nesa ata i, a *spotlight* yn fy wyneb. Dechreuais ganu'r gân o'r act gynta ond doedd neb wedi egluro fod 'na eiriau HOLLOL NEWYDD i mi, a finne yn cychwyn canu, 'Do you hear the people sing?' a phawb arall, yr un pryd, yn canu, 'Will you join in our crusade?' Arglwydd mawr, medde fi wrtha i fy hun, gan benderfynu jyst penlinio a gwenu'n braf ar fy ngwraig, yr arweinydd a Mam. Wrth lwc doedd neb fawr callach. Bingo! Roedd y noson gynta drosodd.

Fyddwch chi'n falch o wybod 'mod i wedi gwella, ac wedi dysgu popeth erbyn yr ail noson, ac er bod y cyfnod euraidd yma wedi bod yn anodd, roedd hi'n bleser, ac yn anrhydedd bod yn rhan o rywbeth mor fyd-enwog, mor raenus ac mor gynhyrfus. Mi wnes i setlo i mewn a gwneud ffrindiau oes, ond roedd straen bod yn rhan o sioe oedd yn para dros dair awr a hanner yn fwrn ar adegau. Gan fod cymaint o blant ifanc yn y sioe, roedd angen ailgastio'r rhain yn aml i gydymffurfio â rheolau'r undebau. Hefyd, roedd cytundebau ambell un yn dod i ben bob chwe mis, felly roedd yr amserlen ymarfer efo pobl a phlant newydd yn greulon. Byddem yn cael ein galw i'r theatr

am ddeg bob bore, ymarfer drwy'r dydd a gorfod canu ffwl pelt, a pherfformio wedyn bob nos, a phnawn Iau a phnawn Sadwrn. Dwi'n cofio'r straen, yn enwedig yn lleisiol, ac yn teimlo'n euog o feddwl 'nôl, a finne'n rhannu fflat efo Michael Ball, ac yn ei gyhuddo o fod yn *drama queen* pan oedd o'n creu y rhan yma yn wreiddiol, a fynte ar ei lunie efo'r holl ymarferion. Ond beth bynnag oedd y straen, mi oedd hi'n fraint ac yn anrhydedd gallu canu caneuon epig ar lwyfan y West End, efo cerddorfa o dan fy nhraed, mewn sioe oedd yn cael y gynulleidfa ar ei thraed bob nos.

Daeth ffrindiau di-ri i weld y sioe tra oeddwn i ynddi, a phob un yn dod i fy stafell am lasied o *champagne* wedyn, ond dim ond un glasied, gan fod rhaid i mi fynd yn syth adre i gysgu er mwyn wynebu Chwyldro Ffrengig neu ddau arall y diwrnod wedyn. Roedd y West End yn gallu teimlo fel pentre bach Cymreig ar adegau, yn llawn o Gymry. Cyrhaeddodd ambell i gerdyn, tusw neu anrheg y *stage door* gan rai nad oeddwn i'n eu nabod yn iawn ond oedd isio fy nghyfarch neu fy llongyfarch. Roedd y *stage door* yn bwysig i ni fel artistiaid. Wna i fyth anghofio clywed dros y tanoi, 'There's a jar of pickles for Stifyn Parri to stage door. A jar of pickles. Thank you.' A finne yn chwerthin yr holl ffordd i lawr i'w nôl, gan wbod yn reddfol, er nad oedd neges efo nhw, mai fy ffrind Valerie Roberts o'r Rhos oedd wedi galw heibio. Hi oedd brenhines y picls! A dwi 'di cael sawl jar, drwy sawl *stage door*, ers hynny.

Y tu allan i'r *stage door* roedd y ffans i gyd yn ciwio hefyd, a rhai yn dŵad yn aml. Roedd un fam a merch yn trafaelio o Fanceinion bob dydd Iau a dydd Sadwrn er mwyn gwylio'r *matinee*. Byddent yn sefyll yn eiddgar cyn pob sioe, a'n cyfarch ni i gyd wrth i ni gyrraedd y gwaith, gan ofyn i ni arwyddo'r pethe mwya rhyfedd. Nid lluniau, na llyfrau llofnodion, ond *bread boards*, ffedogau a hyd yn oed papur wal wedi ei brintio gyda llun pawb oedd wedi chwarae rhan Marius arno drwyddi draw. Meddyliwch! Papur wal efo'r wyneb yma arno. Digon i godi hunlle! A sôn am hunlle. Roedd rhaid bod yn wyliadwrus wrth ymateb i'r *fan mail*, gan sicrhau nad oeddech chi'n ateb y person fwy nag unwaith. Tase'r ffan yn sgwennu'n ôl, bydde ateb eto yn gyrru neges beryglus i ambell un, a

bydden nhw'n cychwyn rhyw berthynas ffug yn eu pennau. Er i mi beidio ag ateb un person penodol fwy nag unwaith, doedd hynny ddim wedi ei stopio o rhag ysgrifennu ata i yn wythnosol. Roedd y dyn yma yn cynnig cyfarfod i gael diod ar ôl y sioe yn aml, a fynte'n byw yn Iwerddon!

Ar ôl imi gymryd wythnos o wylie i fwynhau fy mhen-blwydd, mi ffoniodd fy asiant pan oeddwn i ar fy ffordd i'r theatr i ddeud ei bod hi newydd wrando ar lif o negeseuon ar ei pheiriant ateb a oedd yn mynd yn fwy dramatig yn eu tro. Roedd y dyn yma wedi sgwennu ata i tra 'mod i ar fy ngwylie, ac wedi datgan ei fod yn dod i weld y sioe ar noson fy mhen-blwydd, a'i fod wedi bwcio bwrdd i ni yn un o westai mwya crand y ddinas, a llofft hefyd! Doeddwn i fawr callach wrth i mi dreulio'r wythnos yn fy ngardd yn yr East End, ond druan â fo; roedd o wedi cyrraedd y *stage door*, a nhwythe wedi egluro nad oeddwn i yno. Aeth yn ôl i'r gwesty ar ei ben ei hun a meddwi, a bygwth sawl peth erchyll mewn cyfres o negeseuon ffiaidd ar ffôn fy asiant. Erbyn i mi gyrraedd y theatr, roedd wedi gadael sawl anrheg pen-blwydd yno i mi.

'And this was left for you this morning,' medde'r dyn a oedd yn gweithio ar y *stage door.*

'You'd better open it,' medde finne'n nerfus.

Mi agorodd yr anrheg, a oedd wedi ei lapio mewn papur du, a dyna lle roedd bocs siocledi mawr, hanner llawn, efo gweddill y siocledi wedi'u malu bob yn un, a neges ar gerdyn yn deud, 'It's over'. *Phew!* Diolch i'r drefn nad oedd unrhyw beth wedi cychwyn, dduda i, a diolch i'r *stage door* am ein bugeilio!

Mae chwarae rhan Marius wedi dod â lot i mi, ac rydw i'n ymfalchïo 'mod i wedi cael perfformio yn Wembley efo'r cast, a hefyd ganu yn yr Albert Hall i ddathlu degfed pen-blwydd *Les Mis*. Mae'r sioe deirgwaith yr oedran hwnnw erbyn hyn ond mae'r atgofion yn dal yr un mor glir i mi. Roedd bod mewn sioe yn y West End hefyd yn denu llawer o waith ychwanegol, fel digwyddiadau mawr 'nôl yng Nghymru: gwaith cyflwyno a chyngherddau di-ri. Roedd hi'n anodd ceisio gwneud popeth gan fod contract *Les Mis* yn un tyn, ond roedd dydd Sul yn rhydd gennym, wrth gwrs.

Mi ddylwn i fod wedi gorffwys y diwrnod hwnnw, ond yn aml roedd 'na gynnig i ganu i rywun yn rhywle. Un o'r rheini oedd y cynnig i ganu unawd yn y Palladium. Roedd 'na noson yn cael ei chynhyrchu fel teyrnged i un o sêr mwya'r dauddegau, o'r enw Evelyn Laye. Er nad oeddwn i wedi clywed am yr Evelyn Laye 'ma, roedd y sêr mwya yn cymryd rhan, fel Dame Hilda Bracket a Dora Bryan, ac felly roeddwn yn benderfynol o beidio â cholli'r cyfle i ganu'r noson honno. Roedd y nosweithiau hyn yn mynd fel watsh. Cyfarfod bore Sul, ymarfer yn y bore yn rhywle, llwyfannu yn y prynhawn, ac yna'r llen yn codi am hanner awr wedi saith. Ges i ddwy sioc fwya 'mywyd i y diwrnod hwnnw. Pan gyrhaeddais i'r ymarfer y cefais i'r sioc gynta, gan fy mod i wedi cymryd yn ganiataol fod yr Evelyn 'ma wedi marw, ac mai dyma oedd holl bwynt y deyrnged; ond na, dyna lle roedd hi yn yr ystafell ymarfer, yn wyth deg saith oed. Iep, roedd hi'n dal yn fyw, er, fyddech chi ddim yn credu hynny wrth ei harogl!

Fy unawd i oedd 'Beautiful Girls', cân fendigedig o *Follies* gan Stephen Sondheim. Eglurodd y cyfarwyddwr, y diweddar Christopher Wren, 'You'll be wearing top hat and tails, Stifyn, and as you sing "Hats off, here they come, those beautiful girls" you turn up stage as all the beautiful girls will come down the steps at the back of the stage and will join you each side as you finish the number. I've rehearsed the girls already, so just imagine them for now.' Grêt, medde fi wrtha i fy hun, heno fe fydd merched prydferth bob ochr i mi, yn bling ac yn blu i gyd.

Daeth yr awr, a dyna lle roeddwn i jyst â marw isio mynd ar y llwyfan, yn aros i Elisabeth Welch orffen ei chân, er mwyn i mi ei chanlyn i ganol y llwyfan a hoelio'r gân yr oeddwn yn ei chofio cystal â 'nyddiad geni. Mi gerddais ar y llwyfan mewn tywyllwch. Cychwynnodd y gerddorfa, mi drodd y *spotlight* arna i ac mi wenais wrth ganu, 'Hats off, here they come, those beautiful girls', a throi i ddisgwyl y dawnswyr ifanc yn eu holl ogoniant; ond be weles i oedd hen ffrindiau Evelyn oedd i gyd yn eu hwythdegau a'u nawdegau, yn *zimmer frames* ac yn ffyn a *neck braces* i gyd yn straffaglu i lawr y grisie fatha rhywbeth allan o fideo 'Thriller' Michael Jackson. Mi

anghofiais i bob gair arall o'r gân, gan falu awyr yn llwyr, gydag ambell odl, ac ambell i air Cymraeg nes i mi ddod i ddiwedd y perfformiad. Ac wrth gwrs, er bod fy myd wedi syrthio drwy dwll fy nhin, doedd y gynulleidfa fawr callach, a phawb ar eu traed yn cymeradwyo fel ffylied! *Ah showbiz!*

PENNOD 7
SWS

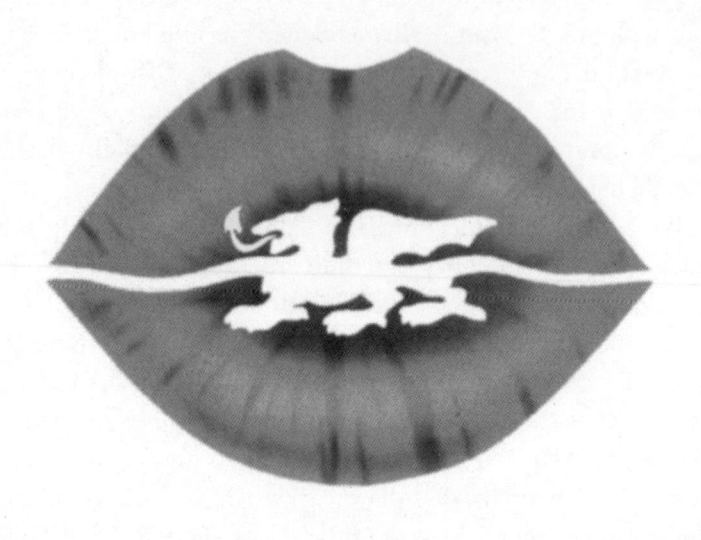

Tra oeddwn yn byw yn Llundain, roedd Siân Lloyd a finne'n cael ein gwahodd i bob digwyddiad Cymreig yn y ddinas, a bydde 'na luniau di-ri ohonom i brofi hyn, gyda gwydred *champagne* yn ein dwylo, mewn nosweithiau gwefreiddiol dros ben mewn gwestai crand, tai enwogion a hyd yn oed Buckingham Palace. Roedd y ddau ohonom wedi clicio wrth i ni gydgyflwyno *Plant Mewn Angen* i'r BBC yn Llandaf, a dyna lle roedd Siân drwy'r darllediad yn fflyrtio fel cath ar dân efo fi, wrth i ni sgwrsio rhwng eitemau byw y rhaglen. Roedd rhaid i mi egluro iddi yn syth nad oeddwn i ar yr un bws â hithe, a bod dim pwynt iddi chwithio am sêt nesa ata i beth bynnag. Mi glywodd hi'r neges yn glir, ac o'r diwrnod hwnnw ymlaen mi es i ar ei braich hithe, neu hithe ar fy mraich i, i bobman fatha 'Siôn a Siân ond llofftydd ar wahân'.

Yn ogystal â'r gwahoddiadau difyr, roedd y ddau ohonom hefyd, yn anffodus, ar *guest list* pob un o ddigwyddiadau diddychymyg

Cymraeg y ddinas hefyd. Yn raddol roedd La Lloyd a finne allan dair gwaith yr wythnos, ac roeddwn i, yn bersonol, yn dechre blino ar nosweithiau di-liw cymdeithasau Cymreig Llundain, lle roedd pawb yn glyfoerio dros delyn, côr neu blydi *Welsh cake*. Roedd y rhan fwya o'r nosweithiau 'ma yn hirwyntog a diflas, heb unrhyw sbarc, a phawb, rhywsut, wrth eu boddau yn canu 'Calon Lân' wrth giniawa'n sidêt ar gig oen, dro ar ôl tro. Erbyn i Ddydd Gŵyl Dewi gyrraedd roedd Siân a finne wedi bwyta gymaint o gig oen mi fysen ni'n prancio o un digwyddiad i'r llall, lle doedd dim llawer yn digwydd o gwbl.

Dyma'r cyfnod ddechreues i feddwl bod angen imi greu cymdeithas Gymreig newydd fy hun yn Llundain, yn lle lladd ar y lleill; cymdeithas y byswn i wir yn hoffi bod yn rhan ohoni. Gyda'r syniad yma yn fy mhen, o fewn dim dyma fi'n penderfynu bwcio stafell yn y Groucho Club, yn Soho, a oedd yn dal hanner cant o bobl. Mi wnes i wahodd yn union hanner cant o bobl, yn cynnwys Siân Lloyd a Siân Phillips, ac mi drodd pob un *one jack* ohonynt i fyny. Gawson ni hwyl y diawl, a *chocktails* di-ri, cerddoriaeth gefndirol chwaethus, a siawns i ddal i fyny efo hen ffrindiau neu i gyfarfod ffrindiau newydd. Ar ddiwedd y noson, diolchais i bawb yn gyhoeddus, gan ofyn a ddylwn i drefnu noson arall rywbryd, ac mi waeddodd pawb mewn cytundeb.

Erbyn y noson nesa, roedd cannoedd o bobl yno, yn cynnwys llawer o'r enwogion. Mi benderfynais i y dylwn i gael enw bachog ar y gymdeithas yma, enw a oedd yn hawdd i'r di-Gymraeg ei ddeud, ac enw a oedd yn ddigon o atyniad ar gyfer y wasg hefyd. Roeddwn i'n benderfynol o greu cymdeithas iach i Gymry Llundain o bob math, nid fel ambell gymdeithas a oedd ar gyfer pobl broffesiynol yn unig, neu bobl Gymraeg eu hiaith yn unig, neu'n waeth fyth, jyst i bobl boring. Roedd rhaid i'r gymdeithas yma chwythu'r lleill allan o'r dŵr. A ganed i'n byd: SWS – Social, Welsh and Sexy, cymdeithas oedd â'i drysau ar agor i bawb.

Unwaith i mi benderfynu ar enw, mi grëwyd pwyllgor; Cymreig iawn a deud y lleia! Mi oedd y grŵp egnïol hwn yn help i agor cyfrif banc, rhoi'r gair ar led a gwthio gwahoddiade i amlenni a llyfu

stamps. Iep, roedd hyn cyn dyddie e-bost! Mi fydda i'n ddiolchgar i'r unigolion yma am byth. Roedd y gair 'sexy' wedi cael ei roi yn yr enw yn fwriadol, ac roedd y wasg ag awydd mawr i'n cynnwys yn eu papurau, gan eu bod yn cael defnyddio'r gair 'sexy' am y tro cynta mewn penawdau i'n disgrifio ni'r Cymry! Ac roedd yr enwogion a oedd yn aelodau yn eu denu nhw hyd yn oed yn fwy. Roedd angen logo arnom, ac wedi trafod efo ambell i aelod clyfar, mi wnaethon ni benderfynu cael gwefusau gyda thinc Cymreig, 'sexy' iddynt.

Y noson honno roeddwn yn digwydd cael swper efo Catherine Zeta Jones, *as you do*, ac mi ofynnais iddi, ar ôl gwydred neu dri o win, fydde hi'n barod i roi mwy o finlliw a chusanu darn o bapur gwyn i mi, er mwyn i ni gopïo ei gwefusau a'u defnyddio fel logo. Cytunodd hi. Cusanodd hi'r papur ac mi wnaethon ni gario 'mlaen i wledda ac yfed. Pan orffennwyd ein logo cŵl, roedd y wasg wrth eu bodd, yn enwedig o glywed mai gwefusau mwya enwog y byd oedd yr ysbrydoliaeth tu ôl i'r *pout*. Doedd hi ddim yn ofynnol i mi gyfadde mai colli 'gwefusau' Catherine wnes i, ar ôl gormod o win, a doedd neb ddim callach! O fewn ychydig, roedd llythrennau bras ar dop y papurau newydd: 'Catherine's pout gives Welsh Club kiss of life', er bod y gwefusau hynny falle'n dal dan ryw fwrdd yn Soho, ac mi aeth SWS o nerth i nerth. Ar yr un pryd â thwf SWS roedd Catatonia yn sgubo'r siartiau ac roedd y dôn Gymreig 'ma yn dechre hawlio'r penawdau. Dyma oedd y cyfnod y ganwyd ymadrodd newydd yn y papurau i ddisgrifio'r Gymru Newydd, sef 'Cool Cymru'.

Yn ystod cyfnod Cool Cymru mi gafodd SWS sylw'r wasg yng Nghymru a Lloegr, a thu hwnt, gyda'r papurau mawrion yn rhuthro i gael llunie Matthew Rhys, Ioan Gruffudd, Rhys Ifans a llawer mwy, a sylw ar deledu a radio Prydeinig hefyd. Mi ymddangosodd Bryn Terfel yn un o bartïon y gymdeithas, a syfrdanu pawb wrth ganu 'Pen-blwydd Hapus' a'n hanthem genedlaethol ar risiau'r Groucho Club. O fewn dim, roedd 'na dros bum mil o aelodau, a finne'n cael hwyl y diawl yn trefnu partïon mwy a mwy cofiadwy bob tro. Wedi i'r stori fawr dorri am Monica Lewinsky, mi wnes i logi llong ar y Thames o'r enw *HMS President* gan eirio'r gwahoddiad, 'Come and celebrate SWS's birthday – Let's all go down on the President!'

Trodd pawb i fyny. Mi drefnais i ddraig fawr wedi ei gwneud o rew, fel *vodka luge*, i groesawu pawb ar y llong – gymaint gwell na blydi *Welsh cake* – ac embarasio ambell un sych wrth imi dywallt y *vodka* i geg y ddraig, tra oedden nhwythau yn gorfod ei sugno o dwll ei thin. Am groeso Cymreig!

Efallai mai'r parti hwn oedd y rheswm i ambell gwpwl gyfarfod a chusanu, a hyd yn oed priodi, gan gynnws Shân Cothi a'i gŵr, y diweddar Justin Smith. Ac i'n diddanu y noson honno, mi fwciwyd y grŵp MEGA. Mi alla i'ch sicrhau fod o leia tair priodas wedi digwydd o achos SWS, sawl perthynas gariadus a sawl plentyn hefyd, ond mae'n dal i fy nrysu hyd heddiw pam yr oedd cymaint o bobl, newyddiadurwyr yn arbennig, yn camddeall mai *singles club* oedd SWS. Roedd hi fel tase pobl ddim yn ystyried ein bod yn haeddu'r teitl 'sexy' rhywsut, ac yn camddehongli'r enw 'Social, Welsh and Sexy' fel 'Social, Welsh and Single'! Neu, efallai oherwydd mai dyn hoyw oedd yn ei rhedeg, roedd rhai yn meddwl fod 'na rywbeth mwy *promiscuous* tu ôl i'r gymdeithas. Duw a ŵyr, ond yn bendant mi oedd y weledigaeth hon wedi ei gwireddu: roedden ni'n ofnadwy o 'social', yn amlwg yn 'very Welsh' ac yn bendant, o ystyried ein twf a'n delwedd, yn tu hwnt o 'sexy'.

Yn drist iawn yn ystod y cyfnod yma, mi wnes i droi yn sengl fy hun, wrth i fy nghariad, Charles, a finne wahanu. Mi benderfynais fynd am wythnos i Efrog Newydd, lle roedd Charles a finne wedi bwriadu mynd, ond erioed wedi bod. Cysylltais i ag ambell Gymro yno cyn mynd, ac erbyn i mi gyrraedd, roeddwn i ar dân isio ceisio cychwyn SWS yn Manhattan. Treuliais i bob eiliad o fy ngwylie yn datblygu cysylltiadau, yn ymweld â lleoliadau addas a phlotio fy nghamau nesa. O fewn dim roedd SWSNY wedi ei lansio, ac mi ddechreuais i geisio cael nawdd y Cynulliad i helpu'r achos. Roeddwn i'n gwbod fod y llywodraeth yn hoffi'r ffaith bod SWS yn cryfhau proffeil Cymru tu hwnt i'r wlad, yn fwy na nhw yn fy marn i, ac roedd cymorth y sefydliad hwn, wrth ddatblygu SWS i'w lawn botensial, yn allweddol. Roedd ambell un o fewn y Cynulliad yn llawn brwdfrydedd fel unigolion, ond y gwir oedd nad oedd y nawdd oedd ar gael ddim yn ddigon o bell ffordd. Er

deud hynny, roedd y parti SWSNY cynta yn llwyddiant ysgubol, er y diffyg nawdd, gyda dros bum cant yn troi i fyny yn ystod dathliad Wythnos Cymru, a denodd y digwyddiad hwn fwy o sylw na holl weithgareddau'r wythnos honno efo'i gilydd. Cawsom eitem ar y newyddion lle roeddwn i'n glanio mewn hofrenydd fel James Bond. Wedi fy anerchiad ar y meic y noson honno, yn Lot 61, sef y clwb mwya cŵl, a ffefryn neb llai na Madonna, mi wnes i ddatgan fod Efrog Newydd wedi dygymod efo King Kong a Godzilla, ond rŵan roedd SWSNY wedi dod i goncro Manhattan. Ac mi wnaeth! Roedd y wasg i gyd yn glyfoerio y tu allan, gan obeithio fod ein llysgennad Catherine Zeta Jones yno, er, doeddwn i ddim wedi datgan nad oedd hi ar gael y noson honno, ond cawsom y sylw i gyd serch hynny. Wythnosau yn ddiweddarach cawsom dudalen gyfan yn *Tatler*, un o'r cylchgronau mwya chwaethus ar wyneb y ddaear, yn datgan, 'Thanks to you, Stifyn Parri and SWS, the Welsh are now the biggest growing minority on the Island of Manhattan'. Bydde'r llywodraeth wedi gorfod talu miloedd ar filoedd am y fath PR, ond faint gostiodd o i ni? Dim. Roedden ni wedi gwahodd Cymro o Efrog Newydd heb wybod beth oedd ei swydd, a newyddiadurwr i *Tatler* oedd o! Bingo!

Mi ges i wahoddiad i fynd i Moscow i ail-lansio'u cymdeithas Gymraeg yno o dan faner SWS Rwsia! Roedd angen i mi gymryd rhywun i gynnig adloniant yn y parti, a gan fod Siân Lloyd â llais canu fel *pet shop* ar dân, mi benderfynais i y bydde hi'n gallach i mi gymryd Siân arall yn ei lle, sef Shân Cothi. Cyn i ni droi, roedd Shân a finne ar yr awyren yn nesáu at Rwsia, ac yn cael ein cyfarch ar waelod grisiau'r awyren, wrth i ni lanio, a'n tywys i mewn i gerbyd tebyg i Black Mariah, fatha *superstars*. Dwi'n dal yn sicr hyd heddiw na wnaeth neb siecio pasbort Shani na finne. Dwi'n cofio ni'n cael ein gyrru, ar hast, i'r adeilad anferth yma, a'n cludo fel rhyw gyfrinach o bwysigrwydd rhyngwladol drwy'r drws cefn. O fewn chwinc roedden ni mewn bathrwm crand, y ddau ohonom, a finne yn newid i'n siwt Versace yn chwys i gyd wrth geisio clymu basg Ms Cothi, â'm sowdl yn ei chefn wrth i mi dynhau'r crie. Roedd y ddau ohonom yn histerical ar y pryd, wedi gorflino, yn nerfus ac wedi ecseitio'n lân. Heb unrhyw rybudd o gwbl, mi agorodd drws y

bathrwm i sŵn cymeradwyo, wrth i ni'n dau shyfflo allan, braidd yn ddryslyd, i weld be oedd.

Roedden ni mewn stafell grand gyda bron i gant o Gymry alltud a Rwsiaid oedd wedi dysgu Cymraeg, ac mi eglurodd rhywun i ni mai yn Llysgenhadaeth Prydain roedden ni. Cofiwch, dyna'r unig beth wnaethon ni'i ddeall; roedd acen Rwsiaidd pawb mor gryf, a rhwng eu hacen a'u diffyg meistrolaeth o'r Gymraeg, doedd gan Shân a finne ddim clem be oedd unrhyw un yn ei ddeud. Mi wnaeth y ddau ohonom wenu a nodio, heb yngan gair. Yna, mi ddaeth hi'n amser i fi gyfarch y dorf yn ddwyieithog, ac mi oedd pethau'n mynd yn dda, pobl yn gwrando, yn deall ac yn chwerthin yn y llefydd iawn. Wedyn, roedd rhaid i mi gyflwyno Shân, a oedd yn mynd i ganu tair cân, gyda chyfeilydd oedd yn byw ym Moscow. Yn anffodus, doedd dim amser i ni gyfarfod â'r cyfeilydd ymlaen llaw, felly aeth Shân at y piano efo'r gerddoriaeth. Roedd 'na wraig fawr, ddig yr olwg, yn iste ar y stôl biano yn darllen papur newydd ac yn smocio. Mi wnaeth rhywun egluro mai hi oedd y gyfeilyddes, ac wrth i Shân gynnig y gerddoriaeth iddi, mi blonciodd hi'r papur newydd ar ben y piano, rhoi ei sigarét i'r naill ochr, ochneidio'n uchel ac ymosod ar y piano fel gwallgofwraig ar hast. Sut yn y byd wnaeth Shân ganu heb chwerthin neu grio, dydw i ddim yn gwbod, ond mi ges i'r sêt orau yn y tŷ, yn gwylio'r reslar chwerw 'ma yn mynd 'nôl at ei phapur newydd a'i ffag rhwng caneuon, ac yn ochneidio yn uwch ac yn uwch cyn pob cân.

Wedi'r noson honno mi wnaeth y trefnwyr ein cymryd i glwb nos, lle wnaeth Shân ymlacio braidd gormod ar ôl llowcio gormod o win, a mynd i ddownsio ar ben y bar. Roeddwn i mewn llawer gwaeth mŵd na'r gyfeilyddes erbyn hyn, wedi blino'n lân ar ôl y teithio, ac yn gweld fod bron pawb yn y clwb yn berchen ar wn! 'Tyd lawr yn syth, Shani,' medde fi, 'dan ni'n mynd 'nôl i'r gwesty lle ma' hi'n saff.' Am fisoedd wedyn ddudes i wrth Shân na fyswn i BYTH yn dychwelyd i Rwsia. Doeddwn i ddim yn hoffi'r oerfel, roedd y rhan fwya o'r bobl yn edrych yn ddig, a doedd hi ddim yn bosib cyfathrebu efo bron neb. Mi gymerodd hi ugain munud i mi ofyn

am baned o goffi un bore, a phan ddaeth honno, cwpanaid o siocled oedd yn dewach na slwj oedd hi.

O fewn blwyddyn roeddwn i'n ôl ar yr awyren unwaith yn rhagor, ond y tro hwn gydag Amy Wadge, y gantores. Cawsom ein tywys i'r gwesty, sef un crand chwe seren, a thra oedd Amy a finne yn cynhesu yn y cyntedd, canodd fy ffôn. 'Welcome to Moscow,' medde'r llais. 'Just to let you know, we have decided to give this year's SWS Russia a fancy dress theme.' Es i'n oer. Un o fy nghas bethau yw *piggin'* gwisg ffansi, a dechreuais i ddychmygu dynion wedi'u gwisgo yn y wisg draddodiadol Gymreig neu'n waeth fyth, mewn drag fatha Shirley Bassey. Wedi i mi ddatgan fy ngwrthwynebiad llwyr wrth y wraig ar y ffôn, mi glywodd Amy a finne *kerfuffle* wrth i grŵp o bobl gerdded tuag atom. Wrth i mi rythu, gan nad oedd fy sbectol gen i, mi weles i beth oedd yn debyg i ddyn mawr tal, efo pobl yn ffysian o'i amgylch. O bell, mi weles i fod y person yma wedi'i wisgo mewn lledar ac yn gorset i gyd, gyda gwallt mawr gwyllt a'i wyneb yn llawn colur.

'Oh God!' medde fi wrth Amy. 'Here's one guy who's coming to SWS Russia dressed as bloody Bonnie Tyler.' Mi gerddodd y weledigaeth yma yn agosach ata i, ac yn agosach eto, ac yna ddudes i, 'Oh fuck! It IS bloody Bonnie Tyler!' Roedd Bonnie yn un o lysgenhadon SWS, felly mi ddudes i, yn naturiol, 'Are you here for SWS Russia?'

'No,' medde hithe yn ei ffordd ddihafal,' 'I'm singing in the fucking Kremlin.' Chwarddais yn uchel yn cymryd mai bod yn sarcastig oedd hi, ond na, roedd Bonnie blydi Tyler ni yn ymddangos ddwy noson yn olynol yn y ffycin Kremlin. Byd bach, 'ta be? Dydw i erioed wedi teimlo gymaint o ryddhad wrth weld mai hi oedd hi ac nid rhyw Gymro oedd yn ceisio edrych fel hi. *Phew!*

Tra oedd Bonnie yn rocio'r Kremlin, mi oeddwn i, unwaith eto, yn brysur yn ceisio deall llond stafell o bobl Rwsiaidd-Gymreig, ond wrth lwc doedd dim sôn am y gyfeillyddes honno. Roedd Amy Wadge yn cyfeilio iddi hi ei hun ar y gitâr, ac mae be ddigwyddodd nesa yn dal yn gwneud i mi wenu hyd heddiw. Mi hoeliodd Amy Wadge bump cân wreiddiol fel rhan o'r noson, ond doedd dim

un o'r gwesteion wedi stopio siarad i wrando arni o gwbl. Mae'n siŵr eu bod nhw'n cicio'u hunain erbyn hyn, a hithe wedi ennill Grammy am gydsgwennu'r gân fwya llwyddiannus ar y blaned efo Ed Sheeran. Ie, 'Thinking Out Loud' – er, falle, mai 'Talking Out Loud' oedd y teitl y noson honno. Noson swreal dros ben, a ninnau'n ei gorffen hi yn bwyta byrgars efo Bonnie tan oriau mân y bore, a Bonnie'n deud, 'The burger's nice, innit? None of this Russian shit!' a hynny'n uchel, yn y gwesty!

Roedd rhedeg SWS yn y ffordd wnes i hefyd yn cryfhau fy mherthynas efo sawl un arall. Dwi'n sicr na fyswn i erioed wedi cael fy ngwahodd i briodas Catherine Zeta Jones a Michael Douglas oni bai am ein perthynas drwy SWS, ac mae'n rhaid deud mai'r diwrnod hwnnw oedd y peth mwya *social*, *Welsh* a *sexy* weles i erioed. Anodd coelio 'mod i wedi rhannu'r carped coch ar waelod Central Park yn Manhattan efo Goldie Hawn, Kirk Douglas, Danny DeVito, hanner Abertawe a blydi Superman! Roedd yna gasgliad anferth o wasg y byd yn ein haros, a chamerâu efo lensys mwy na 'ngheg, cofiwch. Wrth i'r newyddiadurwyr i gyd weiddi, 'Goldie, give us a smile' a 'Over here, Kirk, give us a wave', glywais i lais bach yn eu canol yn deud, 'Stifyn Parri, sud wyt ti?!' Daloni blydi Metcalfe! Roedd hi yno efo camerâu rhaglen *Heno* i S4C. Datblygodd y diwrnod bythgofiadwy yma i fod yn fwy boncyrs fyth erbyn ei ddiwedd, gyda finne'n sefyll wrth *grand piano* gwyn tra bod Catherine yn canu 'Calon Lân' i griw bach ohonom a oedd yn cynnwys Mick Hucknall, Art Garfunkel a Gladys Knight a'i Phips! Tydy bywyd ddim yn mynd llawer gwell na hyn! Merch o Abertawe yn serennu yn un o ddigwyddiadau mwya amlwg America!

Aelod arall o SWS sydd erbyn hyn yn amlwg iawn yn America yw fy ffrind ffyddlon Matthew Rhys. Mae Matthew yn arbennig, ar sawl lefel. Heblaw am y ffaith ei fod yn actor o fri sydd wedi ennill sawl gwobr BAFTA ac Emmy, mae o hefyd yn ddyn diymhongar, cariadus, doniol a thriw. Dros y blynyddoedd dwi wedi gorfod cysylltu â channoedd o enwau mawr ar gyfer digwyddiadau gwahanol drwy asiantaeth lwyddiannus MR PRODUCER, a fynte yw'r un sydd bob tro yn ymateb gynta, wastad mor hawddgar, a'i

draed mor gadarn ar y ddaear. Cawr o ffrind *social, Welsh* a *sexy* tu
hwnt, ond sydd â'i ben, sy'n dal yr un maint ag o'r blaen, yn gadarn
ar ei sgwydde.

Roedd cryfder a llwyddiant SWS yn ddibynnol ar sawl peth.
Roedd hi'n gymdeithas amserol, a oedd yn derbyn pobl o bob statws,
pob oedran a phob cornel o gymdeithas – y da a'r drwg, a phawb
yn y canol. Ond yn fwy na hynny doedd SWS yn gofyn dim gan ei
haelodau, 'mond eu bod yn mwynhau … Dyma oedd ar goll yn ystod
llawer o'r nosweithiau Cymreig roeddwn i wedi'u diodde, lle roedd
yr aelodau yn teimlo ei bod yn ddyletswydd bod yno yn cefnogi,
yn hytrach na'u bod nhw wir isio bod yno. Wrth edrych yn ôl,
cymdeithas rwydweithio fendigedig o flaen ei hamser oedd hi, ac mi
ydw i'n dyst i hyn, gan fy mod i wedi gwneud miloedd o gysylltiadau
iach a ffortunus iawn dros y byd drwy ei rhedeg. Alla i ddim dechre
disgrifio'r gorfoledd yr oeddwn yn ei deimlo am ddyddie wedi pob
digwyddiad, ac roeddwn yn defnyddio'r teimlad yna fel momentwm
i gychwyn a chreu'r nesa. Mewn ffordd, dilyn yr un reddf ag oedd
yno yn dair oed yn Ysgol Fabanod y Rhos yr oeddwn i, mwynhau
creu rhywbeth roeddwn i'n gobeithio fydde'n cynnig pleser i
bawb, rhywbeth rydw i'n credu'n llwyr 'mod i wedi cael fy ngeni er
mwyn ei wneud. Fyswn i erioed wedi coelio unrhyw un fydde wedi
proffwydo 'mod i am greu a rhedeg un o'r cymdeithasau Cymreig
mwya llwyddiannus erioed, a hawliodd sylw'r newyddion, y wasg, y
sêr a miloedd o aelodau – ond os gwneud, gwneud yn iawn, yntê?

A bu SWS yn rhan fawr o fy mywyd am flynyddoedd: deuddeg i
fod yn fanwl gywir. Deuddeg mlynedd o waith caled, ffrindiau da a
lot fawr o sylw! Mi gychwynnais i SWS yn Sbaen hefyd, ond erbyn
hynny roeddwn i wedi dechre blino ar geisio codi arian i'w rhedeg
yn llawn-amser, ac fel popeth da, roedd yn rhaid iddi ddod i ben.
Dwi'n synnu nad oes unrhyw beth cystal wedi cymryd ei lle ers
hynny, ond falle rhyw ddiwrnod y trefna i aduniad. Duw a'n helpo
ni i gyd!

Digwyddiadau MR PRODUCER

Mae chwant trefnu digwyddiadau wedi bod yn gry ynof fi erioed, a does dim byd gwell gen i na chael gweledigaeth, a'i gwireddu. Mae plesio cynulleidfa yn gyffur pur i mi, cyffur dwi'n gaeth iddo. Er cymaint yr anrhydedd o gymryd rhan yn Chwyldro Ffrengig y West End wyth gwaith yr wythnos, roeddwn i'n dechre teimlo 'mod i angen rhoi fy mhen ar y bloc nesa, a herio ffawd. Yn lle iste yn aros i'r ffôn ganu, ac i rywun gynnig job imi wedi *Les Misérables*, roeddwn i angen bod wrth y llyw, yn rheoli fy ngyrfa fy hun, a falle'n codi'r ffôn yn lle aros i'w ateb.

Tra oeddwn i'n byw yn Llundain, mi ges i brofiadau eitha negyddol wrth gymryd rhan mewn ambell ddigwyddiad yng Nghymru. Roedd sawl digwyddiad mor ddifrifol o ddi-drefn, heb strwythur, heb ymarfer, heb broffesiynoldeb ac yn bendant heb unrhyw greadigrwydd. Mi brynais i dŷ yng Nghaerdydd, a threulio mwy o amser yno a phenderfynu cychwyn cwmni fydde efallai'n

trawsnewid digwyddiadau diflas yn rhai hyderus a chofiadwy. Yn dilyn llwyddiant y noson wobrwyo BAFTA Cymru gynta efo Siân Phillips a finne'n cyflwyno, roedd angen i BAFTA Cymru ddilyn y digwyddiad hwn efo noson fwy ysblennydd fyth. Roedden nhw angen syniadau uchelgeisiol, enwau mawr a sblash enfawr.

'Dwi'n gwbod pwy sy'n gallu gwneud hyn,' medde fy hen ffrind Sue Roderick, a oedd ar y pwyllgor, a diolch iddi hi mi ges i'r cyfle i lwyfannu'r noson BAFTA Cymru nesa. Dim ond pump wythnos o rybudd ges i, a hynny dros gyfnod y Dolig a'r Flwyddyn Newydd! Roedd hynny yn rhoi tair wythnos i mi wireddu noson i'w chofio. Gydag amser yn brin, mi benderfynais ofyn i un seren fawr, ddibynadwy, gymryd rhan. Tase'r person yna'n cytuno, bydde pawb arall yn dilyn. Mi ofynnais i Siân Phillips felly a chytunodd pawb arall, yn naturiol. Roedd hi'n noson bwysig iawn i mi, ac mi aeth fel watsh, efo holl sêr y cyfnod yno a'r theatr dan ei sang.

Yn dilyn llwyddiant cynhyrchu BAFTA Cymru, a'r holl gysylltiadau oedd gen i efo SWS, mi dyfodd yr awch yma i drefnu mwy, a chael mwy o reolaeth ar naws nosweithiau tebyg yng Nghymru, ond yn bwysicach fyth, cael rheolaeth ar fy ngyrfa, fy nghyflog a fy nyfodol. Penderfynais neidio i mewn i fyd y digwyddiadau gyda fy nwy droed a chychwyn fy nghwmni fy hun. Roedd gen i ffôn symudol, laptop, a manylion cyswllt pawb, felly yr unig beth oedd ei angen oedd enw i'r cwmni, a doedd fy enw i ddim yn mynd i weithio. Roedd angen rhywbeth cofiadwy, hyderus a *cheeky*! MR PRODUCER! – mewn llythrennau bras, enw na fydde pobl yn ei anghofio, a oedd yn deud yn union ar y tun beth oedd y cwmni'n ei wneud! Oherwydd fy mhroffeil fel actor, canwr a chyflwynydd, roedd proffeil y cwmni yn manteisio ar hyn hefyd, ac wrth i mi symud fy nghwmni i'r atig yn y tŷ, a chyflogi staff, datblygodd MR PRODUCER yn gyflym i fod yn gwmni a gafodd y fraint o gynhyrchu rhai o ddigwyddiadau mwya ysblennydd Cymru. Mae cael y cyfle yma, a bod yn gynhyrchydd creadigol ar y fath raddfa, yn fy llenwi â balchder. Wrth i'r cwmni dyfu, tyfodd fy awch i gael mwy o ryddid creadigol, ac yn fuan roeddwn i'n byw breuddwyd bendigedig.

Mi aeth hi'n ben set ar rai digwyddiadau. Dwi'n cofio clywed am y tro cyntaf erioed fod 'na ganolfan newydd i'r celfyddydau yn dod i Fae Caerdydd, canolfan fydde'n cael ei galw yn Ganolfan Mileniwm Cymru. Dwi isio agor honno efo'r sblash mwya ysblennydd, medde fi wrtha i fy hun, a mynd ati'n syth i ddod o hyd i'r bobl iawn, yn y llefydd iawn, a fydde, gobeithio, yn fy helpu i agor y drws i'r prosiect yma. Erbyn hyn, roedd wedi troi yn obsesiwn. Yn raddol bach, mi ddarganfyddais fod 'na ddynes o Awstralia o'r enw Judith Isherwood wedi cael ei hapwyntio yn brif weithredwr newydd, a gobeithio 'mod i ddim yn swnio fel *stalker*, ond mi wnes i ddarganfod pryd y bydde hi'n cyrraedd y wlad, ar ba awyren, lle roedd ei swyddfa newydd hi, pwy fydde'n gweithio yn yr un ystafell â hi, a phopeth arall posib, er mwyn ceisio sicrhau fod gen i'r siawns orau o'i chyfarfod hi a'i llorio efo fy syniadau ynglŷn â'r agoriad. Toc wedi iddi gael cyfle i ddadbacio, mi wnes i ei chyfarfod yn 'ddamweiniol' mewn digwyddiad, a 'digwydd' cael fy nghyflwyno iddi. O fewn dim, roedden ni wedi clicio ac erbyn diwedd y noson roeddwn i'n datgan pa mor lwcus oedden ni fel cenedl i'w chael hi yma wrth y llyw. Cynigiais fy ngwasanaeth, fel rhywun oedd yn nabod y 'gêm' yma, rhywun oedd â'r cysylltiadau lleol i gyd, a rhywun oedd jyst â byrstio isio cyflwyno fy syniadau am yr agoriad iddi. Doedd dim am fy stopio rhag cyflawni fy uchelgais i greu a rheoli'r agoriad hanesyddol yma, ac wrth lwc mi wnaeth MR PRODUCER gyflwyno'r cais, ac o fewn dim, BINGO! – ges i'r fraint o arwyddo contract deunaw mis i MR PRODUCER fel rheolwr, gyda Bachgen Marilyn Siop Chîps yn gynhyrchydd creadigol.

Roedd cydweithio efo'r Ganolfan yn braf iawn. Roedd angen dipyn o help arnynt gan nad oedd y rhan fwya o'r staff fydde'n rhedeg y lle wedi eu hapwyntio eto, felly roedd MR PRODUCER yn allweddol wrth gydweithio efo'r cyngor, yr heddlu, y darlledwyr a'r holl gwmnïau a oedd yn mynd i fyw yn y Ganolfan, fel y WNO a'r Urdd, er enghraifft. Pleser pur oedd cael y golau gwyrdd ar gyfer pob syniad creadigol a gynigiais iddynt ar gyfer y penwythnos agoriadol, a braf hefyd oedd cael gweithio mor agos gyda Bryn Terfel a oedd wedi ei apwyntio i fod yn ymgynghorydd i'r digwyddiad, yn ogystal â

pherfformio. Wedi misoedd o gyfarfodydd, cynllunio, ailgynllunio, apwyntio, ailapwyntio, gweddïo, cyllidebu, ailgyllidebu, mi ddaeth y penwythnos yn realiti. Ar nos Wener, y 26ain o Dachwedd, 2004, mi wnaethon ni gynhyrchu noson deyrnged 'Cymry for the World Honours, sef noson yn anrhydeddu pump o fawrion Cymru a oedd wedi dod â sylw'r byd i Gymru, ac wedi cymryd Cymru i'r byd. Y pump oedd fy ffrind annwyl Siân Phillips, Dame Shirley Bassey, nad oedd yn annwyl o gwbl, Alun Hoddinott, Dame Gwyneth Jones a Richard Burton, gyda Kate Burton, merch Richard, yno ar ran ei thad. Roedd trefnu i gael y rhain i ddod yn ddigon anodd, ond ar y llwyfan yn eu hanrhydeddu nhw roedd Ian McKellen, y ddiweddar Barbara Cook (Broadway), Derek Jacobi, Michael Ball, Nana Mouskouri, Michael Sheen, corau, cerddorfa a dawnswyr; ac roedd trefnu'r rhain hefyd yn uffern o dasg. A'r noson gyfan yn cael ei darlledu yn fyw ar BBC Cymru.

Aeth rhan gynta'r noson fel watsh, a phawb yn yr egwyl wrth eu bodd, yn llongyfarch ac yn mwynhau, tra oedd y cyfrifoldeb o gadw Dame Shirley yn hapus wedi landio arna i. Tasg a hanner! Mi drefnais i *champagne* diddiwedd iddi, a *buffet* o'r safon ucha. Wrth iddi lowcio'r *champagne*, roedd hi'n mynnu 'mod i'n blasu pob tamaid o fwyd cyn iddi hi ei flasu. 'Will I like it?' gofynnodd i mi gant a mil o weithiau, a finne ddim yn siŵr oedd hi'n feddw neu'n meddwl fod rhywun yn ceisio ei gwenwyno. Trwy gydol y ffars yma, roedd gen i *earpiece* a *walkie talkie*, er mwyn cadw mewn cysylltiad efo'r tîm cynhyrchu. Yn sydyn, clywais fod 'na broblem efo'r llen dân ar flaen y llwyfan oedd wedi gostwng, ond erbyn hyn yn gwrthod codi ar unrhyw gyfri. Efallai y bydde angen canslo'r ail hanner. 'Keep Bassey happy' oedd y neges! Hawdd deud hynny. Wedi i mi flasu chwe chant o *vol au vents* a phum dwsin o bethau eraill, mi glywais fod y broblem rhywsut wedi ei datrys, ac roedd y llen yn codi eto, ac roedd rhaid i ni anfon pawb, yn cynnwys Ms Bassey, yn ôl i'w seti ar frys, gan fod y BBC yn ein disgwyl oherwydd bod y darllediad yn fyw ac yn hwyr! Rhuthrodd pawb i'w seti a rhoddais i Bassey yn ôl yn ei sêt ar fy ochr chwith, efo Kate Burton yn iste ar fy ochr dde. Roedd Kate yn rhyw grechwenu oherwydd fod y llen 'ma

wedi mynd yn styc, a doeddwn i ddim yn deall sut roedd hi'n gallu cymryd y *potential broadcast disaster* yma mor ysgafn. Beth bynnag, mi aeth gweddill y sioe yn wych gan orffen efo fy ffrind annwyl Matthew Rhys, a oedd yn anrhydeddu Burton, wedi ei wisgo mewn *chain mail* aur (*as you do*) ac yn ail-greu darn o *Camelot*, lle roedd Burton wedi chwarae rhan y Brenin Arthur. Hoeliodd Matthew ei bortread o Burton, ac wrth i gorws y WNO a'r Urdd ddod ymlaen i ganu'r gytgan olaf, cododd y gynulleidfa ar ei thraed i gymeradwyo Matthew, Burton a phawb oedd wedi cymryd rhan. Cododd Kate a finne hefyd i gymeradwyo, tra cysgai Bassey yn dawel yn ei sêt, ac wrth i ni'n dau sefyll, dyma fi'n gofyn dros y gymeradwyaeth,

'Kate, why were you so amused by the fact that the safety curtain was stuck in the interval?' Wna i fyth anghofio'r ateb.

'Well,' medde hi, 'you've probably heard that my father was a bit of a teaser and a prankster, and was always playing jokes on other actors in the theatre. Two years ago, he was posthumously honoured in Canada in a similar show to tonight's, and exactly the same thing happened there. The curtain stuck in the interval. It's my dad playing tricks!'

Aeth ias i lawr fy nghefn, ac wrth i ni gymeradwyo mwy mi glywais hi'n deud, 'Oh no!', a dyma'r fodrwy a gafodd hi'n anrheg gan ei thad jyst cyn iddo farw yn syrthio oddi ar ei bys a hedfan i mewn i ganol y gynulleidfa. Noson i'w chofio ar sawl lefel, a rhag i chi boeni, do, mi gafodd hi'r fodrwy yn ôl yn saff ar ei bys; tan y tro nesa falle!

Doedd dim llawer o gwsg y noson honno i mi, na gweddill staff MR PRODUCER, gan fod dau ddigwyddiad anferth arall i'w gwireddu dros y penwythnos hwnnw, gyda deg mil o bobl o'r gymuned yn canu y tu allan i'r Ganolfan ar y nos Sadwrn, ac i orffen y penwythnos, dim byd llai na Gala Frenhinol ar y Sul.

Yn ystod y cyfarfodydd creadigol di-ri efo'r Ganolfan, a phob un yn fy nghynhyrfu'n fwy bob dydd, mi gefais, fel rhan o'm briff, gyfarwyddyd i sicrhau fod digwyddiadau'r penwythnos agoriadol yn denu sylw'r cyfryngau rhyngwladol. Mi oeddwn i'n deall y byswn i'n ennill llwyth o *brownie points* tase mam a thad y prif weithredwr yn

gweld lluniau o'r agoriad ar eu newyddion gyda'r nos yn Awstralia. Roedd rhaid i mi felly ddyfeisio ffordd o ddenu mwy o sylw nag roeddwn i wedi arfer ag o yn fy mywyd bob dydd. Cyn pen dim, mi ges i'r syniad o chwythu Canolfan Mileniwm Cymru i fyny mewn fflamau! Fydde hynny yn denu sylw'r byd i gyd! Ac mi wnaeth. Trefnais i'r cwmni tân gwyllt gorau yn y byd gydweithio efo ni ar arddangosfa gerddorol gymunedol ymfflamychol! Yn amlwg, roedd 'na gyllideb iach i'r prosiect yma, ac o fewn chwinc i mi gael y syniad mi ffeindies i fy hun ar lan y môr yn Cannes yn Ffrainc, mewn bwyty chwaethus yn gwylio'r tri chwmni tân gwyllt mwya yn y byd yn cystadlu yn erbyn ei gilydd mewn cystadleuaeth ar ganol y môr, pob cwmni'n cael chwarter awr yr un. Eisteddais yno a'm gên yn cyffwrdd y bwrdd bwyd wrth i mi gael fy nghyffroi a 'nghyffroi eto gan y tân gwyllt mwya anhygoel a weles i 'rioed. Roedd un cwmni yn sefyll allan, er y bydde unrhyw un ohonyn nhw wedi bod yn dda, ac wedi i mi gyfarfod eu pennaeth, mi wnaethon ni gychwyn creu ein noson ffrwydrol ni! Y canlyniad oedd cael gwerth miloedd ar filoedd o dân gwyllt, i gyd wedi eu hamseru i gyd-fynd â 'Mae Hen Wlad fy Nhadau' gyda Bryn Terfel a deg mil o aelodau o gôr cymunedol, gyda thân gwyllt mewn cychod a llongau ar y dŵr yn y bae, yn ffrwydro allan o'r mwg o gefn y Ganolfan, a hyd yn oed o *backpacks* dawnswyr hanner noeth a oedd yn dringo'r waliau ac yn dawnsio ar y to. Problem i'r bobl iechyd a diogelwch, ond profiad unigryw i bawb arall. 'O bydded i'r heniaith barhau' ar newyddion naw Awstralia! *Kerching!*

Y diwrnod canlynol, wedi can mil o brofion diogelwch, llu o sneipars, cau ffyrdd, ac ymarferion lu, roedd ein cynhyrchiad yn barod ar gyfer y Gala Frenhinol i ddiddanu'r Frenhines, ei gŵr, ei fab a'r genedl. Roedd y noson hon yn cael ei darlledu yn genedlaethol, ac mi wnaethon ni lunio cynnwys ysblennydd a threfnu'r sêr mwya i helpu i ddatgan fod Canolfan Mileniwm Cymru ar agor i bawb ac yn llwyfan i'r byd.

Yn ddifyr iawn i mi, mi wnaeth tua hanner dwsin o'r gynulleidfa lewygu y noson honno, yn ystod y perfformiad, jyst oherwydd eu

bod yn yr un stafell â'r blincin Cwîn! Dwi 'di bod mewn sawl stafell, efo sawl *queen*, a 'rioed wedi llewygu!

Mae'n ddiddorol fel mae un gìg yn dilyn o'r llall. O fewn dim, roeddwn i'n cael cyfarfodydd efo dyn hynod o'r enw Graham Pullen, rheolwr Live Nation, un o gwmnïau digwyddiadau mwya'r byd, a oedd ar y pryd yn 'berchen' ar neb llai na Madonna. Ac er nad oedd gen i affliw o ddiddordeb mewn golff, roedd Graham yn awyddus i MR PRODUCER gydweithio efo nhw i gynhyrchu cyngerdd i agor twrnament Cwpan Ryder Cymru ym Medi 2010, gyda'r seremoni agoriadol yng ngwesty'r Celtic Manor, a finne'n gynhyrchydd creadigol i'r prosiect. Roedd angen i mi greu cyngerdd oedd yn mynd i gael ei darlledu yn fyw ar Sky1, a bydde hon yn ffenest siop i'n gwlad i'r byd i gyd. Roedd angen seren neu sêr oedd yn mynd i gryfhau asgwrn cefn y gyngerdd yma a dathlu'r briodas rhwng Cymru ac America. Doedd dim ond un ateb i'r sialens yma: roedd rhaid i mi rywsut ddenu Catherine Zeta Jones a Michael Douglas. Nhw oedd â'r statws i gyflawni hyn, a'r ddau ohonyn nhw hefyd yn chwaraewyr golff brwd. Gan 'mod i'n nabod Catherine Zeta, mi gysylltais i â'r swyddfa a'u gwahodd nhw fel llysgenhadon. Unwaith eto, mi laniais i yn y marmalêd wrth i'r ddau gytuno.

Yn anffodus, mi benderfynodd Graham adael y prosiect gan ddeud, 'I'm off, you don't need me anyway. Stifyn is more than capable of creatively leading this project,' cyn diflannu. Yn sydyn, fi oedd wrth y llyw ac mi aeth y cynhyrchiad yn ei flaen, gyda channoedd o bobl, a phawb yn cyd-dynnu i gyflwyno Cymru i'r byd. O fewn dim cefais lythyr gan Michael Douglas, yn ymddiheuro am orfod tynnu allan gan ei fod wedi cael cancr y gwddf, ond yn fy sicrhau y bydde Catherine yno!

Anodd anghofio'r holl alwadau ffôn, y *bribes* a'r chwarae plant a gefais gan gymaint o berfformwyr o Gymru oedd isio cymryd rhan yn y digwyddiad yma yn Stadiwm y Mileniwm: rhai yn cael strops am na chawson nhw eu dewis, rhai yn bygwth peidio gweithio efo fi byth eto, ac eraill yn llyfu tin. Dwi'n cofio pob un, ond wna i byth ddatgelu'r enwau! Ar ben hyn, roedd y *logistics* oedd yn amgylchynu'r gyngerdd yn anfaddeuol o gymhleth, ac i goroni'r

cyfan mi wnaeth y cyngor sir benderfynu cau rhai o'r ffyrdd mwya o gwmpas y stadiwm i'w haildarmacio! Heblaw am hyn, mi aeth y diwrnod yn ei flaen o un ddrama newydd i'r llall.

Wedi naw mis o baratoi, doedd ond wyth awr i ymarfer ar y diwrnod. Roedd hyn yn dynn, ond yn bosib tase pawb yn bihafio. Roeddwn wedi ymarfer efo Catherine Zeta y diwrnod cynt, a chwarae teg iddi, mi ddaeth hi'n syth oddi ar ei hawyren o Efrog Newydd i redeg drwy ei phethau. 'Hia, darlin', where do ya want me, love?' medde hi yn ei hacen Abertawe, heb unrhyw ffỳs. Roedd gan bob artist hanner awr yr un i ymarfer ar y llwyfan, heblaw ein *headliner* Dame Shirley Buffet oedd wedi mynnu dwy awr, i ymarfer tair cân roedd hi wedi bod yn eu canu ers dros ddeugain mlynedd. Roedd hi hefyd wedi mynnu ei bod hi'n ymarfer y noson cynt. Ym Mharis! Iep, roedd rhaid i'r gerddorfa ymarfer efo hi ym Mharis y noson cynt, ac am ddwy awr ar y dydd. Ond anghofia i fyth yr ymarfer hwnnw: roedd hi'n gallu gwahaniaethu rhwng pob offeryn yn y gerddorfa anferth yma y tu ôl iddi, ac yn gallu pigo offerynwyr allan yn unigol, a'u cywiro am chwarae rhywbeth a oedd falle drwch blewyn o'i le. Roedd ei chlustie yn well na rhai ci defaid. Er yr holl halibalŵ, mi hoeliodd hi bob eiliad o bob un o'r tair cân a gawson ni ganddi, a haeddu pob ceiniog a gafodd hi am bob cân, ac roedd 'na lawer iawn ohonyn nhw! Serch hynny, gwrthododd hi wneud *encore*!

Roedd un rhan gyfan o'r gyngerdd yn *medley* o ganeuon yr oeddwn i wedi eu cynhyrchu, gan gychwyn yn America efo cerddoriaeth Motown a gorffen yn y Cymoedd efo caneuon Tom Jones! Shaheen Jafargholi gychwynnodd y *medley* efo teyrnged i'r Jacksons, yna yn raddol mi wnaethon ni drafaelio yn gerddorol o America, draw drwy Wynedd, wrth glywed Côr Glanaethwy yn canu 'Bohemian Rhapsody', i mewn wedyn i Only Boys ac Only Men Aloud yn canu 'Delilah', 'It's Not Unusual' a 'Green, Green Grass of Home'. Roedd llwyfannu'r *medley* yn gymhleth, ond roedden ni hefyd wedi ymarfer pob darn efo pob artist ar wahân dros y misoedd cynt, ac roeddwn yn ffyddiog y byswn i'n gallu ei lwyfannu o fewn yr awr oedd ar gael. Ac mi wnes. Ychydig cyn y sioe ges i neges nad

79

oedd Tom Jones yn hapus efo dehongliad Only Men Aloud o un o'i ganeuon, a ches i'r teimlad bod angen i mi roi fy nhroed i lawr i sicrhau *that the show must go on*. Allan â fo! 'Twll 'i din o,' medde fi. 'Nid Tom sgwennodd hi, felly does ganddo ddim hawl arni,' ac mi aeth y *medley* yn ei blaen yn union fel yr oeddwn wedi bwriadu.

Er nad oedd angen mwy o ddrama'r diwrnod hwnnw, roedd un ddrama a allai fod yn beryglus iawn yn digwydd uwch ein pennau. Roeddwn i wedi dewis tair cân i Katherine Jenkins eu canu, ac mi oedd Katherine, chwarae teg iddi, isio cyflwyno cymaint o wledd i'r llygad â phosib, yn ogystal â gwledd i'r glust. Roedden ni wedi cyflogi coreograffydd Take That, Kim Gavin, a wnaeth lwyfannu seremoni gloi y Gemau Olympaidd, i roi gwerthoedd cynhyrchu penigamp i berfformiad Katherine. Y bwriad oedd bod Katherine, fel roedd ei chân gynta yn cychwyn, yn tyfu adenydd sidan anferth a hardd. Unwaith i'r adenydd yma agor, bydde Katherine yn cael ei chipio i fyny gan *aerialist*, sef artist a oedd yn arbenigo mewn gweithio ar raffau, a hedfan drwy'r awyr fel Tarzan, a hithe heb wregys diogelwch na rhwyd ddiogelwch, tra oedd hi'n canu'n fyw! Digon hawdd! Ond, y noson cynt, roedd *aerialist* Katherine wedi cael dos drom o'r ffliw, ac yn methu gweithio. Mi fydde Katherine wedi gallu mynd ymlaen i ganu'r gân yn syml, ond na, roedd hi isio codi'r bar a chodi safon ei pherfformiad. Ac felly fel arwres, mi gyflogodd hi ei hun *aerialist* i droi i fyny i'n hymarfer tyn! Doedd dim amser ychwanegol i ymdopi â'r newid cast yma, felly roedd rhaid i'r bachgen newydd yma a Katherine fachu pob eiliad rhwng caneuon pobl eraill a phob amser coffi i geisio ail-greu'r hedfan hudol tra oedd yn canu'n fyw, a doedd yr *aerialist* newydd hwn ddim hyd yn oed yn gwbod pwy oedd Katherine heb sôn am nabod y gân! Mae'n rhaid i mi edmygu a pharchu Katherine am ei dewrder a'i hunanhyder y noson honno, a hithe'n cael ei thywys drwy'r awyr, dros bymtheg milltir yr awr, ym mreichiau rhywun nad oedd hi'n ei nabod, wrth ganu yn fyw o flaen cynulleidfa a chamerâu oedd yn ei chario hi ymhell dros y byd.

A chyn i mi orffen y rhestr faith o broblemau'r noson honno, mae'n rhaid i mi gynnwys yr eiliad wedi imi friffio Carwyn Jones

a'r Tywysog Charles, am yr eilwaith, i beidio â chamu i'r llwyfan nes i mi ddeud yn glir wrthyn nhw am wneud, gan fod tân gwyllt yn cael eu cynnau ar y llwyfan. Ond unwaith i'r gerddorfa gychwyn, mi gamodd y ddau allan fatha cwningod o flaen car, cyn i mi gael amser i'w stopio. Er i'r noson fod yn llwyddiant ysgubol, bron i ni golli ein Prif Weinidog a'n Tywysog mewn fflach.

Celebs

Mae'r gair *celebrity* wedi troi'n fregus, yn tydi? Mae diffinio *celebrity* yn gamp a hanner heddiw. Os dach chi'n gyfarwydd â'u hwynebau, mae 'na siawns eich bod yn meddwl eu bod nhw'n *celeb*, ac os nad ydach chi wedi eu gweld nhw o'r blaen, neu ddim yn hoff ohonynt, dach chi'n dueddol o feddwl eu bod nhw'n neb o bwys. A beth yw *celeb* erbyn hyn, beth bynnag? Chwaer i rywun enwog? Rhywun efo bronnau mawr? Dyn golygus, di-waith? Dwi wedi cael y profiad o weithio gydag enwau mwya a lleia y byd, rhai talentog a rhai sy'n gachu hwch; rhai hyfryd a rhai ffiaidd. Dwi wedi bod yn gyfrifol am dalu ffortiwn i ambell un am ganu cân neu ddwy, a rhedeg asiantaeth i lawer iawn ohonynt hefyd am flynyddoedd. Dwi hyd yn oed wedi bod yn un fy hun, a dwi'n dal ddim callach!

Y dyddie hyn mi allwch chi fod yn enwog am resymau boncyrs fel tynnu'ch dillad, torri'r gyfraith neu gysgu efo rhywun, ond mae

bod yn seren yn rhywbeth hollol wahanol. Mae rhywun yn seren oherwydd fod ganddynt dalent arbennig sy'n disgleirio yn fwy na'r lleill. Dyma'r rhai dwi'n eu hedmygu a'u parchu. Er deud hynny, dwi wastad wedi eu trin fel byswn i'n trin unrhyw un – yn gyfartal. Ond cyfartal â phwy? Cyfartal â fi. Does dim angen llyfu tin y gorau a does dim angen trin y rhai nad ydach chi'n eu parchu mewn modd nawddoglyd. Dyma sut ydw i'n trin pawb – ar yr un lefel.

Beth sydd yn ddifyr am ambell un sydd heb gyrraedd y top, o 'mhrofiad i, yw'r ffaith eu bod yn ymddwyn fel *divas*. Maen nhw'n credu mai dyna sut mae pobl sy ar dop eu gêm yn ymddwyn, ond y gwir yw, mae'r rhan fwya sydd wedi cyrraedd y top yn ymddwyn yn ddedwydd a pharchus. Ond nid pawb, yn anffodus!

Dros y blynyddoedd dwi wedi cydweithio efo Kylie Minogue, Dame Shirley Bassey, Nana Mouskouri, Derek Jacobi, Colin Jackson, Ioan Gruffudd, Katherine Jenkins, cast *Coronation Street*, Michael Ball, Deborah Kerr, Marti Caine, Dai Jones, John Inman, cast *Big Brother*, Anita Dobson, Grace Jones, Dai Jones, Steve Jones, Barbara Windsor, Ronnie Corbett, David Soul, Matthew Rhys, Julie Andrews, Maureen the Learner Driver, Catherine Zeta Jones, Bruce Forsyth, Chris Eubank, Al Pacino, Paul O'Grady, John Barrowman, Rhys Ifans, Ruth Madoc, Ruth Jones, Alex Jones, Brian Blessed, Paul Nicholas, Cannon & Ball, Sister Sledge, Heather Small, Charlotte Church, Shaheen Jafargholi, Bonnie Tyler, y Tywysog Charles a channoedd mwy, ond os nad ydach chi'n gyfarwydd â nhw dydyn nhw'n golygu diawl o ddim.

Dwi wedi cael y profiad o weithio efo Dame Shirley Bassey sawl gwaith, fel cynhyrchydd, ond fyswn i ddim yn ei alw'n fraint; mwy o sialens falle. Mae ei gofynion hi, a'i safonau, mor arallfydol o uchel, ond heb os nac oni bai, mae ei pherfformiad ar ôl yr holl broses yn werth pob awr, pob ceiniog a phob diferyn o chwys. Alla i byth â lladd ar ei thalent. Mae ei dehongliad a'i pherfformiad o ganeuon, hyd yn oed yn ddiweddar, a hithe yn ei hwythdegau, yn wirioneddol wych, ond fyswn i byth isio byw drws nesa iddi.

Mae gofynion rhai o'r sêr, dros y blynyddoedd, wedi bod yn afreal, ac rydw i'n eu trafod yn fanwl yn fy sioe un dyn *Stifyn Parri*

CAU DY GEG! Ond nid llyfr *kiss and tell* mo hwn, ac mi allwch chi ddyfalu pwy yw'r *divas* mwya, efo'r *riders* (sef eu gofynion ar ben eu cyflog) mwya anghredadwy!

Pwy, er enghraifft, fydde'n mynnu 'mod i'n trefnu adeiladu grisie iddi, gyda stepie mor uchel fel ei bod yn gallu fflashio'i nicars wrth gerdded i fyny i rythm y gân roedd hi am ei chanu? Pwy sydd wedi cael ei wahardd o rai o westai mwya adnabyddus Caerdydd am ddwyn lampau? Pwy oedd awr yn hwyr i gyflwyno digwyddiad elusennol am ei bod hi'n 'brysur' yng nghiwbicl y tŷ bach efo *celeb* arall, a'r ddau yn derbyn ffi o wyth mil o bunnau yr un am ymddangos? Pa unigolyn geisiodd sleifio allan o dalu miloedd o bunnau o gomisiwn i mi? A pha wyneb cyfarwydd anwybyddodd fi am ddwy flynedd fel cyflwynydd ifanc, yna ceisio bod yn ffrind gorau wrth i mi droi'n gynhyrchydd? A pha wyneb cyfarwydd arall wnaeth fy nghyhuddo i o ddwyn y rôl o gyflwyno *Siôn a Siân* oddi arno? A pha 'gantores' fynnodd ein bod yn llogi peiriant gwynt a fydde'n ddigon cryf i chwythu ei ffrog i fyny dros ei choesau er mwyn dangos ei thin, ac yna dwyn y peiriant wedi'r gìg? Tydy Margaret Williams ddim yn euog o 'run o'r uchod, gyda llaw!

Anghofia i fyth orfod hedfan mewn jet breifat o Biggin Hill yn Llundain i Devon efo Siân Lloyd, a oedd yn gwneud rhyw ymddangosiad elusennol, a finne, fatha mwnci Michael Jackson, yn dilyn wrth ei hochr. Roedd y ddau ohonom mor fyddarol o gynhyrfus, fel arfer, yn aros i fynd ar y jet efo cynrychiolydd yr elusen a neb llai na Chris Eubank, y bocsiwr byd-enwog, sy'n gwisgo fel absoliwt bonheddwr ond, yn fy marn i, braidd yn *scary*. Wedi mwy o giamocs gan La Lloyd a finne, mi wnaethon ni ddringo grisie'r jet fechan breifat ac iste yn y seti lledar moethus, gwyn. Doedd tymer Chris Eubank ddim i'w gweld yn rhy dda, ac mi benderfynodd nad oedd o am iste efo ni. Doeddwn i ddim yn ei feio o gwbl. Roedd Siân a finne'n mynd ar nerfau'n gilydd heb sôn am nerfau pobl eraill, felly aeth Chris i iste 'chydig resi tu ôl i ni. Wrth i'r awyren godi, roedd hwylie Siân a fi yn codi'n uwch, a'n parablu yn mynd o ddrwg i waeth wrth i ni wichio chwerthin fel dwy ferch ysgol ar *helium*. Clywais i Chris yn tytio dan ei wynt sawl gwaith o'r

cefn, wrth iddo fethu â chysgu oherwydd y fath halibalŵ. Cynigiodd y cynrychiolydd *canapés* a *champagne* i ni, gan ofyn fyswn i'n agor y botel. Fel pob person cwrtais, mi anelais y botel oddi wrth Siân rhag ofn i mi ei saethu'n syth yn ei hwyneb; cofiwch, bydde Chris Eubank wedi bod yn blêst. A be wnes i? Saethu Chris yn syth yn ei dalcen! Dydw i erioed wedi bod mor agos at lenwi fy nhrôns mewn man cyhoeddus yn fy myw, ac roedd y jet breifat yma mor fach doedd 'na ddim lle i guddio. Cafodd Chris y sioc fwya erioed, dwi'n siŵr, ond wrth lwc, wnaeth o ddim ymateb o gwbl. Dros y penwythnos hwnnw roedd Siân a finne yn rhannu gwesty efo fo, a wnes i ddim gadael Siân o gwbl rhag ofn iddo 'mocsio fi'n biws rhacs.

*   *   *

Un seren ddisglair wnes i ei gyfarfod flynyddoedd yn ôl oedd y diweddar George Michael, bonheddwr ffein, cariadus heb unrhyw ffrils. Mae'n rhaid mai'r nawdegau cynnar oedd hi, ac roedd ein cyfarfod yn un hollol annisgwyl. Roeddwn i wedi symud i Lundain i chwarae rhan George yn y y sioe gerdd Metropolis yn y West End. Ar ôl y sioe un noson es i allan efo hen ffrindiau o gast *Brookside*, i'r clwb nos adnabyddus Browns. Wrth i mi olchi fy nwylo yn y tŷ bach mi weles i, yn adlewyrchiad y drych o 'mlaen, wyneb cyfarwydd. Cyn i mi sylweddoli pwy oedd y person yma, mi edrychodd o arna i a deud,

'You're in *Brookside*, aren't you?'

'Yes,' medde fi, gan geisio adnabod y llais hefyd.

'Are any other members of the cast here with you?' medde fynte. Yn sydyn, mi landiodd y geiniog yn fy mhen! GEORGE MICHAEL!

'Yeah,' medde fi, 'do you wanna meet them?'

'I'd be honoured,' medde fynte gan olchi ei ddwylo nesa ata i, a ninne'n dechre siarad fel hen ffrindiau wrth y drych. Mi gofiais i'n syth, wrth iddo siarad, 'mod i wedi darllen yn *Look-in* ei fod yn ffan mawr o *Brookside*. Wel, bydde Mam wrth ei bodd!

'I'm with Sue Johnston and Dean Sullivan,' medde fi.

'What? Sheila Grant and Jimmy Corkhill? Oh my God!' medde fo.

O fewn dim roedd fy ffrind newydd, George, a finne yn cerdded tuag at weddill fy ffrindiau, a dyma fo'n mynnu prynu diod yr un i ni. Mi aeth o at y bar wrth i Sue Johnston droi ata i a deud,

'Oh Christ on a bike, I can't believe he's buying us a bloody drink.'

'He's a fan of yours,' medde fi.

'Don't,' medde hithe, 'I'm gonna be sick in a minute, I'm shaking!'

Daeth George yn ôl efo'r diodydd, a siarad yn hamddenol braf efo ni am ryw ddeg munud, gan ddiolch i ni am ein hamser, ac off â fo. Ac felly y bu.

Y bore canlynol yn yr ystafell ymarfer, rhwng golygfeydd, dyma fi'n deud wrth aelod o'r corws,

'You'll never guess who I met last night in the toilets of Browns! Only George bloody Michael!!'

O fewn pennill a chytgan arall roedd y cast i gyd wedi clywed, felly roedd pawb isio siarad efo fi yn syth ar ôl yr ymarfer. Y prynhawn canlynol, ges i alwad ffôn gan fy asiant yn deud fod y *Daily Mail* yn gwneud *feature* ar bobl oedd yn gadael operâu sebon ac yn ymddangos yn y West End, gan ofyn fyswn i'n hoffi cael fy nghyfweld.

'Do bears shit in the woods?' medde fi, gan gydio mewn unrhyw siawns am sylw'r wasg â 'nwy law. Wedi'r ymarfer y noson honno mi es i draw i un o fwytai crandia'r West End, a dyna lle roedd y newyddiadurwraig gyfeillgar, hardd yn aros amdana i wrth y bwrdd, efo potel o *champagne* a llyfr nodiadau. Wrth i ni fwyta'r pryd bendigedig pum cwrs, mi ofynnodd hi gymaint o gwestiynau: un o le oeddwn i'n wreiddiol, be oedd swyddi fy rhieni, pa ysgol es i iddi ac yn y blaen, ac mi oedd o'n gyfweliad a chyfarfod digon braf.

Mi ddaeth yr amser i dalu, ac wrth iddi roi ei cherdyn credyd i'r boi oedd yn gweini, mi drodd hi ata i yn swrth, gan ryw grechwenu, a deud,

'So, how long have you been going out with George Michael?'

Pasiodd eiliadau hir, mud wrth i'r ddau ohonom edrych i fyw llygaid ein gilydd.

'I'm sorry?' medde fi, gan geisio peidio cyfleu unrhyw fath o sioc

yn fy llais a dwyn mwy o eiliadau i feddwl. 'I've never even met him, I don't even like his music!' medde fi, a oedd yn gwbod pob gair a phob harmoni o bob cân ganddo. 'Stephen, we know! We know you frequent Browns nightclub. We know you met George in the Gents. So how long have you been together?'

Roedd fy nghalon, fy adrenalin a 'mhen yn gweithio *overtime* wrth i mi sylweddoli fod rhywun o gast *Metropolis* wedi cysylltu â'r papur newydd, er mwyn ennill arian. Roedd y papur newydd yma yn ceisio dal George Michael yn gyhoeddus i brofi ei fod yn hoyw, a'i gyhoeddi i'r byd er mwyn gwneud ffortiwn. Yna, yn hollol ddiemosiwn, mi wnaeth y ferch, oedd gynt mor ddel ond erbyn hyn mor hyll, blygu i lawr a thynnu amlen fawr frown o'i bag a'i gosod ar my mhlât gwag. Roedd yr amlen ar agor, ac ar agor yn fwriadol am wn i, ac ynddi wads tew o arian papur. Duw a ŵyr faint oedd ynddi, ond roedd yn bendant yn filoedd ar filoedd.

'I really think you've been misinformed,' medde fi. 'I've never met the man, and never been to Browns,' a slapio'r amlen ar ei phlât hithe a cherdded allan.

Mi fuodd rhai newyddiadurwyr yn ceisio talu cash i lawer er mwyn manteisio ar rywioldeb eraill am flynyddoedd, ond, er 'mod i'n hapus i ddangos fy hun a denu sylw, fyswn i byth yn cymryd ceiniog mewn sefyllfa fel hyn. Flynyddoedd yn ddiweddarach – ac ychydig cyn iddo farw – mi weles i George Michael yn canu mewn cyngerdd yng Nghaerdydd. Roeddwn yn addoli llais a chaneuon rhyfeddol yr athrylith yma, ac yn gwenu'n falch yn y tywyllwch am nad oeddwn i wedi derbyn unrhyw lwgrwobr. Rhag eu cywilydd yn ceisio elwa ar sefyllfa hollol ddiniwed a cheisio tanseilio bywyd rhywun. Erbyn heddiw, diolch byth, mae grym y cyfryngau cymdeithasol wedi cyfyngu ar bŵer y papurau tabloid. Mae hi'n hawdd i unigolyn adnabyddus ledaenu stori yn gyflymach nag unrhyw bapur newydd heddiw, ac mi allan nhw, felly, ladd unrhyw anwiredd mewn un twît, fel nad oes erbyn hyn y fath elwa wrth chwalu preifatrwydd unigolion.

*   *   *

Roedd Catherine Zeta a Michael Douglas wedi dewis cynnal eu priodas y diwrnod cyn i SWS Efrog Newydd ddathlu bod yn flwydd oed! BINGO! Bydde Manhattan yn llawn Cymry! Roedd y cwpwl priodasol wedi trefnu parti yn y Russian Tea Rooms er mwyn i westeion y briodas ddod i nabod ei gilydd, y noson cyn y diwrnod mawr. Doeddwn i ddim yn nabod llawer yno, ond un wyneb cyfarwydd ymysg y gwesteion oedd neb llai na Bonnie Tyler, a dyma pryd wnes ei chyfarfod hi'n gynta.

'Hi, Bonnie.'

'Call me Gaynor,' medde hi mewn fflach.

'OK Gaynor, you don't know me, but I run a cool Welsh ex-pat society here in New York, and we'll be celebrating our first birthday the day after the wedding. I'd love to invite you there to cut the birthday cake.'

Edrychodd yn syth i'm llygaid a deud yn ei ffordd ddihafal, 'I'll sing for you if ya like. I got my backing track in my 'andbag.'

Ddeuddydd yn ddiweddarach, wedi'r briodas, mi drefnais i gar i nôl Gaynor o'i gwesty, a'r funud nesa mi gerddodd hi i mewn i'r clwb lle roedd llond lle o Gymry cŵl NY i gyd yn *gobsmacked*. Roedd eu hymateb fel tase Whitney Houston newydd gerdded i mewn, gan fod Bonnie Tyler yn seren o fri acw, fel mewn sawl gwlad arall. Difyr yw meddwl mai dim ond yng Nghymru yr ydym mor ffwrdd-â-hi amdani. Beth bynnag, agorodd hi ei handbag a thaflu CD at y DJ, gan ddeud, 'Track five, luv.'

O fewn dim roedd hi wedi neidio ar y bar a dyna lle roedd hi yn hoelio 'I'm Holding out for a Hero' nerth ei phen. Doedd neb yn gallu credu beth oedd newydd ddigwydd, yn enwedig fi, wrth i mi sychu'r marmalêd oddi ar fy nhin.

Ers hynny mae Gaynor a fi wedi dod yn eitha ffrindiau ac wedi cael y pleser o gydweithio sawl gwaith. 'Why don't you, David and ya Mam come over Christmas Day? We have an open house every Christmas,' medde hi yn ei hacen Abertawe, ac yna yn hollol ddi-flewyn-ar-dafod, 'We start at eleven, and you can fuck off by four.'

Y bore Dolig canlynol, dyna lle roedd Mam, David a finne yn y car yn dreifio i'w thŷ yn y Mwmbwls, David wedi cael ei lusgo yno

gen i, a Mam wedi weindio fel sbring, wedi cynhyrfu'n lân a bron â gwlychu ei hun, gan ailadrodd dro ar ôl tro, 'O, dan ni'n mynd i gael amser lyfli.'

I fod yn onest roeddwn i reit *chuffed* fy hun, i feddwl fod Gaynor wedi'n gwadd ni i barti bach teuluol preifat, ond wrth i Gaynor agor y drws a'n tywys i mewn, mi weles i fod o leia tri chant a hanner o bobl yno: *caterers* proffesiynol, pobl yn gweini a pharti mewn *full swing*. Mi oedd gan Gaynor a Bobby, ei gŵr, deulu mawr, ond roedd y lle yn llawn ffrindiau hefyd fel Roy Noble a Chris Needs. Enw arall oedd yno, nid fel *celeb*, ond fel aelod o'r teulu, oedd Catherine Zeta Jones. Byd bach!

Efallai mai un o'r *marmalade moments* mwya oedd yr amser pan wnes i fwcio (ac mae hynny yn bendant efo un 'f'!) Miss Grace Jones, i fod yn *headline act* yn ein cynhyrchiad o *Jones Jones Jones* ar S4C. Rhaglen deledu oedd hon, a digwyddiad byw, i geisio ennill ein lle yn y *Guinness Book of World Records*. Y gamp oedd cael y nifer mwya erioed o Jonesiaid i gyd yn yr un stafell. A'r stafell honno? Nunlle llai na Chanolfan Mileniwm Cymru. Mi wnaethon ni lenwi'r cast efo Jonesiaid hefyd, fel Alex Jones, Gethin Jones, Tammy Jones, Elinor Jones, Dame Gwyneth Jones a neb llai, gan nad oes neb llai, na Dai Jones. Roedd hon yn noson ddifyr lle roedd y gynulleidfa yn gymysgfa o Jonesiaid Cymraeg eu hiaith a Jonesiaid di-Gymraeg. Roedd hyn felly yn golygu fod o leia hanner y gynulleidfa yn ceisio dyfalu pwy oedd Dai Jones, a Dai Jones a gweddill y gynulleidfa yn meddwl pwy ffwc oedd Grace.

Ta waeth, fel cynhyrchydd creadigol roedd rhaid i fi feddwl am ffordd sicr o gael Grace Jones ar y llwyfan ar amser, gan ei bod hi'n dueddol o redeg dwy awr yn hwyr – yn ôl pob sôn! Roedd hyn yn broblem, tan i mi gael fflach o ysbrydoliaeth a phenderfynu creu amserlen arbennig iddi hi, a oedd ddwy awr ynghynt ar y cloc! Da 'de! Roedd hyn felly yn gadael i Grace feddwl ei bod hi ddwy awr yn hwyr, pan oedd hi, mewn gwirionedd, ar amser. *Genius!*

Roeddwn i wedi rhoi'r cyfrifoldeb o gael Grace yn barod i gamu i'r llwyfan i Lydia, a oedd yn gweithio i mi ar y pryd. Roedd Grace Jones yn aros yng Ngwesty Dewi Sant ym Mae Caerdydd, ganllath

neu fwy o'r gyngerdd. Gan ddilyn yr amserlen 'arbennig', aeth Lydia i'r gwesty, ac mi ddudodd y *concierge* ei bod hi'n cael *sauna* yn y sba. Felly i lawr â Lydia i'r sba a churo ar ddrws y *sauna*.

'What is it?' medde llais isel iawn.

'Is that Grace Jones?' medde Lydia.

'I doubt it,' medde rhyw ddyn bach ar ben ei hun yn y stêm. Yna, mi eglurodd y *concierge* mai nid i'r *sauna* yn ei gwesty hi roedd Grace wedi mynd, ond *sauna* yn yr Hilton yn y dre!

Aeth Lydia mewn tacsi i'r Hilton a churo ar ddrws eu *sauna* nhw a gofyn eto, 'Is that Grace Jones?'

Dyma lais mawr melfedaidd yn deud, 'Who's asking?'

'Well, it's Lydia from MR PRODUCER. You are due on stage very soon.'

'I'm not ready,' medde hi. 'They'll have to wait.'

'But the show is being broadcast live,' medde Lydia yn graff, gan mai recordio oedden ni ar gyfer darllediad yn hwyrach yn yr wythnos.

Yn sydyn, allan o'r stêm, ymddangosodd Grace, yn gweiddi, 'Get me there, NOW!'

O fewn dim roedd Grace gefn llwyfan a phawb posib yn ei helpu hi i mewn i'w gwisg ryfedd, a'i sodlau a'i cholur, gyda digon o amser i fynd. Doedd Grace ddim callach, ac ar y dot, dyna lle roedd Miss Grace Jones, ar y llwyfan, yn y goleuni, yn canu 'Slave to the Rhythm', ac yn syfrdanu'r dorf efo'i llais unigryw, ei gwisg boncyrs ac ambell fflach o'i thin. *That's showbiz!* Ac i goroni'r cyfan, mi wnaethon ni ennill ein lle yn y *Guinness Book of World Records*!

Dydw i heb weld Grace ers y penwythnos hwnnw, ond mae ambell seren dwi'n gweithio efo nhw, fel Siân Phillips, yn troi'n ffrindiau hir dymor. Mi ges i wahoddiad i gydgyflwyno'r noson wobrwyo gynta erioed i BAFTA Cymru, ac roedd y noson yn cael ei darlledu yn fyw ar y rhwydwaith gan y BBC. Cydgyflwyno efo brenhines y sgrin, Miss Siân Phillips oeddwn i, a finne mor gynhyrfus i'w chyfarfod hi am y tro cynta yn yr ymarfer, oriau cyn y digwyddiad mawr. Dwi'n ei chofio hi'n personoleiddio'r sgript gan newid pob un frawddeg fel ei bod yn ei siwtio hi; rhywbeth yr ydw i'n ei wneud erbyn hyn hefyd.

'Cariad,' medde Siân, wrth iddi roi ei llaw ar fy mraich, 'fyddet ti'n meindio cael yr ystafell wisgo nesa ata i, er mwyn i ti *zipio* fi i mewn i'n ffrog cyn mynd ar y llwyfan?' OH MY GOD! medde fi wrtha i fy hun, dwi'n mynd i'w *zipio* hi i mewn i'w *piggin'* ffrog! Be fydde Marilyn yn ddeud?

Daeth yn bryd i ni wisgo ar gyfer y digwyddiad, ac roedd y ddau ohonom yn gallu clywed y gynulleidfa, yn llawn cyfryngis Cymreig, i gyd yn cambihafio cyn i ni gychwyn; pob un ohonynt wedi bod i o leia dau *drinks reception* cyn hyn. Daeth y rheolwr llwyfan i roi ein galwad pum munud i ni, yna wnaeth Siân fy ngalw i'w *zipio* hi i mewn i'r ffrog fwya urddasol ac ysblennydd weles i erioed. Wrth i mi gerdded i mewn i'w hystafell roedd Siân â'i chefn ata i, ac yn y drych mi weles i hi'n gollwng rhywbeth i'w cheg. Mi drodd hi rownd gan ofyn, 'Wyt ti isio peth?'

'NA, dim diolch,' medde fi, mewn sioc o feddwl fod rhywun fatha Siân Phillips yn cymryd cyffurie, a hynny cyn gwaith, ac yn waeth fyth, wrth gydgyflwyno efo fi ar BBC-blydi-Two NETWORK! Mi wnaeth hyn wneud i 'nghalon i guro 'chydig yn gynt, yna yn sydyn mi glywson ni *drum roll* enfawr yn chwyddo drwy'r waliau a 'Foneddigion a boneddigesau, ladies and gentlemen, your hosts for the evening, rhowch gymeradwyaeth i Miss Siân Phillips and Mr Stifyn Parri,' ac wrth i ni'n dau gerdded i lawr y grisie crand i ganol y llwyfan, ac i lawr at ein *lecterns* ar bob ochr i'r llwyfan, mi es i deimlo'n hollol sâl gan feddwl 'mod i'n rhannu llwyfan, o flaen cynulleidfa feddw, efo *druggie*.

Roedd y seremoni ddwyieithog yn boenus o hir, a bob tro roedd Siân neu fi yn chwysu yn y gwres ac yn yngan unrhyw beth yn Saesneg, roedd 'na grŵp meddw yn gweiddi, 'Siaradwch Gymraeg, y bastards!', ac i wneud pethau'n waeth, bob tro yr oeddwn i'n troi i edrych ar Siân, roedd hi un ai ar ei ffordd 'nôl o ochr y llwyfan, neu ar ei ffordd oddi ar y llwyfan, yn cerdded braidd ar osgo ac yn sychu dan ei thrwyn efo hances yn barhaus. O MY GOD! medde fi wrtha i fy hun, mae Siân yn cymryd *cocaine*.

Mi aeth y panics, y seremoni a theithie Siân yn ôl a blaen, fatha llygoden wedi ffeindio gwledd yn bell o'i nyth, ymlaen am oriau

di-ri, a phan ddaeth y *train crash* erchyll yma i ben mi wnaeth Siân
a fi lithro i'r llawr yn ei stafell.

'Byth eto!' medde hi. *Too bloody right*, medde fi wrtha i fy hun.
'Chydig ddyddie yn ddiweddarach, ges i alwad gan fy asiant. 'You
have a dodgy postcard sent to the office from a Stan, wanting to take
you out for lunch.'

'It's Siân,' medde fi, yn rowlio fy llygaid y pen arall i'r ffôn. Roedd
Siân isio fy nghymryd i gael bwyd, ac i edrych yn ôl ar y profiad
bythgofiadwy gawson ni ar y llwyfan.

'Dwi ddim yn gwbod be fyswn i wedi'i wneud heb y Bach
Remedy 'na,' medde hi dros ei salad.

'Sori?' medde fi, heb ddeall.

'Bach Remedy, cariad, *tincture* o berlysiau i helpu i leddfu'r
nerfau, *darling*. Dwi'n synnu nad oeddet ti angen 'chydig dy hun.'

'O, Siân,' medde fi, gan ollwng fy nghyllell a'm fforc i mewn i'm
sausage and mash. 'A finne'n meddwl bod ti'n *crack whore!*'

'Be?' gofynnodd hithe. Eglurodd mai rhedeg yn ôl a 'mlaen i
ochr y llwyfan er mwyn newid *dress shields* y ffrog yr oedd hi, gan
ei bod hi mor boeth o dan y goleuadau, a gan fod y ffrog yn costio
ffortiwn ac wedi ei benthyg. Roedd hi'n sychu o dan ei thrwyn am
yr un rheswm. Wnaethon ni chwerthin nes ein bod ni'n sâl, a dan
ni wedi bod yn ffrindiau oes ers hynny. Mae 'na rywbeth arbennig
iawn am Siân – mae hi'n gymysgfa berffaith o'r Frenhines a'r wraig
drws nesa, efo tinc sipsi a *fairy godmother* iddi. Mae hi'n gynnes, yn
hudol, yn ddoeth ac urddasol, a chanddi galon fawr, garedig.

Fel dudes i, ges i'r fraint o gynhyrchu seremoni BAFTA Cymru
yn fuan wedi hynny, a'r person cynta ffonies i i ofyn iddi fod yn
gyflwynydd oedd Siân. 'Wrth gwrs, cariad,' medde hi'n syth. Ac
wedi llwyddiant y noson honno mi ges i'r cyfle i gynhyrchu BAFTA
Cymru am y deg mlynedd nesa, a finne'n gorfod gwahodd gymaint
o enwau mawr y busnes o bedwar ban byd. Ond Siân oedd yn cael
yr alwad gynta bob tro. A chyn i mi orffen y bennod yma, ga i
danlinellu mai SEREN ydy Siân, nid *celeb*, neu fydde hi BYTH yn
siarad efo fi eto! O, a dydy hi ddim yn cymryd drygs chwaith!

Allan â Fo

Mae'n syndod nad ydy fy ngheg wedi 'nghael i i drwbwl yn amlach nag y mae hi. Ond yn bersonol, dwi'n credu nad ydy beth bynnag sy'n dod allan o'r twll mawr 'ma dan fy nhrwyn i, fel arfer, yn ddim mwy na'r hyn mae ambell un arall yn ei feddwl. Y nhw ydy'r rhai sy'n synnu gan eu bod yn euog o feddwl yn debyg, ond heb yr hyder i'w ddeud, tra bo'r lleill yn ei dderbyn i gyd ac yn chwerthin. Fel y tro hwnnw yn Llangollen pan oedd ambell un yn meddwl fy mod i am gael fy arestio, fy ngyrru i'r tŵr a cholli 'mhen.

Roeddwn yn gweithio ar y pryd fel cyfarwyddwr cysylltiadau cyhoeddus i Eisteddfod Ryngwladol Llangollen, lle roedd y Tywysog Charles yn un o'r noddwyr. Er bod ei berthynas â'r sefydliad yn un gref, doedd o a'r Dywysoges Diana ddim wedi bod i'r ŵyl hon ers 1985, oherwydd bod yr Eisteddfod wedi methu â hoelio dyddiad yn nyddiadur y Tywysog. Mewn sefyllfaoedd fel hyn, roedd fy holl gysylltiadau yn dod i rym. Oherwydd fy mherthynas efo un o'i

weithwyr, sef ei ysgrifenyddes Manon Williams, a oedd yn gyn-aelod o SWS, mi gawson ni lwyddiant, ac wedi wythnosau o gyfathrebu, daeth y diwrnod mawr. Roedd yr Eisteddfod yn mynd yn dda, ond roedd yr holl bobl oedd yn gyfrifol am yr ŵyl ar bigau'r drain: y bwrdd, y cadeirydd, y pwyllgor a phawb mewn fflap. Pan fo unrhyw aelod o'r teulu brenhinol yn mynychu unrhyw ddigwyddiad cyhoeddus, mae cymaint o straen ar y trefnwyr. Mae'r wybodaeth sydd ei hangen ar y parti brenhinol mor fanwl, ac mae'n rhaid i amserlen yr aelod brenhinol redeg fel watsh. Mae'r heddlu wastad yn rhan o'r ddrama hefyd, a'r fyddin weithiau, gan fod diogelwch yn allweddol. Allwch chi ddychmygu, felly, pa mor *tetchy* oedd trefnwyr Eisteddfod Llangollen pan gyrhaeddodd y Tywysog y maes mewn hofrenydd, wrth i aelodau ei barti ruthro o gwmpas yn ailosod pobl mewn *line-up*, yn ffŷs i gyd. Roedd pob manylyn am bob person wedi cael ei yrru at y swyddfa frenhinol wythnosau o flaen llaw, a phob un wedi cael ei *triple-checkio* fel bod y rhestr yn berffaith. Ond cyn unrhyw ymweliad brenhinol, mae 'na wastad ryw faeres, neu bartner i'r cadeirydd, sy wedi eu gadael allan o'r trefniadau, a bydd 'na fflap arall.

Ar y funud ola, pan oedd pawb a phopeth yn ei le, mi ddaeth llond llaw o'r staff brenhinol tuag atom yn y *line-up* er mwyn i ni gael ein cyflwyno iddo, un ar y tro, tra oedden ni i gyd yn chwysu yn y babell boeth, ac yn panicio fel haid o anifeiliaid y tu allan i ladd-dy. Roedd ein henwau a'n manylion i gyd ar *clip-board* ym meddiant un ysgrifenyddes frenhinol, a oedd yn ein cyflwyno i'r Tywysog fesul un. Roeddwn i'n sefyll yn y llinell chwyslyd yma rhwng y cadeirydd a Judith Ishwerwood, prif weithredwr Canolfan Mileniwm Cymru, ac yn berffaith hapus rhwng fy nghyflogwr ar y pryd o'r Eisteddfod a 'nghyn-gyflogwr o'r Ganolfan. Roeddwn i wedi cyfarfod y Tywysog sawl gwaith, ac yn hollol ddedwydd ynghanol yr halibalŵ.

Roedd popeth yn mynd yn berffaith a phawb yn moesymgrymu yn y llefydd iawn. Wrth i'r Tywysog nesáu atom, roedd y wraig efo'r *clip-board* yn ein cyflwyno'n hyderus, tra oedd aelod allweddol arall o'r parti brenhinol yn sibrwd ambell i 'ffaith fach' amdanon ni i gyd yn ddistaw yng nghlust y Tywysog. Roedd y Tywysog wedyn yn gallu ymddangos fel petai'n gwbod mwy amdanom, ac wedi gwneud

ei 'waith cartref'. Mi ddaeth y Tywysog yn nes. Wrth iddo ymestyn ei law at y person nesaf ataf, mi gyflwynodd Mrs Clipboard y person hwnnw i'r Tywysog.

'This is Stiffone, erm, Stephen Parri, the PR Director for the Eisteddfod,' medde Mrs Clipboard wedyn, yna mi sibrydodd y llall yn ei glust, 'You've met before.'

'Bore da, Your Royal Highness. Croeso i Langollen. Welcome back,' medde finne.

'Thank you. I believe we've met before,' medde'r Tywysog. Roeddwn i'n deall y sgôr erbyn hyn: roedd y Tywysog yn ymddangos fel petai mor ymwybodol o hanes pawb, er iddo orfod ysgwyd llaw efo cannoedd o bobl bob dydd, a phob un ohonynt ar fin cachu'n eu closie. Mi wenais, ac yna – allan â fo!

'Met before? Really, Your Highness? Do remind me.' Yn sydyn, disgynnodd tawelwch dros y parti, dros y babell a thros y dre gyfan bron. Mi rewodd y parti brenhinol, a chollodd calonnau aelodau'r pwyllgor guriad neu bump. Edrychodd y Tywysog i fyw fy llygaid ac mi chwarddodd yn uchel, fel ffrind gorau mewn parti. Roedd o wrth ei fodd fod rhywun wedi ei herio efo hiwmor. Yn raddol mi wnaeth pawb o 'nghwmpas i ddechre dadmer, gyda chwerthiniad bach i gychwyn nes bod pawb yn chwerthin nerth eu pennau. Dyna beth oedd ei angen ar y sefyllfa sych yma: rhywun i dorri'r tensiwn, ac yn sicr mi wnes i – efo *bulldozer*!

Nid dyma'r tro cynta i mi chwarae Russian Roulette efo'r Tywysog, cofiwch. Er mwyn codi arian ac ymwybyddiaeth i Goleg Brenhinol Cerdd a Drama Cymru, lle roedd y Tywysog hefyd yn noddwr, roeddwn i wedi cael fy nghyflogi i wahodd deg wyneb cyfarwydd i ginio yn Highgrove, cartre'r Tywysog. Fy swydd i oedd cysylltu â digon o *celebs* a threfnu adloniant i weddill y dorf gyfoethog a oedd, gobeithio, am gyfrannu'n hael i'r achos. Trefnais i bobl fel Rob Brydon, David Emmanuel a Bonnie Tyler fod yno, ac wrth gwrs, roedd gen i Siân ar bob braich: Phillips a Lloyd. Eto, roedd yna amserlen wedi ei chreu ar gyfer y diwrnod, ond oherwydd bod y Tywysog adre roedd gofynion y parti brenhinol yn llai ffurfiol. Roedden nhw wedi trefnu taith i ni i gyd o gwmpas

gerddi'r Tywysog yn gyntaf, gyda digon o amser i fynd i'w siop frenhinol i brynu ambell beth, cyn gwrando ar gyfarchiad gan Ei Fawrhydi. Roedd rhai o arddwyr y Tywysgog yn ein tywys yma ac acw, ac yn barod i ateb unrhyw gwestiwn ynglŷn â'r syniadaeth y tu ôl i'r ardd ac yn y blaen. Aeth pawb ar gyfeiliorn, gyda Bonnie yn cerdded dros y lawnt fwya bendigedig yn ei sodlau uchel i chwilio am y siop. Mi arhosodd y ddwy Siân efo fi, ac wrth i ni ymlwybro'n hamddenol drwy'r gerddi mwya hyfryd, roedd Miss Lloyd yn gofyn ambell gwestiwn i'r arddwraig nerfus oedd yn chwynnu ar ei gliniau o'n blaenau.

'So what is this plant here?' medde Miss Lloyd, yn ceisio ymddangos fel tase ganddi ddiddordeb.

'Oh, it's a rare African plant,' medde'r arddwraig, wrth iddi fanylu ar yr enw, a holl nodweddion y planhigyn. Tra oedd Miss Lloyd wrthi yn ennill BAFTA am ei pherfformiad fel rhywun oedd â diddordeb, sylweddolais fod Siân Phillips yn eitha mud. Edrychais arni bob hyn a hyn, gan weld nad oedd ei hwyneb yn mynegi dim o gwbl. Mi gymerais i'n ganiataol nad oedd gan Siân Phillips yr un gronyn o ddiddordeb mewn garddio. Ymhen ychydig funudau, roedd Siân Lloyd wedi hen flino ar ddysgu mwy am y planhigion, ac mi sgipiodd hi ar ôl Bonnie tuag at y siop frenhinol.

Cychwynnodd Siân Phillips a finne i lawr y llwybr mwya hardd tuag at y 'stumpery' lle roedd y Tywysog wedi creu mangre hudol dros ben gan ddefnyddio boncyffion coed o wahanol daldra, i gyd yn cydsefyll mewn cornel. Dyna lle safai Siân Phillips a finne yn mwynhau'r harddwch o'n hamgylch.

'Roedd yr arddwraig yn un wybodus, yn doedd? Roedd hi'n gallu ateb bob un o gwestiyne di-ri Siân Lloyd,' medde finne.

Edrychodd Siân Phillips o'i chwmpas i sicrhau nad oedd neb arall yn gallu clywed, yna mi sibrydodd, 'Nag oedd wir! Roedd ei gwybodaeth hi i gyd yn anghywir.' Yn sydyn, am y tro cynta erioed, wnes i ddysgu o fewn munud pa mor wybodus oedd Siân Phillips am blanhigion a garddio. Mi draethodd hi'n faith am ei gardd, amser maith yn ôl yn Iwerddon, a sut yr oedd hi wedi dysgu gymaint dros y blynyddoedd. Dysgais inne gymaint yn y sgwrs yna efo hi – er

enghraifft, mor bwysig yw cadw dyddiadur garddio, a derbyn hefyd nad yw garddio byth yn dod i ben; mae 'na wastad rywbeth i'w wneud, rhywbeth i'w chwynnu a rhywbeth i'w ddatblygu.

Beth bynnag, wedi i mi gael fy ysbrydoli'n llwyr gan un Siân, roedd hi'n hen bryd i ni fynd i ddarganfod lle roedd y llall. Pan gyrhaeddon ni'r siop, dyna lle roedd Bonnie yn sefyll with y til a llond ei basged o jamiau, *dibbers*, planhigion a llestri brenhinol.

'Don't be too long, we're due to be back at Highgrove House in a few minutes for Prince Charles's speech,' medde fi wrth Bonnie tra oedd hi'n brysur yn llenwi bagiau. 'I'd watch this one, if I were you,' medde fi fel jôc wrth y weinyddes frenhinol wrth y til. 'She's a bugger for shoplifting.'

Wedi i mi hel y sêr i gyd at ei gilydd fatha ci defaid, a helpu Bonnie i gymryd ei nwyddau i'w char, mi gawsom ein tywys i mewn i neuadd fechan oedd yn rhan o'r tŷ, a oedd yn edrych dros y gerddi bendigedig. Wrth i ni giwio i fynd i mewn i gael ein hannerch gan y Tywysog mi wnes i ddigwydd edrych i lawr, ac yn gorwedd yno ar ei ben ei hun yn y glaswellt roedd stileto bach blingaidd unig. Wel, am anarferol, medde fi wrtha i fy hun. Yr unig dro arall i mi weld esgid unig debyg oedd y tu allan i'r Conservative Club yn Grangetown sawl Sul ar y trot, fel tase rhyw ddynes neu *drag queen* feddw wedi cael ei thynnu i mewn i gefn car yn anymwybdol. Edryches i ar draed Bonnie i wneud yn siŵr nad un o'i rhai hi ydoedd a cherdded i mewn i'r neuadd gan adael yr esgid lle roedd hi i synnu pobl eraill yn y ciw. Pan oedd pawb wedi setlo, roedd 'na gynnwrf ar y grisiau wrth i'r Tywysog gyrraedd y lle roedd o am ein cyfarch a pherswadio ambell un i helpu'r achos drwy gynnig rhodd ariannol.

'Before I begin,' medde fo, gyda gwên, 'I have found a shoe.'

Cyn i mi sylweddoli pwy oedd ar fai, mi glywais i ryw dwat yn gweiddi, 'It fits! It fits!' a dim ond wedi i'r Tywysog ddechre chwerthin yn braf wnes i sylweddoli mai fi oedd y twat mawr hwnnw. Allan â fo eto! Oeddwn i'n mynd i gael fy anfon i'r tŵr a 'nghadw yno y tro hyn, gan 'mod i wedi gwthio ein Tywysog i mewn i banto *Cinderella* heb unrhyw rybudd? Nac oeddwn, roedd ein Tywysog wrth ei fodd. Ond wrth gwrs, roedd pawb o 'nghwmpas

yn gegagored ac yn fud, heblaw Siân Lloyd a Siân Phillips, a oedd yn chwerthin fel yr Ugly Sisters yn y gornel. Roeddwn i'n dechre meddwl 'mod i'n hit efo'r Tywysog. Oedd 'na le i ddwy *Queen* yn ei fywyd, dudwch? A chyn i chi ofyn, dydw i'n dal ddim yn gwbod pwy oedd piau'r esgid; felly ferched, neu ddynion wrth gwrs, os ydach chi wedi colli stileto, mae o yn nhŷ Charlie!

Ychydig wedi'r achlysur yma, roeddwn yn cydgynhyrchu cyfres i S4C o'r enw *Y Porthmon*, lle roedd Ifan Jones Evans yn dilyn llwybr hanesyddol er mwyn gyrru defaid o Fachynlleth i Aberhonddu. Penderfynais gysylltu efo fy *nghomedy partner*, y Tywysog Charles, er mwyn trefnu cyfweliad iddo efo Shân Cothi. Teimlwn fod y traddodiad hanesyddol yma yn apelgar iddo ac roedd y daith yn digwydd cael ei chynnal tra oedd y Tywysog yng Nghymru. Mi gytunodd! Chwarae teg iddo, mi drodd o i fyny efo gymaint llai o staff y tro hyn, a doedd dim gormod o ffỳs y tro 'ma chwaith. Byddwch chi'n falch o wybod 'mod i wedi cadw fy ngheg ar gau, gyda llaw.

Y noson honno mi ges i fy ngwahodd i ginio i'w dŷ ym Myddfai, ddim yn bell o lle roeddwn i'n berchen ar feudai ar y pryd, ac yn byw yno hanner yr amser. Pwrpas y noson oedd dod â phobl y celfyddydau oedd yn rhannu'r un feddylfryd at ei gilydd, ac roeddwn i wedi landio ar y rhestr yma. Llwynywermod oedd enw ei gartre, enw oedd yn swnio i mi yn debycach i broblem 'lawr grisiau' i ferched nag i enw addas i gartre. Cawsom ein cymysgu driphlith draphlith wrth un bwrdd cinio mawr, wedi ei addurno'n ddramatig gyda blodau o'r ardd, ac mi 'steddais rhwng Ruth Jones a Rob Brydon. Am hwyl.

Doedd dim teimlad o noson ffurfiol frenhinol o gwbl i'r noson a deud y gwir, a jyst cyn i'r Tywysog ein gadael mi ofynnodd pam fy mod i wedi rhoi'r enw 'Social, Welsh and Sexy' i 'nghymdeithas i. Allan â fo!

'Well,' medde fi'n rhoi fy nghyllell a'm fforc i lawr, 'as you can see, Your Highness, it's because I am all three!' Mi chwarddodd eto, cyn ein gadael am y noson.

*   *   *

Yng nghyfarfod mwya tyngedfennol ei yrfa, wythnos union cyn cyngerdd agoriadol Cwpan Ryder Cymru yn Stadiwm y Mileniwm, a oedd yn cael ei ddarlledu ar Sky1, dyna lle roedd Bachgen Marilyn Siop Chîps yng nghanol mawrion Cwpan Ryder America yn eu tywys drwy fanylion terfynol y digwyddiad. Roedd y tensiwn, erbyn hyn, ar ei ucha, gan fod llygaid y byd yn mynd i fod ar y sioe yma, ac roedd yna draddodiad o sioeau uchelgeisiol a llwyddiannus iawn. Yn sicr, doedd y Cynulliad ddim isio i ni fel cynhyrchwyr eu gadael i lawr. Roeddwn i wedi cael gweledigaeth hyderus oedd yn dathlu'r gorau o Gymru mewn sioe a oedd yn briodas rhwng Cymru Fach ac America Fawr. Dychmygwch *boardroom* fwya crand y Celtic Manor, gyda dwsin neu fwy o benaethiaid bondigrybwyll Cwpan Ryder America a llond llaw o swyddogion gwelw'r Cynulliad a finne, mewn cylch. Roedd hi'n ofynnol i mi gymryd pawb drwy bob cam creadigol o'r sioe, a oedd yn cynnwys dwy fil o gantorion, cerddorfa ysblennydd, tân gwyllt, Carwyn Jones a fy *sidekick* y Tywysog Charles, Ioan Gruffudd, Katherine Jenkins, Dame Shirley Bassey a Catherine Zeta Jones. Choeliwch chi fyth y fath ofynion roedd rhaid eu gwireddu; wrth gwrs, roedd angen cael y chwaraewyr golff ar y llwyfan i'r byd eu cymeradwyo cyn y twrnament enfawr y bore trannoeth. Ond roedd rhaid i ni greu rhaglen o gerddoriaeth arbennig wedi ei hamseru i'r eiliad jyst er mwyn cael gwragedd y chwaraewyr i lawr y grisiau mawreddog ar ganol y llwyfan. Oherwydd sodlau uchel y merched, roedd gofyn i'r gerddoriaeth yma fod yn arafach, a'r grisiau yn fwy llydan! Am ffŷs, a nhwythe 'mond wedi dod i Gymru er mwyn siopa a chiniawa.

Wrth i mi ddod i ddiwedd fy nghyflwyniad creadigol manwl y diawl, dyma bennaeth Cwpan Ryder America yn torri ar fy nhraws ac yn dechre rhestru ambell chwaraewr golff adnabyddus. Yn sydyn, dyma fi'n ei glywed o'n deud 'Arnold Palmer'. 'Steddais i fyny yn syth yn fy nghadair gan synnu wrth glywed yr enw. Mae'n amlwg bod fy ymateb i enw Arnold Palmer wedi ei nodi gan y cyfarfod i gyd. Roedd llygaid pob un o gwmpas y bwrdd arna i, a finne'n dal i ymddangos yn hollol *gobsmacked*.

'What seems to be the matter?' gofynnodd y pennaeth yn ei acen drwchus Americanaidd. 'You seem a little perplexed!' Meddylies i am 'chydig, wedyn Allan â fo.

'I'm just surprised that you've even heard of Arnold Palmer,' medde finne'n hyderus. Mi aeth yr ystafell yn fud, yn oer ac yn farwaidd.

'I beg your pardon,' medde pennaeth Cwpan Ryder America eto. 'You're surprised we've ever heard of Arnold Palmer? Jesus!' Gadewch i mi egluro. Flynyddoedd maith yn ôl, yn ystod fy mhlentyndod, roeddem, fel teulu, yn mynd i Brestatyn ar ein gwylie. Os nad oedd hi'n ddigon cynnes i ni chwarae ar y traeth, roedd hi'n draddodiad i ni fynd i chwarae *crazy golf*. Enw'r lle oedd The Arnold Palmer Crazy Golf Course, felly mi gymerais i'n ganiataol yn wyth oed mai enw'r hen ddyn oedd yn cymryd ein harian ac yn rhoi'r offer allan oedd Arnold. Roedd hyn yn gwneud sens perffaith i mi. Yn anffodus, doedd o ddim yn gwneud sens perffaith i bwyllgor llywio twrnament Cwpan Ryder fod eu cynhyrchydd creadigol yn meddwl fod un o chwaraewyr golff mwya llwyddiannus ac adnabyddus y byd i gyd efo job ran-amser mewn lle *crazy golf* yn ymyl y Rhyl!

Wedi i'r *tumbleweed* rowlio allan drwy'r drws, chwarddodd y pennaeth iddo fo'i hun, ac mi wnaeth hyn agor y giât er mwyn i weddill yr ystafell weld yr ochr ddoniol i 'nghamddealltwriaeth ddiniwed. Diolch i Dduw, mi drodd y chwerthin yn histerics a barodd am ryw ddeg munud. Yn lwcus i mi, yn lle colli fy swydd yn y fan a'r lle oherwydd twptra llwyr, mi ges i gymeradwyaeth aruthrol gan benaethiaid Cwpan Ryder America nes eu bod yn codi ar eu traed, tra oedd aelodau'r Cynulliad yn iste yn clapio'n sidêt, ac yn gwingo'n welw. Dwi'n falch o ddeud na wnes i golli fy swydd. Wnaeth y ffaith nad oeddwn i'n gwbod pwy oedd Arnold amharu dim arnom wrth i ni fynd ymlaen i hoelio'r digwyddiad, a gâi ei ystyried yn un o'r cyngherddau mwya llwyddiannus yn hanes Cwpan Ryder. *Hole in one! Phew*!

PENNOD 11
Crio Chwerthin

Heb os nac oni bai, mae bywyd hyd yn hyn wedi bod yn wledd ar y cyfan, er 'mod i'n dueddol o feddwl bod pobl yn cymryd yn ganiataol 'mod i wastad ar ben fy nigon, wastad â gwên a wastad yn hapus. Ar un llaw, mi ydw i, gan 'mod i yn gwerthfawrogi bywyd i'r eitha, ond tydi hynny ddim yn golygu nad ydw i'n teimlo i'r gwrthwyneb weithiau. Cymysgedd o grio a chwerthin ydy bywyd; dwi'n derbyn hynny a falle bod angen y ddau i gadw'r ddesgil yn wastad. Dwi'n cyfadde 'mod i'n crio'n hawdd, ond dwi'n gallu chwerthin ar bron popeth hefyd.

Alla i ddim mynd am wythnos gyfan heb gael *damn good sob* efo *One Born Every Minute*. Fedrwch chi ddim dychmygu pa mor ypsét dwi'n mynd wrth i bob merch druan fynd drwy'r palafa poenus o roi genedigaeth. Hyd yn oed os dydw i ddim yn hoff o'r ferch, sy falle wedi bod yn *demanding* efo'r fydwraig, neu'n gas efo'i phartner, o'r eiliad mae pen y babi bach allan dwi'n dechre udo fel mul ar dân.

Wnaeth David, y gŵr, ddod adre o'r *gym* unwaith ac mi redodd o fewn i'r lolfa yn meddwl 'mod i newydd glywed fod Mam wedi marw, a dyna lle roeddwn i yn beichio crio tra oedd rhyw ferch ifanc yn cael ei hwythfed babi.

Mae'r crio yn digwydd yn ystod y rhaglen, sydd mewn dwy ran, fatha drama go iawn efo egwyl, a siawns i gael glasied a hufen iâ rhyngddyn nhw, gobeithio! Unwaith maen nhw wedi rhoi'r babi ar frest y fam, iddyn nhw gael 'bondio', dwi'n dechre tawelu rywfaint, ond fel *rollercoaster* wedi dod oddi ar y tracs, mae'r tad yn cael handlo'r babi i ddeud helô a dwi off eto gan milltir yr awr, yn snot ac yn *puffed up* i gyd.

Dydw i ddim llawer gwell efo *Long Lost Family* chwaith, os rhywbeth dwi'n waeth. Yr eiliad mae Davina yn agor ei handbag a dangos llun y person maen nhw wedi bod yn chwilio amdano ers blynyddoedd, dwi'n dechre: sniffio i gychwyn, a sychu dagre distaw, wedyn ymhen chwinc maen nhw'n cyfarfod ei gilydd, ac mae hi fatha *maternity ward* eto acw. Mae'r ymchwil yn y rhaglen hon yn gampwaith, a'r ffordd maen nhw'n dod o hyd i bobl a gafodd eu mabwysiadu, flynyddoedd maith yn ôl, yn hollol wych. Pan ddaw'r foment hon yn y rhaglen mi fyddaf, bob tro, yn gwingo am fy mod i wedi crio yn blentyn ac isio cael fy mabwysiadu yn lle jyst cael fy ngeni a 'nghadw!! Embarasing, 'ta be?

Dwi'n berson gorsensitif, yn teimlo pob dim i'r byw: y da a'r drwg, y cariadus a'r cas. Efallai 'mod i'n euog o greu digon o hapusrwydd o 'nghwmpas oherwydd 'mod i'n un sy'n brifo'n hawdd. Mi gofia i ddywediad gan y diweddar Terry Dyddgen Jones, sef bod 'na ddau fath o berson mewn bywyd: *radiators* a *drains*, ac roedd o yn llygad ei le. Wrth lwc roedd o'n fy ngweld inne fel *radiator*, ond mae'r *radiator* yma wedi cael sawl person yn sugno pob owns o hapusrwydd, haelioni a phositifrwydd allan ohono. Mae rhai yn tueddu i fyw oddi ar egni pobl eraill, ac ar ôl 'chydig, dwi'n chwynnu'r rhain o fy mywyd yn gyfan gwbl. Y peth sydd yn fy mrifo fwya yw cael fy nghamddeall a 'nghyhuddo ar gam. Mae hi'n cymryd oes pys i mi ddod dros hyn, a symud ymlaen, ond gan fod

gen i gymaint o egni i'w roi, mi ydw i wedi dechre deall a derbyn. Diolch, Terry!

Arhosodd un cyhuddiad a ddaeth yn ystod fy mhlentyndod efo fi am flynyddoedd maith, pan ges i fy ngadael i lawr yn erchyll gan rywun a ddylai wybod yn well. Roeddwn i tua deg oed ac wedi cynhyrfu'n lân am ein bod ni, fel dosbarth yn Ysgol Rhos, yn cael mynd ar drip i Lwyngwril. Cyn belled ag y gwyddwn i, roedd Llwyngwril yn Outer Mongolia, gan nad oedden ni'n trafaelio'n bell fel teulu, ac off â ni fel un haid o fwncïod ifanc ar y bws i ben draw'r byd, er nad oeddem mor bell â hynny o Fachynlleth, ond 'run ohonom fawr callach. Roedden ni i gyd yn aros mewn tŷ anferth o fewn rhyw wersyll; yr athrawon ar un coridor a ninnau, yn fechgyn a merched, wedi ein rhannu i stafelloedd – ar wahân wrth gwrs – gyferbyn â'n gilydd yn y coridor arall.

Ar y noson gynta, ar ôl swper, roedd yn amlwg i ni'r plant nad oedd dim un o'r staff i'w weld yn unman. Ar ôl 'chydig mi gawson ni'n hunain yn barod i'r gwely, yn blant da, a dwi'n cofio'n glir fod gen i fest a thrôns newydd sbon, neilon, *ribbed*, brown! Wrth i mi ddadwisgo mi glywais fy ffrind gorau, Lynda Evans, yn gwichio chwerthin o lofft y merched ar draws y coridor. Es i weld be oedd mor ddoniol, a daeth Lynda at y drws yn ei choban i egluro. Roedd y sefyllfa – y ddau ohonom yn ein dillad nos – yn un hollol ddiniwed, ac roedd Lynda yn aml yn aros dros nos yn ein tŷ ni, a'r ddau ohonom wedi hen arfer gweld ein gilydd fel hyn. Yn sydyn, mi drodd y jamborî hwyliog yma yn hunlle. Mi glywson ni waedd iasoer ein prifathro wrth iddo redeg i fyny'r grisiau tuag atom.

'Be ddiawl dach chi'ch dau'n meddwl eich bod chi'n gwneud?' medde fo, a 'nhynnu wrth fy mraich ar draws y coridor, a 'ngwthio i mor galed nes bod fy nghorff yn agor y drws oedd ar gau. Yna, mi daflodd fi ar draws gwely sengl Malcolm Smith oedd yn cysgu yn y gwely nesa ata i, nes i mi lanio'n galed ar fy ngwely fy hun. Cyn i mi allu tynnu 'ngwynt i ddeud dim, mi ddaeth y prifathro ata i eto, yn cyfarth fel ci.

'Dwi'n gwbod be dach chi'ch dau wedi bod yn ei wneud,' gwaeddodd, gan afael yn fy mhen a 'nghuro'n ddi-baid. Dwi'n cofio

gweddill y bois yn ceisio codi eu lleisie i egluro diniweidrwydd y sefyllfa, ond roedd yr oedolyn yma, oedd gynt wedi dysgu gymaint i mi am gerddoriaeth glasurol a blodau gwyllt yn yr ysgol, wedi troi i fod yn thyg gwyllt, afreolus. Bu distawrwydd. Roedd ofn ar bawb, hyd yn oed yr athrawon eraill, a oedd erbyn hyn yn dringo'r grisiau.

Roedd gweddill yr wythnos yn Llwyngwril yn teimlo'n hirach na dedfryd carchar, ac mi aeth yn ffieiddiach fyth. Er bod pob un disgybl wedi dangos cymaint o biti drosta i, a phawb mor glên, yr unig beth oedd ar fy meddwl oedd 'mod i isio rhedeg adre at Mam a Dad. Roeddwn i wedi addo y byswn i'n ffonio adre am chwech bob nos, cyn i Mam fynd i agor y siop *chîps*, ac roedd hi wedi rhoi bag banc blastic i mi yn llawn arian mân ar gyfer y ffôn cyhoeddus yn y lolfa. Wedi diwrnod hir o wahanol weithgareddau, a finne mewn poen corfforol a meddyliol, mi gawsom y cyfle i ffonio ein teuluoedd, a phawb fatha soldiwrs mewn un rhes â llond llaw o arian mân. Yn raddol mi wnaeth y rhes leihau, ac wrth i mi fynd i godi'r ffôn a deialu, mi weles *brogues* brown y prifathro yn camu tuag ata i. Atebodd Mam y ffôn, wedi cynhyrfu'n lân fod ei hail fab ymhell oddi cartre, a dyna lle roeddwn i, yn gorfod datgan 'mod i'n cael 'gwylie bendigedig' tra oedd y blaidd yn syllu arna i, a'i anadl o ar fy ngwar. Digwyddodd yr un peth yn nosweithiol – bob tro roeddwn i'n codi'r ffôn i siarad efo Mam, mi oedd cysgod y diafol yn fy rhewi ac yn fy nistewi.

Wythnos yn ddiweddarach, a hithe'n teimlo fel oes oesoedd, roedd hi'n amser i ni bacio a mynd adre ar y bws. Roedd hi wedi bod yn un o'r wythnosau mwya dychrynllyd, heb un wên gen i. Mi wnaeth y bws ein gollwng ni'r plant i gyd wrth y Stiwt yn Rhos, ond erbyn i mi gyrraedd y siop *chîps* i ddeud wrth Mam be oedd wedi digwydd, roedd sawl plentyn wedi rhedeg yno o 'mlaen i ac wedi adrodd yr hanes erchyll i gyd wrthi, ar fy rhan. Anghofia i fyth y goflaid ges i ganddi y tu ôl i'r cownter, o flaen y cwsmeriaid, na'r olwg ar wyneb Dad. O fewn dim, roedd Dad wedi 'nghymryd i gefn y siop, gan ofyn i mi ddadwisgo. Yno, mor glir â'r grisial, roedd y dystiolaeth: cleisie mawr o bob lliw, a hyd yn oed cleisie ôl bysedd ar dop fy mraich, lle ges i'r gafaeliad ysgytwol cynta. Aethom ar

unwaith i syrjeri'r doctor er mwyn eu cofnodi'n swyddogol, cyn i Dad ffonio'r prifathro a'i wahodd am 'baned' i'r tŷ.

Pan shyfflodd y prifathro i lawr yr ardd at ein drws, roedd ei wyneb fel y galchen. Mi gafodd o gynnig paned.

'Dim diolch,' medde'r hen ddyn gwargam, oedd gynt yn gawr gwyllt.

'Rho baned iddo,' medde Dad wrth Mam, fatha sarjant, a chychwyn yr *interrogation*. Mi driodd y bwli yma ddeud mai cleisie 'chwarae plant' oedden nhw, ond doedd Dad yn llyncu dim o hyn. Doedd dim un clais ar y lleill. Wedi mwy o gwestiynu mi ddaeth hi i'r amlwg fod y staff, y noson honno, wedi mynd i'r dafarn, a'n gadael heb unrhyw oruchwyliaeth. Ar ôl cael un neu ddau o ddiodydd yn ormod, mi gamddeallodd y prifathro'r sefyllfa wrth ddarganfod dau o'i ddisgyblion yn eu dillad nos. Pregethodd Dad fel corwynt wrtho, nes bod Mam a finne, a oedd yn yr ystafell arall, yn clywed cwpan y prifathro'n crynu ar ei soser. Mae'n siŵr fod twll ei din o'n crynu hefyd, ond roedd o'n bell o ganu tiwn. Mi benderfynodd Dad beidio â mynd ddim pellach wedi iddo gael ymddiheuriad, a sicrhad na fydde unrhyw beth arall fel hyn yn digwydd i mi nac i unrhyw ddisgybl arall. Ac felly y bu.

Rhaid i mi rannu hyn efo chi. Dwi newydd ffonio Mam i gadarnhau ambell fanylyn yn y stori yma, a'r ddau ohonom wedi dechre cweryla wedi iddi ddeall 'mod i'n taeru mai brown oedd fy fest a 'mhants.

'Fyddwn i erioed wedi prynu pants brown i ti,' medde hi'n hy.

'Wel, oedden nhw'n frown erbyn diwedd y noson,' medde fi, a'r ddau ohonom yn dechre crio chwerthin ar y ffôn. Braf cael chwerthin am rywbeth oedd ar un adeg yn destun dagre. Doniol hefyd, erbyn hyn, yw'r ffaith 'mod i wedi cael fy nghyhuddo o fod yn *straight*!

Fi ydy'r cynta i grio mewn angladd neu briodas a dwi'n cofio unwaith, tra oeddwn i'n rhan o gast *Les Misérables*, i mi dderbyn y *booking* mwya unigryw, i ganu 'Calon Lân' wrth ymyl arch model o Gymru o'r enw Kadamba, a oedd wedi cael ei lladd yn Llundain. Y cyfarwyddiade ges i gan fy asiant oedd i droi i fyny i'r angladd

a chanu nerth fy mhen, yn hollol bositif. Roedd hyn yn mynd i fod yn sialens anodd i mi, gan fod emosiwn wastad yn dangos yn y llais, ac roeddwn i'n dueddol o fod yn *emotional jacuzzi* o dan y fath amgylchiade, ac er nad oeddwn i'n nabod yr ymadawedig o bell ffordd, roedd siawns go dda 'mod i am dorri i lawr a blybio efo'r teulu. Mi gasglodd y dorf yn yr eglwys ac mi safais nesa at yr arch fwya crand, gan dderbyn un nodyn gan yr organydd i gychwyn yn y cyweirnod iawn. Cymerais anadl a chychwyn yn gry, fel y gofynnwyd, a dyma ffawd yn cymryd drosodd. Fel yr oeddwn yn canu, mi wnes i ddechre edrych tua'r gynulleidfa a sylweddoli fod rhai ohonynt yn edrych braidd yn gyfarwydd. Fel yr aeth y gân yn ei blaen, a minne'n canolbwyntio ar beidio crio, dechreuais i sylweddoli fod yr wynebau yma yn fwy na chyfarwydd. Yno, yng nghanol y gynulleidfa, roedd Kylie Minogue, Kate Moss, y brodyr Gallagher a Natalie Imbruglia. Heb yn wybod i mi, roedd yr ymadawedig yn ffrindiau mawr efo llawer o sêr y byd pop, a diolch i'r nefoedd, mi wnaeth eu gweld fy achub rhag gwneud smonach o gìg pwysig a sensitif iawn.

Yn ystod yr wythdegau mi ges i ran mewn cynhyrchiad o *Godspell* yn Aberystwyth, ac roeddwn wedi mynd i rentu stafell mewn ficerdy yn y cyffinie. Roedd y ficer yn ddyn clên iawn, ac yn raddol wnes i ddechre amau fod fod ganddo 'deimladau' tuag ataf. Roedd hyn yn broblem i mi ar y ddwy law. Ar yr un llaw, doeddwn i ddim yn ei ffansïo a fynte ryw ddeugain mlynedd yn hŷn na fi, ac ar y llaw arall doeddwn i ddim wedi cyfadde i fi'n hun eto mod i'n hoyw chwaith. Roedd yr ymarferion yn mynd yn dda, a finne wedi dod yn ffrindiau mawr efo Michael Ball, oedd ar ei job cynta syth allan o'r coleg, rhywun oedd â hiwmor a maint ceg yn union fel finne, a'r 'ddwy' ohonom yn giglo fel merched ysgol drwy'r holl job. Beth bynnag, un noson, ar ôl i'r ficer rannu ambell sieri efo fi, mi es i fy llofft i ddysgu leins cyn syrthio i gysgu. Tua phedwar y bore mi wnes i hanner deffro'n sydyn, gan fod y gwely yn crynu yn ddi-baid. Eisteddes i fyny yn pendroni, wedyn daeth rhywbeth i'r meddwl a wnaeth i mi orwedd yn syth a lapio'r dillad gwely yn dynn o 'nghwmpas a chuddio. Sylweddolais fod y ficer wedi sleifio i mewn

i fy llofft, a'i fod o wrthi yn mastyrbetio fel gwallgofddyn o dan y gwely. WTF, medde finne wrtha i fy hun, gan aros i'r crynu a'r siglo ddod i ben.

Mae'n rhaid 'mod i wedi syrthio'n ôl i gysgu rhywsut, ac erbyn i mi ddeffro a chael cawod, roedd y ficer wrthi'n sgipio rownd y gegin yn hapus braf fatha wiwer yn sortio brecwast. 'Paned, Stifyn?'

'Dim diolch,' medde fi, mewn llais mor isel â phosib, gan strytio fel ffarmwr i'r car, yn trio ymddangos yn *butch*. Roedd y ffaith bod y ficer yn ymddwyn fel tase dim wedi digwydd wedi fy syfrdanu a deud y lleia, a fynte yn y fath swydd. Rhag 'i gwilydd o. Dros baned y bore hwnnw, a finne a Michael Ball yn mwynhau mwy o *banter*, mi benderfynais i rannu fy mhrofiad ysgytwol ganol nos efo fo. Roedd Michael yn mwynhau'r stori gormod braidd yn fy marn i, ac erbyn diwedd fy natganiad, roedd o'n gwichio chwerthin ar y llawr fatha gwrach mewn poen.

'You absolute numpty,' medde fo. 'Have you not seen the news?'

'What bloody news?' medde fi'n poeni hyd yn oed yn fwy.

'There was an earth tremor in the middle of the night, quite big on the Richter Scale, and Aberystwyth got it quite badly.'

Y diwrnod hwnnw y gwnes i sylweddoli bod fy nychymyg i yn fwy bywiog na'r cyffredin, a druan o'r ficer bach hollol ddieuog.

*   *   *

Roedd 'na un golled yn ein tŷ ni yn Rhos oedd yn achos llawer o chwerthin, sef marwolaeth un o'm hanifeiliaid anwes pan oeddwn yn fy arddegau. Roeddwn i'n ddisgybl yn chweched dosbarth Ysgol Morgan Llwyd, Wrecsam ar y pryd, efo gwallt wedi ei liwio'n las. Ddylwn i fod yn gwybod yn well, a finne'n Brif Fachgen, ond roeddwn i'n 'greadigol' wedi'r cwbl, a phawb, mwy neu lai, yn derbyn fy ffordd o fynegi hynny. Penderfynais fod cael cath neu gi mor ddiddychymyg. Yn hytrach, bydde rhywbeth llai confensiynol yn siwtio teulu'r Parrys. Un pnawn, cyrhaeddais y tŷ efo dau derapin.

'O uffe'n,' medde Mam, 'be nesa?'

Ges i'r syniad o'u henwi ar ôl awduron dau lyfr yr oedden ni'n

eu hastudio ar gyfer Lefel A Cymraeg. Enwais i un ar ôl awdur fy hoff lyfr, *Gweledigaethau'r Bardd Cwsg*, sef Ellis Wynne, a'r llall ar ôl awdur llyfr a oedd â'r teitl mwya bywiog ond yr oedd ei gynnwys mor farwol: *Traed Mewn Cyffion*. Nage, nid llyfr oedd yn trin a thrafod *bondage* oedd o, ond casgliad o benodau di-liw. Digwyddiad mwya cynhyrfus y llyfr ydy disgrifiad o'r syrcas yn dod i'r dre ym mhennod saith. 'Wa-wii!' Ta waeth, Kate Roberts oedd enw'r awdures, ac enw arall gwych i derapin, yn fy marn i.

Roedd Kate Roberts ac Ellis Wynne, er cymaint y canrifoedd rhyngddynt, yn cyd-fyw'n arbennig o dda mewn tanc crwn ar silff y ffenest ffrynt yn y tŷ. Hawdd oedd eu cadw a'u bwydo, a'r ddau wrth eu bodd efo ham iawn o siop y cigydd, nid y sothach o'r archfarchnad. Roedd y berthynas yn 'briodas' fendigedig, nes i mi ddeffro un bore a gweld fod Kate yn hanner cuddio o dan gragen fawr yn edrych yn syn. Taflais i glamp o ddarn o ham tuag ati, ac mi sbrintiodd Ellis Wynne y terapin fatha Colin Jackson at y cig. Ond doedd dim symud o gwbl ar Kate; roedd ei thraed mewn cyffion go iawn. O edrych yn agosach, sylweddolais fod Kate wedi marw.

Wedi i mi ei chladdu yn yr ardd nesa at ambell bysgodyn aur a chwningen, neidiais ar fws yr ysgol. O fewn dim amser roedd PAWB yn yr ysgol wedi clywed bod fy nherapin wedi marw, a phob un ohonynt yn cydymdeimlo. Wrth i mi gymryd llyfre yn ôl i'r swyddfa i'r athrawes Gymraeg, mi glywais i un o'r athrawon yn trafod y farwolaeth yn ddwys efo'r prifathro. Roedd y ddau yn edrych yn ofnadwy o emosiynol ac yn trafod prynu blodau a cherdyn cydymleimlad gan yr ysgol gyfan. Mi syrthiodd y geiniog yn sydyn wrth sylweddoli bod y prifathro wedi camddeall y sefyllfa yn llwyr, a thrwy'r *Chinese whispers* roedd o wedi cychwyn cagliad yn y staffrwm gan feddwl bod yr awdures enwog ei hun wedi marw! Eglurais gymaint ag y gallwn mai terapin oedd Kate, a bron i mi gael fy hanner lladd unwaith eto gan brifathro arall. Flynyddoedd wedyn, pan wnaeth yr awdures farw, mi deimlais i'n drist, a 'chydig bach yn euog yr un pryd.

Panto ydy'r tonic iawn er mwyn cadw'r chwerthin i fynd yn ystod y dyddie tywyll, nid jyst gweld perfformiad, ond cymryd rhan

mewn un hefyd. Mae byd panto yn anodd: dwy sioe bob dydd, chwe diwrnod yr wythnos, a hynny tra bod y tywydd yn hunlle, pawb arall ar wylie a'r cast yn llawn ffliw! Dwi wedi cael y pleser o ymddangos mewn sawl panto, yn Theatr Newydd Caerdydd, yn Llundain, a thu hwnt, ac wedi cael y fraint o gydweithio efo rhai o sêr mwya'r *genre*, fel Marti Caine, Anita Dobson, Derek Griffiths a John Inman. Mae 'na fwy o enwau, ond doedd pawb ddim yn haeddu mensh. Roedd Marti Caine a John Inman yn hynod ddoniol ar y llwyfan ac oddi ar y llwyfan, ac mae gen i atgofion bendigedig o chwerthin efo nhw nes ein bod yn rhacs – y ddau wedi'n gadael erbyn hyn, ond wedi gadael eu marc, heb os nac oni bai. Roedd gan Marti Caine salwch oedd yn golygu ei bod hi'n methu stopio glanhau, ac felly mi roddodd hi Dressing Room 1 i fi, tra'i bod hithe mewn cwpwrdd bychan wrth ochr y llen, rhag ofn iddi fod yn hwyr i'r llwyfan wrth sgrwbio a dystio stafell newid fawr. Er mai dim ond blwch pedair troedfedd sgwâr oedd ganddi, ges i sawl gwahoddiad i fynd i iste yno – doedd dim modd sefyll beth bynnag – a chlywed ei hanesion anhygoel na fyddwn i byth yn gallu eu rhannu mewn llyfr! Roedd John Inman i'r gwrthwyneb yn llwyr – roedd ganddo ddwy stafell: Dressing Room 1 a 2. Roedd yr ail stafell ar gyfer ei holl wisgoedd *Dame* anhygoel, pob un yn anferth, yn gomic ac yn unigryw, yr un fath â'i bersonoliaeth. Bar, i bob pwrpas, oedd Dressing Room 1, lle roedd o'n cynnig diodydd i bawb yn yr egwyl a lle roedd o'n tywallt port a brandi iddo fo'i hun, o'r eiliad iddo gyrraedd y theatr bob bore tan yr eiliad iddo adael wedi deg y nos.

Roedd anturiaethau Anita Dobson yn rhai difyr hefyd, ac roedd y ddau ohonom yn gwlychu ein hunain gefn llwyfan weithiau cyn camu ymlaen. Roedd Anita, sy'n briod â Brian May, wedi gadael pot o *moisturise*r yn y tŷ tra oedd hi'n gweithio i ffwrdd yn y panto, a fynte'n heirio *courier* i ddod â'r pot gwerth tair punt yr holl ffordd o Lundain i Gaerdydd! Am *rock and roll!* Cyfarwyddwr y panto hwn oedd Derek Griffiths, a fydde'n gyfarwydd i wylwyr *Play Away* a *Play School*, ac yn wyneb yr oeddwn i wedi tyfu i fyny efo fo. Dyn ffein dros ben ydy Derek, talentog tu hwnt a doniol fel y diawl. Roedden ni'n iste am oriau wedi'r sioe bob nos yn gwichio chwerthin am y

pethau drygionus roedd o a'r cyflwynwyr eraill wedi'u gwneud efo Big Ted, Hamble a Humpty Dumpty. Derek oedd y person ddudodd wrtha i un diwrnod, 'You must do a one man show. It would be good for you.' Ac mi oedd o'n iawn. 'OH YES HE WAS!' Mae fy ngyrfa wedi dod â sawl ffrind da i mewn i fy mywyd. Mae cofio am gyfnod euraidd *Godspell* yn chwerwfelys, gan mai ar ddiwrnod cynta'r ymarfer wnes i gyfarfod fy ffrind gorau erioed: Sara Weymouth – mor posh â'r Cwîn ar un llaw, ac mor ddrygionus â Barbara Windsor yn nyddie *Carry On* ar y llall. Er i ni i gyd lynu efo'n gilydd fel cwmni, roedd 'na rywbeth cryfach rhwng Sara a finne. Am y tro cynta erioed, roeddwn i wedi cyfarfod rhywun oedd wir yn fy neall, ac yn fy nghlywed yn glir. Mi wnaethon ni ddatblygu'r berthynas fwya bendigedig, ac aeth o nerth i nerth yn ystod cyfeillgarwch a barodd am ddeg ar hugain o flynyddoedd. Hyd yn oed a hithe yn byw yn Llundain a finne yn ddiweddarach yn byw yng Nghaerdydd, wnaethon ni siarad bob dydd.

Mae un sgwrs ffôn yn sefyll allan. Wrth i ni siarad, mwya sydyn aeth Sara yn ddistaw. 'Are you still there?' medde fi, yn meddwl fod rhywbeth yn bod ar y lein.

'Yes, darlin',' medde hithe'n ansicr, 'but I've just found a lump.' Ffrwydrodd y geirie yn fy mhen.

'Don't worry, you're gonna be fine,' medde fi'n llai sicr fyth.

Collodd Sara ei hyder y diwrnod hwnnw, ac yn drasig iawn, oherwydd cymhlethdodau'r driniaeth, ac amseru gwael, mi wnaeth hi'n raddol golli ei bywyd. Does dim byd gwaeth na gorfod wynebu gweld pobl yr ydach chi wir yn eu caru yn llithro drwy'ch bysedd. Wedi triniaeth ar ôl triniaeth, a sgyrsie gonest, diffwdan, mi aeth pethe o ddrwg i waeth. Roeddwn i wedi trafaelio i Lundain o Gaerdydd i'w gweld. Croesodd Sara yr ystafell yn ara bach, un cam ar y tro tuag ata i, a hithe'n druenus o wan. Gwenodd mor braf arna i. Gafaelodd yn fy wyneb â'i dwy law a 'nghusanu ar gorun fy mhen. Roeddwn yn reddfol yn gwbod mai dyma oedd y tro olaf fyddwn i'n ei gweld yn fyw. Mae'r daith 'nôl ar hyd y Thames, a finne yn tynnu cês a oedd rŵan yn teimlo gymaint trymach, yn un o'r teithie mwya anodd ac anobeithiol i mi eu hwynebu hyd heddiw.

'Nôl yng Nghaerdydd roedd ffrind arall i mi yn diodde o'r un cancr yn union, ond wrth lwc yn dygymod gymaint gwell – Heulwen Haf, y person efo'r enw mwya addas ar wyneb y ddaear. Mi wnaeth Heulwen wynebu pob triniaeth a phob modfedd o'i gwellhad mewn modd mor osgeiddig ac urddasol, fel yr oedd hi wedi byw, a bod, erioed. Yn wahanol i Sara, enillodd Heulwen ei brwydr, a mwynhau blynyddoedd lawer yn y byd 'ma, yn codi arian ac ymwybyddiaeth i atal y clefyd yma; roedd hi hyd yn oed yn rhoi triniaeth *reiki* i lawer. Er yr holl hapusrwydd yn achos Heulwen, a'r ddau ohonom wedi cael ail gyfle efo'n gilydd, yn drist iawn mi ddaeth y cancr yn ôl yn ei anterth wyth mlynedd yn ddiweddarach. Ac wrth i mi ysgrifennu'r llyfr yma, mi gollon ni Heulwen, a throdd fy mywyd yn gymylog eto. Dwi yn credu fod ysbryd y rhai sy'n ein gadael yn aros efo ni, a dwi'n sicr fod Sara gyda mi gymaint â 'nhad. Ac o hyn ymlaen, bob tro y bydd yr heulwen yn tywynnu uwchben, boed wanwyn, hydref neu aeaf, mi fydd hi'n Heulwen Haf, i mi, o hyd.

PENNOD 12
CAU DY GEG

Mae croesffyrdd bywyd, pan fo angen gwneud y penderfyniadau pwysig hynny, yn dod â datblygiadau annisgwyl o ddifyr hyd y gwela i. Mae 'na adegau mawr, clir yn fy ngorffennol lle dwi bron â gallu cyffwrdd y teimlad pwysig yma, sy'n gymysgedd o ofn a gorfoledd sy'n codi yn fy mol a 'nghalon, fel swigen sydd ar fin ffrwydro. Hyd yn oed wrth i mi geisio ei ddisgrifio, mi alla i fwy neu lai ei alw'n ôl, i'w gofio a'i deimlo eto. Falle mai adrenalin ydy o, ond beth bynnag ydy o, mi ydw i'n *hooked*. Camu ar ambell lwyfan, wynebu bwli, dŵad allan, torri perthynas, mae 'na gymaint o enghreifftiau, ac mae'r croesffyrdd yma rhywsut yn fy ngwneud yn gryfach, ac yn fwy hyderus. Mae pobl yn dueddol o gymryd yn ganiataol, oherwydd fy nghymeriad, fy mod i'n un sy'n mynd yn ddramatig ac yn banics i gyd ar adegau fel hyn, ond y gwir amdani yw bod 'na ryw dawelwch meddwl yn dod drosta i, ac mi ydw i'n gweld yr ateb, y wobr, neu'r canlyniad dymunol yn glir fel y grisial.

'Rhaid i mi weithio yn Lloegr hefyd!'

'Mae angen gadael *Brookside* a chanu yn y West End!'

'Rhaid creu cwmni digwyddiade nesa!'

Mae llais fy ngreddf hyd yn oed yn uwch na fy llais i! Alla i ddim ei anwybyddu, a dwi'n falch nad ydw i, gan fod y llais 'ma wastad yn iawn.

Ar ôl blynyddoedd o lwyddiant yn denu gymaint o ddigwyddiadau gwirioneddol gynhyrfus i mewn i swyddfa MR PRODUCER, mi oedd hi'n ail natur i greu gweledigaeth greadigol a chael y gyllideb i'w gwireddu. Wedi'r dirwasgiad, mi oedd hi'n wahanol. Yn raddol, mi gollodd fy nghwsmeriaid eu hyder yn eu lansiadau, eu cyngherddau a'u digwyddiadau, ac yn raddol aeth fy swydd fel cynhyrchydd creadigol yn swydd gwbl wahanol. Mi gofia i rai cwsmeriaid yn gorfod cyfadde â chalon drom fod hanner y gyllideb wedi ei thorri, weithiau fwy. Roedd y rhyddid creadigol yn diflannu ac roedd fy ngwaith, am y tro cynta, yn dechre fy mhlesio gymaint llai. Ond dathlu oedd pwrpas fy swydd, fy mywyd! Roedd rhaid i mi newid cyfeiriad ond heb newid fy mryd. Roedd y cwmni wedi tyfu ac felly roedd cost i'r swyddfa, i'r staff ac yn y blaen, a mi ddechreuais rhywsut ddatblygu prosiect yn fy mhen nad oedd arno angen dim ond fi. Efallai mai dihangfa oedd hyn, ond mi dyfodd hadyn o syniad yn fy mhen y gallwn i wneud rhywbeth lle nad oeddwn yn atebol i unrhyw fwrdd, pwyllgor, cwsmer nac aelod o staff.

Ar yr un pryd mi ddechreuais i wneud mwy o waith mentora, gan gynnal gweithdai a sesiynau preifat i bobl o bob oedran i hybu eu hyder a'u sgiliau cyfathrebu, cyflwyno a pherfformio, a rhannu fy mhrofiadau er mwyn ysbrydoli *entrepreneurs* ifanc o gwmpas y wlad. Roeddwn i'n cael fy hun yn aml yn sefyll o flaen cynulleidfa efo laptop, taflunydd a lluniau rhai o lwyddiannau'r cwmni, fel agoriad Canolfan Mileniwm Cymru, Cwpan Ryder, ac ambell i stori bersonol. Heb os, mi oeddwn i wrth fy modd yn y sefyllfa yma: cael siarad heb sgript a thaflu hiwmor i mewn a gwir fwynhau'r ymateb. I fod yn onest, mae 'na rywbeth ynof i sydd wastad wedi fy nenu at stand-yp, ac roedd hyn yn gam tuag at y byd hwnnw, siŵr o fod. O fewn dim, mi ddechreuais ddatblygu'r weledigaeth o gael

rheolaeth lawn dros fy sioe fy hun, lle doeddwn i'n atebol i neb ond
y gynulleidfa, rhywbeth roeddwn i wedi ymbellhau oddi wrtho dros
y blynyddoedd dwytha. Rhywle cwbl greadigol a saff. Sioe un dyn.
Mor saff â ffau'r llewod!

Mi ddaeth hi'n amser i gael gwared ar y swyddfa a chodi llaw ar
y staff, a chychwyn ar lwybr newydd sbon. Nid dyma oedd diwedd
MR PRODUCER o bell ffordd, ond dyma oedd diwedd bod yn
gyfrifol am gleientiaid, a'u cyllidebau, a diwedd ar fod yn gyfrifol
am staff. Fydde hyn erioed wedi digwydd flynyddoedd ynghynt,
ond roedd o'n amserol o ran y busnes, ac o ran fy oed. Wedi creu fy
swyddfa newydd yn y tŷ yn Sain Ffagan, mi eisteddais wrth fy nesg
a chreu. Bydde rhai yn synnu sut wnes i gychwyn ar fy mhrosiect
newydd o greu sioe un dyn, ond be wnes i oedd cynllunio'r poster
ac ysgrifennu'r datganiad i'r wasg! Unwaith i mi benderfynu ar y
teitl, mi lifodd popeth arall. 'Stifyn Parri, CAU DY GEG!' – dyna
roedd pawb wastad wedi'i ddeud wrtha i drwy gydol fy mywyd,
yn athrawon, ffrindiau a theulu. Mi alla i siarad am byth. Mae gen
i lawer i'w ddeud, a llawer o storïau o gefn llwyfan, neu o'r tu ôl i'r
camera. A dyna fo – creu sioe un dyn, rhyw gymysgedd o stand-yp,
hunangofiant a chylchgrawn clecs yn gymysg oll i gyd. Es i ati i gael
lluniau i frandio'r sioe, gyda chymysgedd o bethau wedi'u gwthio
i fy ngheg fawr fel gag. Mi ffoniais i ffotograffydd penigamp yr
oeddwn wedi cydweithio efo fo sawl gwaith, a'i gomisiynu i greu
cyfres o luniau difyr ar gyfer hyrwyddo'r sioe, y sioe oedd heb gael
ei sgrifennu eto!

Un bore braf mi ddaeth y ffotograffydd draw, a gosod popeth yn
ei le yn ein lolfa. Mae'n rhaid i mi gyfadde fod y bore hwnnw yn un
bythgofiadwy – mi gawson ni gymaint o hwyl yn gwthio bananas,
gags a theisennau i 'ngheg ar gamera. Mi ges i'r syniad o gael
llun mewn *straitjacket*, felly roeddwn i wedi heirio un ar gyfer yr
achlysur, *as you do*. Rhoddais i gag glitar yn fy ngheg, a rhwymodd
y ffotograffydd fy mreichiau yn y siaced fel na allwn siarad na
symud, yn barod am lun. Yr eiliad honno roedd 'na gnoc ar y drws.
Y postmon! Roedd rhaid i'r ffotograffydd agor y drws, wrth gwrs,
gan nad oeddwn i'n gallu gwneud dim, ac wrth iddo wneud hynny

mi welodd y postmon fi'n sefyll fel taswn i wedi cael fy herwgipio. Mi gymerodd y ffotograffydd y post, diolch iddo, a chau'r drws. Roedd o'n piso chwerthin wrth ddychmygu beth oedd yn mynd trwy feddwl y postmon, ac er nad oeddwn i'n gallu chwerthin yn uchel gan fod gag mawr crwn yn fy ngheg, roeddwn yn fy nagre. Ar ôl chwerthin gymaint, roedd fy *stretch jeans* i wedi dechre llithro i lawr, a'r unig ffordd i'w cael nhw'n ôl i fyny oedd i mi bwyso ar silff y ffenest a neidio i fyny ac i lawr tra oedd y ffotograffydd y tu ôl i mi yn tynnu'r jîns i fyny. Roedd y dagre'n dal i lifo i lawr fy ngruddie, oedd erbyn hyn wedi'u gwthio yn erbyn y ffenest. Pwy ddaeth heibio ond y postmon eto, gan iddo feddwl 'mod i mewn sefyllfa eitha difrifol a deud y lleia. O weld yr olwg ar fy wyneb drwy'r ffenest, roedd hi'n amlwg lle roedd ei ddychymyg wedi neidio. Doedd dim dwywaith amdani: roedd rhaid i'r ffotograffydd ofyn i'r postmon ddod i mewn er mwyn iddo gael sicrwydd nad oedd unrhyw beth *dodgy* yn digwydd.

A sôn am y sioe, roedd hi'n hen bryd i mi ddechre ei chreu. Mae gen i hen gabinet ffeilio pren yn y tŷ, sy'n guddfan i bob llun, pob erthygl o'r wasg a phob math o femorabilia sydd gen i ers 'mod i'n blentyn. Roeddwn i'n gwbod bod digon yn y cwpwrdd yma i gynnal mwy nag un sioe, felly un bore glawog ar y diawl, mi wagiais i'r cyfan ar lawr y lolfa a dechrau chwilio am ddeunydd, am ysbrydoliaeth ac am eitemau gweledol i'm sioe. O fewn dim roedd gen i bentwr a oedd bron â chyrraedd y nenfwd, yna mi ddechreuais i chwynnu, a chwynnu a chwynnu eto.

Wedi rhoi popeth arall 'nôl yn y droriau, es i ati i greu rhaglen y sioe, a chyn pen dim roedd popeth yn ei le. Bydde'r lluniau yn ffordd dda o 'nghadw i a 'nghynulleidfa ddychmygol ar y trywydd iawn ac felly mi lwythais i'r lluniau i mewn i fy laptop, yn eu trefn. Roedd angen cynulleidfa arna i, er mwyn 'perfformio' hwn iddi am y tro cynta, rhywun oedd yn greadigol, yn deall comedi, ac yn fy neall i, heb fod yn rhy agos i beidio rhoi barn ac adborth iach a gonest. Roedd gen i jyst y person: Siân Naomi, actores yr oeddwn i wedi gweithio efo hi, ac wedi gwneud iddi chwerthin ar set nes ei bod hi bron â cholli ei job. Roedd Siân wedi datblygu i fod yn sgwenwraig

o gryn safon, ond doedd ganddi ddim ofn deud ei barn. Perffaith. Mi wnes i ei gwahodd i ddod draw i'r tŷ ar fore Gwener i wylio'r ymgais gynta i gyflwyno'r sioe ddi-sgript, ddi-flewyn-ar-dafod a digywilydd, cyn i mi goginio cinio iddi er mwyn cael adborth.

Roedd Siân yn dod draw erbyn deg y bore, ond roeddwn i wedi dechre cerdded yn ôl ac ymlaen fatha llew mewn caej ers wyth. Roedd gen i gymaint o adrenalin yn fy nghorff, roeddwn i bron â chwythu fy mhlwc! Bydde'r egni oedd yn cronni yn fy nghorff yn ddigon i gynnal ysbyty'r Heath am fis. Erbyn deg o'r gloch, roeddwn i wedi dechre mynd ar fy nerfau fy hun, ac yn teimlo fel taswn i am roi genedigaeth i ddraenog unrhyw eiliad. Erbyn i Siân gyrraedd, fymryn yn hwyr, roeddwn wedi dilêtio digon i roi genedigaeth i dractor. Eisteddodd Siân yn ei sêt, gyda llyfr nodiadau a phensil, ac mi gychwynnais i arni, gyda churiad fy nghalon yn uwch na'm llais. Dair awr a hanner yn ddiweddarach mi ddaeth fy sioe i ben, a'r peth cynta ddudodd Siân oedd y geiriau cwbl amlwg, 'Ma' hi'n rhy hir!'

Roedd ei hymateb yn ffafriol dros ben, yn gadarnhaol ac adeiladol, diolch i'r nefoedd, ac mi gymerais i nodiadau di-ri. Rŵan roedd y gwaith caled am gychwyn: chwynnu mwy, ailstrwythuro ac amseru'r *punchlines*. Y bore canlynol mi wnes i addo i mi fy hun y byswn i'n codi efo'r wawr a cheisio rhoi'r sioe ar ei thraed unwaith eto yn sgil yr adborth. Mi godais a pherfformio'r sioe i'm ffrindiau addfwyn ers blynyddoedd maith – ein cŵn, y brodyr Bill ac Alfie – gan dorri o leia awr a hanner oddi arni. Gobeithio nad oedd rhech Bill yn rhyw fath o ymateb negyddol.

Y bwriad nesa oedd trefnu *preview* o'r sioe yn Stiwt y Rhos, cyn ei hagor yn iawn yng Nghanolfan Mileniwm Cymru, ac yna yn Llundain. Roeddwn i hefyd yn sicr fod digon o amser i ymarfer y sioe yn iawn, a chael y cynnwys dan fy nghroen. Roedd y prosiect yn un personol a doeddwn i ddim wedi meddwl gwahodd camerâu teledu i mewn i'r broses yma, ond cefais fy mherswadio gan Geraint Lewis, a oedd yn cyfarwyddo'r gyfres *Siôn a Siân*, i adael iddo ddod â'r camerâu i gael cipolwg ar y broses o greu a 'nghanlyn wedyn i'r Rhos, Caerdydd a Llundain ar fy nhaith.

Roedd hi'n fwriad gen i o'r cychwyn allu gwneud y sioe yma yn y Gymraeg a'r Saesneg. Fy addewid i fi'n hun oedd y byswn i'n ymarfer y ddwy sioe, gefn wrth gefn, bob bore Iau am saith y bore tan y noson gynta yn Rhos, a druan o Bill ac Alfie, ond y nhw oedd fy nghynulleidfa wythnosol. Yn raddol daeth y sioe yn gryfach, a finne wedi hen 'arfer efo camerâu ym mhob cornel o 'mywyd.

Daeth y dydd i mi yrru i'r Rhos a pherfformio o flaen fy mhobl! *No pressure!* Mae cynulleidfa Rhos fatha fi, yn dangos eu gwerthfawrogiad yn glir ond byth yn tynnu'n ôl rhag rhoi eu barn! Dyma pam roedd angen i mi ddod adre yn gyntaf; fydde'r gynulleidfa yma byth yn llyncu unrhyw beth nad oedden nhw'n ei werthfawrogi. Wedi'r ymarfer technegol ar y llwyfan yn y pnawn, doedd dim dianc rhag y bwystfil, ac i fod yn onest doeddwn i ddim isio dianc. Ac roedd angen cynulleidfa arna i erbyn hyn; roedd Bill ac Alfie wedi bod yn wych, ond tydi cŵn, na chriw teledu, fawr o help i gael y *laughs!*

Gwisgais gefn llwyfan, lle roeddwn i wedi troedio flynyddoedd ynghynt yn gwylio Cymdeithas Amatur Aelwyd y Rhos yn blentyn, ond yn lle sefyll yn y wings yn teimlo fel yr unig berson oedd ddim ar y llwyfan, heno dim ond fi fydde yno. Daeth yr awr, rhoddais y meicroffon ymlaen, ac mi es i, gyda Rob y dyn camera yn fy nilyn, a sefyll wrth ochr y llwyfan yn barod i gamu ymlaen. Roedd yr adrenalin yn pwmpio, a chynnwrf yn y gynulleidfa, a finne'n clywed Mam uwch eu pennau nhw i gyd, yn chwerthin fel iâr. Tybed fydde hi'n chwerthin mewn munud neu ddwy, medde fi wrth i arwyddgan y sioe floeddio, 'World Shut your Mouth' yn uchel drwy'r *speakers.* 'Noswaith dda, Rhosllannerchrugog!'

Ac mi oedd hi! *Phew!* Dim ond perfformwyr fydd yn deall hyn, efallai, ond mi oedd angen cael cynulleidfa arna i er mwyn i mi wybod lle i anadlu, lle i aros ennyd a lle i gyflymu'r *pace* i hoelio'r *punchlines.* Cefais i sioc wrth sylwi ar bwy oedd yn y gynulleidfa, ond rhaid deud mai anrhydedd oedd gweld ffrindiau ysgol, cymdogion, hen athrawon a hyd yn oed ambell un oedd yn fy nghasáu yn blentyn! Tydi cynulleidfaoedd Rhos ddim yn swil o bell ffordd, ac roedd hi'n nefoedd eu clywed yn ymateb drwyddi draw. Roedd

ambell i syrpréis yn y sioe, gan nad oedd neb yn gwbod dim o'i chynnwys, ac er bod Mam wedi gofyn yn ddyddiol, doeddwn i wedi deud dim. Roedd llawer o'r sioe yn storïau doniol o 'mhlentyndod, a 'ngyrfa, gyda digon o glecs am y *divas* yr oeddwn i wedi cydweithio efo nhw, ond roedd un neu ddwy o storïau am Mam.

Fe gadwais ei stori ryfedda at ddiwedd y rhan gynta, y stori lle roedd Mam wedi barnu gwraig ddigartre wnaeth biso ar ganol y stryd yn Soho, cyn iddi biso ei hun ar ganol fy stryd i yn hwyrach y noson honno. Mi chwarddodd y gynulleidfa, ond pwy oedd yn chwerthin fwya? Mam! A hithe bron â gwlychu ei hun eto. Mi wnes i wedyn rybuddio'r gynulleidfa i adael i Mam fynd allan gynta, er mwyn iddi gyrraedd y Ladies o flaen pawb arall. Coeliwch neu beidio, mi ddaeth ffrind i mi gefn llwyfan yn yr egwyl i ddatgan ei fod wrthi'n cael pi-pi yn *urinals* y dynion pan redodd rhywun i mewn ac yn syth i'r ciwbicl, heb sylwi ei bod hi yn y Gents. A phwy oedd y foneddiges hon? Neb llai na Mam. Ffordd berffaith o agor yr ail hanner.

Y bore canlynol roeddwn i yn ôl yn y car i fynd i wneud y sioe nesa, yng Nghanolfan Mileniwm Cymru, a rhyfedd oedd ymarfer yno yn y prynhawn o feddwl 'mod i wedi bod yn gyfrifol am agoriad yr adeilad ddeuddeg mlynedd yn ôl yn union i'r diwrnod. Roeddwn i'n poeni am y sioe yma, gan fy mod i wedi bod yn ddigon hurt a diniwed i heirio'r lle ar noson gêm rygbi bwysig. Ond wrth lwc, roedd y lle dan ei sang. Roedd hanes agoriad y Ganolfan yn fy sioe, ac felly mi ychwanegais y cyd-ddigwyddiad mai deuddeg mlynedd i'r diwrnod roedd yr achlysur, ac wrth gwrs, roedd rhaid datgan fod Mam wedi bod yn y Gents y noson cynt hefyd. A dyma sut aeth y sioe ymlaen i ddatblygu, gan fod rhywbeth o hyd yn newydd ynddi. Trawstoriad llwyr o bobl oedd yn y gynulleidfa: ambell ffrind a chyd-weithiwr, a llawer nad oeddwn i'n eu nabod o gwbl, wrth gwrs.

Llundain oedd nesa, gyda'r camerâu'n dal i 'nghanlyn. Sioe oedd bron yn hollol wahanol eto oedd hon: hen ffrindiau coleg, cyn-aelodau SWS a neb llai na Siân Phillips. Pan gychwynnais i ar y stori amdana i'n meddwl ei bod hi'n *coke-head*, mi chwarddodd hi'n uchel.

Ymlaen â fi wedyn i Gaernarfon at gynulleidfa wahanol iawn eto a'r sioe gynta yn y Gymraeg, a honno'n cael ei recordio i S4C. Eto mi wnes i gael cymaint o groeso gan y gynulleidfa, a'r cyflwyniad mwya clên a charedig gan Tudur Owen. Doeddwn i ddim isio i'r sioe gyfan fod ar y teledu, dim ond blas ohoni, neu fydde neb wedi prynu tocyn i'w gweld byth eto. Ges i wahoddiad i'w pherfformio yn Efrog Newydd, Bryste, a phob cwr o Gymru, a flynyddoedd wedi'r noson gynta mae'r sioe'n dal i gael *bookings*. Bydd y geg yma ar agor am byth! Ac mae Bill yn gwbod bob gair, tra bod Alfie wedi mynd i gadw cwmni i Heulwen, Sara, Dad a phawb arall i fyny acw.

Mae'r sioe yma wir wedi llwyddo y tu hwnt i bob disgwyl, a does dim gwell gen i na bod yn ei chanol hi o flaen cynulleidfa fyw. Mae 'na ryddid i mi yma, rhyddid sy'n bwydo fy enaid. Fyswn i erioed wedi gallu gwneud y sioe hon yn gynharach yn fy ngyrfa; roedd angen y profiad, yr amser a'r gyts, ond byswn i'n gallu mynd â hi ar daith am weddill fy mywyd petai rhywun isio gwrando. A chwerthin wrth gwrs! Mae digon o ddeunydd gafodd ei dorri o'r sioe wreiddiol yma a sawl stori arall yn cuddio yn y cabinet yn aros amdana i, a dwi wedi dewis y teitl yn barod, felly *look out* – mae sioe newydd sbon ar y ffordd.

Wel, mae'n bryd i mi ddechre meddwl am orffen sgwennu'r llyfr 'ma. Mae hi'n ddifyr 'mod i wedi cymryd gymaint o amser i benderfynu ei sgwennu, a rŵan dwi ddim isio iddo ddod i ben!

Efallai fod llawer ohonom ag ofn agor ein cegau a deud ein deud weithiau, ofn codi'n pennau yn uwch na'r lleill rhag ofn i ni gael ein barnu, neu wthio'n hunain allan o'n *comfort zone* a mentro ar sialens newydd, frawychus falle. Ond rhaid i mi ddeud, bob tro yr ydw i wedi penderfynu gwireddu sialens neu weledigaeth, neu agor fy ngheg a deud be sydd ar fy meddwl, dwi un ai wedi wedi cael fy ngwobrwyo neu wedi achosi i bobl chwerthin, ac mae'r ddau beth yma i mi yn bleser pur.

Alla i ddim coelio 'mod i wedi rhedeg hanner marathon, er enghraifft, a finne erioed wedi gallu rhedeg am y bws ysgol yn blentyn. Wnawn ni byth fod ar ein hennill drwy chwarae'n saff a chuddio. Mae pob sialens sydd wedi dod ar draws fy llwybr i wedi

bod mor fuddiol yn y pen draw, a dwi wedi dysgu bod angen i ni gachu'n closie bob hyn a hyn, er mwyn teimlo ofn. Mae'r ofn yma wedyn yn tanio'r adrenalin, ac yn sydyn mae'r pethau mwya ysbrydoledig yn gallu digwydd.

Pwy fydde'n credu y byswn i wedi gallu mynd o beidio cael rhan yng nghorws amatur *Oliver* i gael rhan Marius yn *Les Misérables*? Pwy fydde'n credu 'mod i wedi mynd o drafod sengl newydd Hergest, yn bymtheg oed ar Radio Cymru, i gymryd swydd yn lle Chris Evans ar Piccadilly Radio? Pwy fydde'n credu 'mod i wedi mynd o fod yn rhy dew i ymuno â'r Cubs yn blentyn i ennill cystadleuaeth ffitrwydd, ddwy flynedd yn olynol, yng nghampfa Iechyd Da yng Nghaerdydd, neu fynd o fethu pob un prawf mathemateg erioed i redeg cwmni MR PRODUCER am ugain mlynedd a delio â chyllidebau gwerth miliynau? Pwy fydde'n credu 'mod i wedi mynd o gael fy ngwrthod ar gyfer disgo Capel Mawr y Rhos i gael fy ngwahodd i briodas Catherine Zeta Jones a Michael Douglas? Pwy fydde'n credu 'mod i wedi mynd o fod yn 'Fatty-Poof' i fod yn llysdad priod, a bod mewn perthynas lwyddiannus ers y nawdegau cynnar? Pwy fydde'n credu 'mod i wedi mynd o drefnu drama ar ddiwrnod cynta'r ysgol yn dair oed i drefnu rhai o ddigwyddiadau mwya'r byd adloniant? Yr ateb yn syml ... Fi! Os wnewch chi gredu, mi wnewch chi wireddu. Ffaith.

Mi glywais i rywun yn ailadrodd cyngor Dewi Sant yn ddiweddar, gan ddeud, 'Gwnewch y pethau bychain.' *Bollocks!* 'Gnewch y pethau mawr!' medde Sant Stifyn. Gymaint gwell. Rŵan, ewch ati! A dyma ddiwedd y bregeth, tan fy llyfr nesa, wrth gwrs! *As you were.*

∾